D0526222

POESÍA POSCONTEMPORÁNEA

CUATRO ESTUDIOS Y UNA INTRODUCCIÓN

Colección dirigida por Manuel Aragón

POESÍA POSCONTEMPORÁNEA

CUATRO ESTUDIOS Y UNA INTRODUCCIÓN

Carlos Bousoño

LOS POETAS ~ SERIE MAYOR
EDICIONES JÚCAR

Cubierta: *J. M. Domínguez*
Primera edición: *junio de 1985*

Ediciones Júcar, 1984
Fernández de los Ríos, 20, 28015-Madrid. Alto Atocha, 7, Gijón
ISBN: 84-334-4504-9
Depósito legal: B. *28.381 - 1985*
Compuesto en Fernández Ciudad
Impreso en Romanyà/Valls. Verdaguer, 1, Capellades (Barcelona)
Printed in Spain

INTRODUCCION METODOLOGICA

Racionalidad, individualismo y cosmovisión

En esta obra, parto de una doctrina, que, aunque haya sido el fundamento de todos mis escritos de crítica literaria desde mi más temprana juventud, no había sido puesta por escrito de un modo totalmente explícito hasta la publicación de mi libro *Épocas literarias y evolución* (Madrid, ed. Gredos, 1981). Por lo tanto, debe verse el presente volumen como un «ejemplo» más de esa tesis acerca de las épocas culturales, y hasta como una nueva comprobación de la validez de tal teoría para la explicación de los estilos artísticos. Me veo, pues, precisado a sintetizar de entrada, aunque sea en apretura extrema, los datos esenciales del nuevo enfoque metodológico que propongo. Pues aquí sólo cabe, en efecto, ofrecer al propósito, en forma aforística y prescindiendo, claro está, de su inmensa estela de asaltantes preguntas e iniciales desazones, algunas de las conclusiones (sólo las indispensables para la cabal intelección de lo que va a seguir) a que en ese libro he llegado. Serían, en síntesis, estas:

1.ª La Historia de la Cultura gira alrededor del grado de racionalidad de la sociedad, el cual, por lo que pronto diré, se convierte de inmediato, en un grado de individualismo. Tal Historia no es otra cosa, pues, en su raíz, que la historia de tal sentimiento, ya que,

2.ª, toda época cultural es un sistema de notas o rasgos, cuyo centro generativo se halla constituido por el sentimiento individualista, en una cierta dosis, siempre que definamos a éste como la *conciencia que tengo de mí mismo en cuanto hombre.* «Conciencia», luego, en efecto, razón. La razón la tenemos todos los hombres: es precisamente aquello que *nos une.* La racionalidad lleva, pues, a la unión, y tiende, en consecuencia, a formar grupos sociales cada vez mayores (por ejemplo, primero la nación, luego Mercado Común, etcétera). No es casualidad que el siglo XVIII, siglo de la razón, descubra los sentimientos de igualdad y de fraternidad entre los hombres, y se interese por el cosmopolitismo. El individualismo, al estar hecho de racionalidad, y siempre que lo entendamos así, no manifiesta agujero alguno para poder ser interpretado, al uso, como antisocial, aunque en cierto momento (individualismo del siglo XIX) nos proporcione, en alguno de sus aspectos, esa engañosa impresión, nada difícil de explicar, por otro lado.

3.ª Ese individualismo ha venido aumentando sin pausa en el seno de la sociedad occidental desde la reapertura del comercio mediterráneo, en el último tercio del siglo XI, hasta hoy mismo. La causa de tal aumento se debería al aumento correlativo de la racionalidad en tal sociedad a lo largo de tan vasto período, ya que el instinto de conservación que tenemos hace que el grado de racionalidad poseído por nosotros en un momento dado *lo dirijamos en primer término hacia nuestro propio ser,* con lo que se convierte de inmediato en un grado similar de *autoconciencia,* esto es, en un grado similar de *individualismo* («conciencia que tengo de mí mismo en cuanto hombre»). El progreso de la racionalidad, desde las fechas que digo hasta hoy, se relaciona, a su vez, con muchos motivos, pero los más importantes resultarían, si no me engaño, éstos: 1.º, el desarrollo del capitalismo (privado, pero también estatal, pues el capitalismo desea la ganancia, que sólo se obtiene haciendo más rápido el giro del dinero, para lo cual ha de *racionalizarse* al máximo la producción; 2.º, el desarrollo científico y técnico (cuya *racionalidad,* por obvia, no precisa explicación); y 3.º, el desarrollo de la forma de Estado, que ha sido, en efecto, *crecientemente racional* a partir de Luis VI el Gordo, de Francia, a principios del siglo XII, y en Inglaterra, desde antes (Guillermo el Conquistador: año 1066, batalla de Hastings).

4.ª Al llegar a un determinado grado, la racionalidad, o sea, el sentimiento individualista, en un salto cualitativo, engendra un nuevo sistema. Ello implica que, dentro de cada época, aunque el individualismo vaya ascendiendo, permanezca inmóvil el sistema como tal, lo mismo que el agua se mantiene líquida, aunque su calor se intensifique, mientras no se alcancen los cien grados.

5.ª Los sistemas «de época», como si fueran cajas chinas, se encuentran constituidos por otros sistemas menores que podemos llamar, metafóricamente, «generacionales», en cuanto que suelen hallarse representados, de modo especialmente claro, por cada una de las sucesivas generaciones. Y es que,

6.ª las conclusiones anteriores nos llevan, por lo pronto, a una amplia enmienda de la teoría de las generaciones hoy vigente; vigente en España gracias a los estudios de Ortega, Marías y Pedro Laín; fuera de España, a los de Wilhelm Pinder o Julius Petersen, entre otros. En la interpretación que propongo, todas las generaciones verdaderamente vivas percibirían de manera intuitiva el *nuevo grado de racionalidad o individualismo* y reaccionarían frente a él [1],

---

[1] Por eso, en cada período breve, al que metafóricamente hemos llamado generacional», todas las generaciones realmente vivas vienen a realizar una tarea literaria, artística o cultural *semejante.* Y así, a partir de 1947, todos los poetas no anquilosados de España (y no sólo de España) hicieron realismo: lo mismo Aleixandre, Cernuda, Alonso, etc., que Otero y Hierro, o como veremos, Brines, Claudio Rodríguez y los otros miembros de su generación. Pero cada uno participa en la tarea común *a su modo,* esto es, *desde sus años.* En nuestra interpretación, las generaciones existen, pues, pero tienen, según esto, otro sentido (*Épocas literarias...,* págs. 194-203).

aunque no del mismo modo: la edad que tenemos, o sea, la generación en que nos hallamos, aparece entonces como un mero «estímulo» que nos impelé a extraer del grado de individualismo o racionalidad, propio de nuestro momento histórico, y que llevamos interiorizado, unas consecuencias cosmovisionarias (temas, rasgos de estilo, etc.) y no otras *igualmente posibles,* pero que nuestra edad (con todo lo que la edad comporta) nos impide o dificulta.

7.ª Lo dicho supone que los sistemas cosmovisionarios sean únicamente un haz de *posibilidades. Ninguna característica es,* en efecto, *obligatoria,* salvo el foco primario, es decir, el grado de individualismo o racionalidad de la sociedad, en el que de hecho todos nos hallamos siempre instalados por las razones aducidas en el punto 3.º de esta enumeración. Las características de un período son todas, como acabo de decir, *igualmente posibles,* y si elegimos una u otra es por motivos que han de resultar *externos al sistema como tal: precisamente los que he llamado, hace un momento, «estímulos».*

8.ª El «estímulo» de la edad no es el único que opera psicológicamente en el instante de ir cada cual hacia formulaciones cosmovisionarias desde la graduación individualista: existen también «estímulos» materiales, socioeconómicos: mi concreta situación en el mundo (clase social, etc.) y la índole de éste surgen como factores importantísimos; mas no faltan otros condicionantes: estímulos «espirituales», de reacción (positiva o negativa) frente a la inmediata o mediata tradición; estímulos neuróticos y hasta psicopáticos y, en general, psicológicos (mi temperamento, mi carácter); estímulos biográficos (experiencias personales, proyecto de vida, etc.); estímulos raciales, nacionales, lingüísticos. Y no sólo eso; el concreto medio cultural de que me sirvo (pintura, poesía, música, filosofía, ciencia) o el público al que me dirijo, influyen también de ese mismo modo (como «estímulo» o como «desestímulo»), llegada la hora de sacar (o no sacar) del grado de racionalidad, de individualismo en que estoy, determinados efectos.

9.ª Diferencio, pues, en mi tesis acerca de las épocas y de la evolución cultural, estos tres conceptos: «causa» o «causas» «históricas», «causa» o «causas» «cosmovisionarias» y «estímulos» «cosmovisionarios». Por «causas históricas» entiendo los motivos, arriba citados, que han provocado en la sociedad el grado de racionalidad o individualismo o foco cosmovisionario de que se trate; en nuestra interpretación, la «causa» o «causas históricas», a diferencia de los «estímulos» cosmovisionarios, son siempre de índole material (lo cual tiñe de radical materialismo toda nuestra concepción, incluido el espiritualismo inicial de algunos de los estímulos antes mencionados). Pero aunque toda nota de época haya sido «causada» históricamente de modo material, el «estímulo» puede, en ocasiones, no serlo (aunque también pueda serlo, y con frecuencia lo sea). Importa advertir que es cosa muy común la supradeterminación de los «culturemas» o «estilemas». Una sola peculiaridad cultural o literaria puede hallarse condicionada simultáneamente por varios estímulos (cualquiera de los antes mencionados: muchos o pocos) o por uno solo de entre ellos. Pero ha de existir siempre *alguna* estimulación, por los motivos ya dichos, para que la elección pueda darse.

10.ª Se deduce de lo anterior, asimismo, que en cada momento histórico, al contrario de lo que generalmente se cree, no existe más que una cosmovisión, que cada autor vive, eso sí, desde su propia persona y diferencia, y a la que, por tanto, puede desarrollar, además, muy originalmente.

Autor y generación: la «verdadera realidad»

Veamos ahora otro asunto. Como la obra de un autor no es sino un cierto conjunto de posibilidades de entre las que constituyen el sistema cosmovisionario de la generación a que pertenece, habría que determinar previamente la contextura de tal sistema, para que la obra en cuestión empezase a delatarnos su latente secreto.

Pues claro está que las cosmovisiones no son de propiedad exclusiva de los hombres cultos de un momento dado, sino de los hombres todos, cultos y sin cultivar, que en ese momento conviven. Al estudiar a cualquier autor se nos hace indispensable, pues, precisar la naturaleza del foco cosmovisionario que le afecta. Ya sabemos que habrá de tratarse, si nuestras suposiciones no yerran, del grado de racionalidad, y, por tanto, de individualismo poseído por la sociedad dentro de la cual vive aquél. Pero no basta con decir esto: el individualismo, precisamente por ser la última causa cosmovisionaria y tratarse de un mero sentimiento, cosa gaseosa o inaprensible de suyo, existe en todo caso *implícitamente* y *no puede manifestarse ni ser percibido sino por sus inmediatos efectos.* Importa especialmente determinar, por lo pronto, uno de ellos, el decisivo, en cuanto que encabeza y se responsabiliza visiblemente de los demás, y semeja ser entonces, aunque sólo a primera vista, el verdadero «foco» (acaso *plural*) del período de que se trata. Lo llamaremos «realidad verdadera», pues es así cómo en cada período queda tal elemento emocionalmente interpretado. Acabo de decir que la «realidad verdadera» admite cierta diversificación. En efecto: cabe que el grado individualista se manifieste de inmediato en *varias primeras consecuencias* y no en una sola. Pues bien: lo que el artista pretende, en cualquier momento que consideremos, consiste, justamente, en dar expresión a esa «verdadera realidad», múltiple o simple, que configura, en cuanto a lo que tiene de cualitativamente discrepante e innovador, el tiempo histórico que le ha tocado en suerte. Téngase en cuenta que existen peculiaridades del período inexplicables por esta noción y explicables sólo por el grado de racionalidad y su consecuencia el sentimiento individualista; mas entonces se trata de notas que el período comparte, aunque probablemente en diverso grado, con aquellos otros, inmediatamente anteriores, en cuya compañía forma aquél una entidad cosmovisionaria más comprensiva: la «época». O sea: lo que llamamos «verdadera realidad» explica las novedades cualitativas del momento en que se está; el grado de racionalidad en su forma de grado individualista da cuenta, en cambio, de toda novedad, sea cualitativa o cuantitativa. El auténtico foco es, pues, éste y no aquél, al revés de lo que, en principio, pudiera parecer. Diríamos lo mismo si volviésemos a afirmar que del foco primario *se derivan varias primeras consecuencias* que serían los «focos secundarios» o «realidades verdaderas», causa última, en su conjunto, de todo el estilo. Lo que ocurre es que, de los varios «focos secundarios», sólo uno, por lo general, es el «predominante», y, a efectos prácticos, diríamos que éste nos basta para explicar lo fundamental de la literatura o del arte del instante de que se trate. Cobra así, si mi tesis en este caso no yerra, una importancia máxima para la Historia de la cultura la determinación exacta de este elemento primordial y causal en cada período histórico, y las consecuencias que, en todas direcciones, sincrónicamente origina, así como su sucesiva transformación a lo largo del tiempo. Añadamos que hay una «realidad verdadera» o «foco secundario predominante» propio de una generación; pero también la hay para una «época» y para una «edad», y la causa de todo ello es, en cada caso, repito, el grado de racionalidad individualista, foco último o «primario» de toda la cultura (ciencia incluida), según ya dije, en los sucesivos estadios de su desarrollo.

En tan rápido y sucinto apunte no he podido sino ceñirme descarnadamente al hueso de la doctrina propuesta, la cual, precisamente por venir a oponerse o a modificar otras de reconocido prestigio, requeriría un aparato de argumentaciones imposible aquí, pero que expuse con suficiente desarrollo, según creo, en mi libro varias veces mencionado *(Épocas literarias...)*.

Los cuatro procesos en que consiste el desarrollo del individualismo

Como la palabra «individualismo» que hemos usado hasta aquí puede prestarse a equívocos, ya que normalmente se utiliza muy vagamente, confundiendo, de hecho, sin ningún rigor, bajo tal significante dos sentidos que son, en realidad, no distintos, sino opuestos entre sí, acaso convenga decir de otro modo, de un modo que no se preste a interpretaciones erróneas (y que, por tanto, sea más claro y evidente), lo que he afirmado en el epígrafe anterior.

Pues lo que hemos llamado «proceso individualista», creciente hasta hoy (a causa de la también creciente racionalidad de nuestro mundo de Occidente) desde la segunda mitad del siglo XI, puede descomponerse *en cuatro procesos* distintos, aunque relacionados entre sí, cada uno de los cuales ostenta una «realidad verdadera» que le es peculiar. Una época sería entonces *un corte,* a una determinada altura, en el desenvolvimiento de ese cuarteto de que hablo, cuarteto que estaría constituido así:

1.° Un proceso, como digo, *de creciente racionalidad,* que es *el origen,* como sabemos, *de los otros tres procesos.* Esa racionalidad en aumento constante provoca, a partir del Romanticismo y hasta hoy mismo, una crisis del Racionalismo, en cuanto que, aplicado al hombre, tal tipo de razón (la razón racionalista o físico-matemática) aparece, a la sazón, *como poco racional.* En vez de esa forma de intelección, se busca, pues, desde ese instante, una razón superior, que no se descubrirá del todo hasta Ortega, con su análisis de la «razón vital», del pensamiento concreto, razón ésta que empieza a triunfar en significativas minorías, cada vez más amplias, a partir de Superrealismo, y, sobre todo, a partir de los años sesenta (ecologismo, descentralización política y social, valoración y respeto hacia las minorías y los grupos marginados, arrasados todos ellos antes por el impulso abstracto, generalizador, utilitario y centralizador de la razón racionalista).

2.º *Un proceso de interés, en continuo aumento, por lo individual y por la realidad concreta,* visible ya desde el siglo XIV: comienzo en París, a la sazón, de la ciencia experimental; aparición del estilo personal (Petrarca, Bocaccio, Chaucer, Arcipreste de Hita, D. Juan Manuel, Ayala, D. Sem Tob) y hasta del realismo (Arcipreste de Hita, D. Juan Manuel, Bocaccio, Chaucer, etc); nominalismo en Filosofía, movimiento éste que concede *realidad,* en efecto, a *los individuos* (antes, como es sabido, sólo eran «reales» los géneros).

3.º Proceso de *interés progresivo, asimismo, por la interioridad del individuo,* visible también en la decimocuarta centuria: gusto, desde esas fechas, por la psicología: poesía amorosa de Petrarca, historiadores de la época, etc.

4.º Un proceso de secularización cada vez mayor de la sociedad, pues al aumentar el uso de la razón humana, el hombre se siente menos exclusivamente supeditado a Dios.

Como he dicho, cada grado en el desarrollo del proceso de racionalidad implica otro grado equivalente en el desarrollo de los otros tres procesos, aunque a veces este último grado «se enmascare». Habrá, pues, en todo instante histórico, cuatro «verdaderas realidades»: tantas como procesos en el parágrafo precedente hablé de «pluralidad» al referirme a aquel concepto). Debo añadir que para explicar una determinada forma cultural o un determinado estilo basta a veces con el examen de *uno solo* de esos cuatro procesos, y, entonces, únicamente consideraremos *una* «realidad verdadera»; pero a veces necesitamos *dos* o *más* procesos con sus respectivas «verdaderas realidades» para dar cuenta de las características fundamentales de un determinado momento histórico.

Cuando, en adelante, hable, pues, de «individualismo» a lo largo de este volumen, debe tenerse en cuenta, exclusivamente, el significado cuádruple que otorgamos a tal senti-

miento, así como la relación que, en nuestra tesis, media entre sus cuatro componentes, y su origen último en uno sólo de ellos: la progresiva racionalidad, vuelvo a decir, de la sociedad en la que vivimos.

LOS CUATRO ESTUDIOS DEL PRESENTE LIBRO

Pasemos ahora, para cerrar esta «Introducción», al contenido, en sentido propio, de las páginas que siguen, pues la obra que hoy ofrezco al lector está constituida por cuatro estudios escritos desde un criterio unitario (el explicado sucintamente más arriba) acerca de sendos poetas de posguerra, uno de los cuales soy yo mismo (tuve que autoprologarme por exigencias editoriales, al publicar una «Antología» de mis versos). Los otros tres poetas serían Francisco Brines, Claudio Rodríguez y Guillermo Carnero. La unión de los cuatro ensayos abarca, pues, las tres primeras generaciones de posguerra.

He juntado tales trabajos en este libro porque, entre todos, se explicita una teoría de lo que podríamos denominar «poesía de la *Edad* Poscontemporánea» como cosa diferente y hasta opuesta, en cuanto a su visión del mundo, a la «poesía de la *Época* Contemporánea», iniciada esta última al término de la *Época* Romántica y finalizada al acabar el superrealismo (diferencio de este modo los conceptos de «Edad» Contemporánea y de «Época» Contemporánea). Debo advertir, además, que el término «Poesía poscontemporánea», que va al frente de este libro, lo vengo usando por escrito desde hace muchos años, decenios antes, por cierto, de que surgiese, hasta en los periódicos, el concepto de lo «posmoderno» con el que de hecho viene a coincidir en lo esencial (superación de la «edad» previa). Lo que ocurre es que la Edad Moderna a la que alude el terminacho, nacida en el siglo XV, no ha muerto en estos años, sino en la época de la máquina de vapor, momento en el que aparece la «Edad Contemporánea». Lo que ahora surge con fuerza no es, pues, una «posmodernidad», sino una «poscontemporaneidad». Y esa novedad no se inicia, como parece creerse, en el presente instante, sino al final de la segunda guerra mundial. Lo «poscontemporáneo» (o «posmoderno», en esa otra terminología) consiste, pues, según me atrevería a sostener, *en una nueva visión del mundo,* «causada» por los motivos que señalo en la obra que estoy ofreciendo al lector. El uso de computadores, etc., sería sólo, en nuestra tesis, no «causa cosmovisionaria», sino «causa histórica» de la nueva «edad», la «Edad», repito, «poscontemporánea» y no «posmoderna».

LA POESIA DE FRANCISCO BRINES

I

LA «VERDADERA REALIDAD» PARA LAS DOS GENERACIONES DE POSGUERRA Y ORIGEN DE AQUÉLLA

DE NUEVO, LAS ÉPOCAS ARTÍSTICAS EN SU RELACIÓN CON LO QUE EN CADA UNA DE ELLAS SE CONSIDERA COMO LA «VERDADERA REALIDAD»

Francisco Brines nació en Oliva, provincia de Valencia, en 1932. Pertenece, por tanto, a la segunda generación de la posguerra española, generación que, si nos atreviésemos a concretar en fechas muy precisas, sería la de quienes hayan venido al mundo entre 1924 y 1938, ambos inclusive. No se trata de una generación revolucionaria: sus miembros no intentan interrumpir con mutaciones graves una inmediata tradición, sino, al revés, intentan continuarla en cuanto a sus supuestos fundamentales, reservando las innovaciones para aspectos que, en último término, resultan menos decisivos. ¿Y qué es, en tal caso, lo inmóvil y qué lo cambiante en ese conjunto de las dos generaciones de posguerra, la primera, cuyos miembros nacen entre 1909 y 1923, y la segunda, ya mencionada?

Las notas comunes destacan con fuerza e inmediatez: realismo, por un lado; moralismo, y bastantes veces compromiso político, por otro. No se trata, por supuesto, de un realismo y un moralismo cualesquiera, sino de aquel moralismo y realismo sumamente específicos que se derivan de algo que, por hallarse implícito, posee carácter de menos evidencia. Me refiero a la gran variación que se produce en la conciencia de los artistas de esta época (y no sólo de los artistas, claro está), acerca de lo que sea la «verdadera realidad», en conformidad a lo dicho en la «Introducción».

Completemos, pues, lo que allí hemos sentado: la historia del arte se identifica, en último término, con la historia de lo que acabamos de denominar la «verdadera realidad», en cada uno de los cuatro procesos mencionados, que es lo que el artista y el filósofo de cualquier época aspiran a expresar. Lo que se modifica y mueve en los sucesivos períodos culturales no es, en consecuencia, esa aspiración, siempre renovada y siempre idéntica a sí misma, sino la configuración del objeto al que aspira: las «realidades verdaderas» cambian. Cobra así, si mi tesis en este caso no yerra, una importancia máxima para la Historia de la cultura la determinación de este elemento primordial en cada período histórico, y las consecuencias que, en todas direcciones, sincrónicamente origina, así como su sucesiva transformación a lo largo del tiempo. Precisar la índole de la «verdadera realidad» *en el proceso decisivo* no siempre es fácil. Yo diría que no es arduo decidirlo ni para la Edad Media (Dios, por un lado; el corporalismo, por otro) ni para el siglo XVIII (la razón), ni tampoco para el Romanticismo (el yo concreto, histórico: un yo que casi ha devorado el mundo). No tiene, en cambio, ese carácter obvio para las otras etapas de la historia occidental, y, de hecho, tratándose de ellas, sólo puede ser fijado con seguridad tras minuciosos análisis y sirviéndose de un método riguroso. La conclusión a que tales análisis habrían de llevarnos sería, si mis cálculos no me engañan, que la «realidad verdadera» es para los renacentistas la naturaleza (y lo natural) en cuanto buena, bella y veraz; mientras que para los barrocos, la consideración se invierte, y la «verdadera realidad» aparece ahora bajo figura opuesta: consiste en lo antinatural, esto es, en lo que no es natural, lo «artificial», por ejemplo, pues hay que desconfiar de la naturaleza. La Época Contemporánea (1850-1939, aproximadamente) se ofrece al respecto como la más problemática, ya que su concepto de «verdadera realidad» no es la que en un primer pronto estaríamos dispuestos a concederle. No se trata, en efecto, del «yo», el de cada uno, el mío, un yo como el romántico (o sea, un yo empírico, biográfico —concreto, como he dicho), pero en versión más ampliada, sino que se trata de *lo intrasubjetivo como tal,* del contenido de la conciencia en cuanto contenido, con indiferencia de su soporte: la cuestión no residirá, pues, en que tal «contenido» sea *el mío,* sino en que sea «contenido» (por ejemplo, que sea impresión): más adelante ahondaremos en ello. Los «poscontemporáneos» (demos por el momento este nombre a las tres generaciones, y aún a las cuatro de posguerra —la última se está iniciando aún— y a quienes, antes de esa fecha, se orientaron ya hacia su mismo norte), los «poscontemporáneos», en sus dos primeras generaciones, significan, como digo, una mudanza decisiva en este radical extremo: la verdadera realidad deja de ser el contenido de la conciencia (la impresión, etc.), separado tanto del yo como del mundo, y recupera ambas cosas: se convierte en el «yo-en-el-mundo», el hombre *entre* la gente, el individuo *en cuanto* miembro de una sociedad *determinada.* El aquí y el ahora resultarán, por tanto, cosas esenciales, ya que la sociedad o mundo son siempre concretos. De ahí va a nacer toda una estética de la concreción, una estética realista, muy diferente (en cierto modo, opuesta) a la que había imperado hasta la fecha. Pues he de decir que, en cada caso, esa «verdadera realidad» de que hablamos, la que cada período se forja como tal, «estalla» y se proyecta, haciendo como de «foco irradiador» que envía sus rayos en todas direcciones produciendo una luminosa esfera o ámbito de iluminación a la que llamamos «estilo de época». No es del caso decir más al propósito, pues ya antes señalé la relación que media entre esa «verdadera realidad» y un grado determinado de individualismo y racionalidad que yacen en una zona aún más profunda de la conciencia social, y que van variando a lo largo del tiempo, a causa de ciertos hechos que al hombre acaecen. No es preciso añadir cosa alguna, repito, pues me basta, por ahora, con indicar, muy de pasada, esta interconexión entre todas las características de un período histórico y su filiación genética con respecto a lo que venimos denominando la «realidad verdadera». Como ésta, en el período poscontemporáneo, ha cambiado, es un yo concreto, empírico, histórico, biográfico el que aparece en la literatura, en el arte, del nuevo tiempo, parecido en esto, aunque en un grado aún mayor, al «yo» del Romanticismo, bien que se manifieste (por un «estímulo» de reacción hostil frente al pecaminoso pasado) sin el impudor que entonces imperaba. La causa de esta formidable transformación en la noción de «realidad verdadera» se debe, como digo, al crecimiento del individualismo, pues si mi «yo» se concibe como inseparable de la «circunstancia» en que forjo un «proyecto de vida», *será un «yo»*, como insinué hace muy poco, *mucho más concreto que antes:* el cambio de circunstancia, de «proyecto», provoca un cambio en el yo, que hasta pasaría, en un caso extremo, a ser otro (podríamos llamar a este cambio de proyecto, en ese insólito caso extremo, sin abusar demasiado de la expresión, «muerte biográfica). Nos damos cuenta con esto de que el «yo» con el que operaban los románticos era relativamente más abstracto, pues aparecía como idéntico siempre a sí mismo, inmóvil: el «yo» del nuevo tiempo implica la posibilidad de su modificación, y hasta, en el plano teórico al menos, de su biográfica extinción, y es, por tanto, mucho más apegado a la realidad de un tiempo muy determinado. *Ello indica* que es el *aumento del individualismo,* con su amor a la concreción, *siempre actual* (no lo olvidemos) el que ha provocado el magno cambio de esta nueva época, mejor dicho, de esta nueva «edad», ya que la *Edad* Contemporánea (Romanticismo y Época Contemporánea) se había caracterizado por el proceso de interiorización, que ahora ha cesado, de la «realidad verdadera decisiva». Como se ve, la filosofía que corresponde a este período inicial de la posguerra es la Filosofía existencialista (Heidegger, Sartre...) y la paraexistencialista (Ortega), que se adelantaron, como es costumbre del pensamiento, a las renovadoras concepciones estéticas.

Pero aún tenemos otra prueba de que la nueva orientación cultural responde a un incremento individualista, y es la aceleración poderosa (que sólo *poco después,* se hace sentir claramente) del otro proceso que el interés romántico por la individualidad había incoado, el proceso antirracionalista. A lo largo de la década de los sesenta, especialmente hacia su final (Revolución estudiantil de 1968), es cuando estalla y se hace evidente el formidable estirón de tal proceso. Gracias a él, el erotismo «centralizado» por un supuesto «bien común» queda sustituido por el erotismo cuya finalidad es el propio individuo que lo goza, con lo que la valoración del cuerpo, iniciada minoritariamente ya en la Generación del 27, se extiende y populariza (hay en esas fechas un cambio de moral *en la sociedad*), así como se populariza también la reacción frente al utilitarismo racionalista. La razón racionalista *era, en efecto, utilitaria* (el adjetivo «útil» es el gran vocablo de la Ilustración): ahora se ven con claridad los males de ese utilitarismo a ultranza, que ha contaminado el medio ambiente y comenzado a destruir la realidad natural: el ecologismo empieza a adquirir significativa fuerza.

Frente a la razón racionalista, abstracta, utilitaria y centralizadora, la razón vital, que habla, no de utilidad sino de «calidad de la vida»; que se interesa por lo concreto; y que tiende, en consecuencia, no sólo a proteger la vida, que es siempre individual (ecologismo, supresión de la pena de muerte), sino a descentralizar. Al haber más individualismo, ya no se puede aceptar que la totalidad arrase lo que el individuo tiene precisamente de individuo. Las leyes generales que el Romanticismo empezó a poner en cuestión, aunque sólo en alguna de sus zonas de influencia, llegan ahora a un descrédito mucho mayor y más extenso cuando aplicadas al hombre. Las partes se rebelan contra los abusos del Todo, y surgen como «poderes»: poder de las colonias (descolonización), poder proletario, es decir, poder de los sindicatos (aunque éste, en cuanto a su origen, sea bastante más antiguo, como se sabe), pero también, y con mayor evidencia, poder regional (autonomías políticas, en España, etc.), «poder negro», «poder gay», poder de las mujeres (feminismo), poder de las minorías en los partidos políticos, que ahora tampoco quieren ser anuladas, etc. Es una completa revolución contra la dominación y la prepotencia que no ha hecho más que empezar.

Con esto, hemos adelantado algo los hechos (sólo algo, pues la idea del «yo situado» supone la razón vital) aludiendo a lo que, como veremos, ocurre en la tercera generación de posguerra. Volvamos a la situación en la que se desarrollan las dos generaciones primeras, que es la que ahora nos importa. La verdadera realidad es en ella, repito, el «yo» concreto en la concreta «sociedad». El «hombre y la gente», en un tiempo y en un espacio dados: he ahí la básica (y por básica, escondida) tensión de la que van a vivir esas dos generaciones. Refiriéndonos exclusivamente a la poesía (aunque podríamos hacer extensiva nuestra mención a todos los contenidos culturales), de esa tensión *en cuanto indestructible unidad* se originará, en efecto, el estilo poscontemporáneo, hecho fundamentalmente, como antes dije, de dos sustancias: realismo y moralismo (el posible compromiso político no es sino resultado del moralismo). La conexión de estos dos ingredientes con la «verdadera realidad» es obvia: de un lado, donde el mundo real se hace importante, asomará, indefectiblemente, por definición, el realismo; de otro, como ese lazo entre el yo y el mundo forzosamente ha de ser dinámico, al consistir el mundo en fluencia y modificación incesantes, movilidad frente al que nuestro yo, a su vez, reacciona con una determinada pretensión, de todo ello resultará, de hecho, que la estofa de esa unidad solidaria, «yo en el mundo», será esencialmente ética: *nos haremos responsables de nuestro ser en el mundo, ya que libremente decidimos lo que ese ser, en efecto, sea.*

He aquí que hemos venido a desembocar en unas ideas curiosamente afines a las filosofías que han estado vigentes en esas mismas fechas, aunque los filósofos se hayan adelantado cronológicamente a los poetas, por razones que pronto aparecerán en este escrito. Me refiero, como es natural, a las filosofías existencialistas (Sartre, Heidegger, etc.) y paraexistencialistas (Ortega y su escuela). Encontramos en ellas el mismo hincapié en la esencialidad del contorno (no sólo social) y la misma consecuente proclamación del ingrediente ético que es inherente a la vida humana. Si nuestra vida no se nos da hecha, nos dicen estos pensadores, sino que hemos de hacérnosla por libre elección en un horizonte de posibilidades o imposibilidades, al que podemos llamar heideggerianamente «mundo», sartrianamente «situación» u orteguianamente «circunstancia», la vida es moral en su misma entraña. La metafísica imperante a la sazón se convierte así en una ética, y pone el acento principal en las situaciones, exactamente como lo hace la poesía que estamos considerando. Y como ella y por el mismo motivo, la filosofía, en muchas ocasiones, descenderá a la narración, en correspondencia a la movilidad que resulta inherente a la realidad verdadera de la que se quiere dar cuenta. Para decir lo que ahora yo soy en el mundo, *tengo que contar* lo que he sido en esa otra situación de la que vengo, y contar también lo que otros hombres anteriores a mí, de cuyas obras dependen las mías, han realizado y han sido en circunstancias diferentes. Puesto que «yo soy yo y mi circunstancia» y me modifico al modificarse ésta, sólo comprenderé lo que el hombre es en el mundo narrando una historia. La historia será el órgano de mi comprensión acerca de «la verdadera realidad». La razón se hará, pues, en Ortega, «narrativa» e «histórica».

Vemos, pues, las evidentes coincidencias que median entre la filosofía y la poesía que han regido dominadoramente en estos años de la posguerra: la poesía como la filosofía, en efecto, ha resultado moralista, situacional y narrativa. La preocupación fundamental de los poetas ha sido de índole moral: se han puesto en el primer plano de la atención estética los problemas de la conducta personal y los de la justicia o injusticia sociales. Ha importado la situación concreta de pueblos y personas; notoriamente se ha hecho, con gran frecuencia, política desde el verso, y los poetas han sustituido, con más frecuencia aún, si cabe, la efusión íntima por la narración objetiva. Los teóricos han proclamado la estética del «compromiso», sin importarles recaer en actitudes mentales curiosamente sobrepasadas, en otro sentido, con anterioridad. Nada importaba esa recaída, precisamente porque venía, en cierto modo, exigida por el «paquete» cosmovisionario del que tal recaída formaba parte, y no olvidemos que las cosmovisiones, por ser fenómenos vitales, tienen más fuerza, mucha más, que la que puedan poseer, por sí mismas, las ideas como tales ideas.

Causa de la relación entre todos los productos culturales de una época

No quisiera proseguir nuestro análisis sin plantear antes aquí, aunque muy brevemente, dos problemas cuya solución considero indispensable: uno es la causa de esa relación que hemos visto entre filosofía y poesía, y en general, la relación que guardan entre sí todos los productos culturales de una época determinada. Otro, el hecho de que con frecuencia sean los filósofos quienes se adelantan a los artistas en el hallazgo de la nueva actitud. En nuestro caso, ello es indudable: Heidegger, y sobre todo Ortega, encontraron la «tierra prometida» con anterioridad a los poetas. Las dos cuestiones se hallan conectadas, de manera que resolviendo el primer interrogante, tal vez hallemos la respuesta al segundo.

La paradoja del fenómeno que consideramos estriba en que los filósofos buscan el manejo de verdades, y las verdades son, por definición, eternas. No parece, pues, que quepa relacionarlas con algo tan temporal como son las generaciones. Pero la paradoja deja de serlo en cuanto nos percatamos de que una cosa es la ahistoricidad de las verdades como tales, y otra, opuesta, el hecho de nuestra necesidad de ellas, como ya vio Ortega. Si buscamos ciertas verdades es porque vitalmente nos interesan (a nadie se le ocurre averiguar el número de granos de arena que hay en un cubo) y por ahí es por donde penetra la historicidad. Nuestro interés vital tiene un motor histórico. Hoy nos interesa lo que ayer no nos interesaba, y viceversa. ¿De qué depende este cambio en nuestras apetencias? Mi respuesta difiere aquí en un punto de la orteguiana: yo diría que primordialmente esa versatilidad nuestra se relaciona con la cosmovisión en que nos hallemos. Y tal cosmovisión ¿de dónde, a su vez, procede, por qué nace? La cosmovisión se origina, ella sí, en *un grado* de racionalidad individualista desde la que existimos. Esa situación y cosmovisión la viven los filósofos juntamente con los artistas, de manera que habrán de coincidir, unos y otros, en la textura fundamental de sus respectivos menesteres, sin necesidad de influjos recíprocos, aunque, en ocasiones, éstos, *además,* se den. Pero, fuera del individualismo de la sociedad, existen los «estímulos», algunos de los cuales pueden ser materiales y afectar a todos los hombres. Descendiendo al caso concreto que nos importa, la idea «yo soy yo y mi circunstancia» de Ortega, o las ideas similares de Sartre o Heidegger («el hombre está situado», «el-hombre-es-en-el-mundo»), o bien, las equivalentes que se hallan implícitas en las emociones y actitudes de los artistas, ¿de qué «estimulante» instalación social concreta han surgido? El marco objetivo que ha puesto en primer plano, es decir, que «ha estimulado» la importancia de la circunstancia o mundo en la configuración del yo sería, a mi entender, entre otras cosas, la más intensa o manifiesta unificación del mundo actual, ocurrida, entre un complejo de causas, por el acortamiento de las distancias, empequeñecimiento del planeta, rapidísimas comunicaciones, etc., amén de la creciente entreveración económica entre unos países y otros (compañías multinacionales, etc.). Unificación que ha hecho sentir a cada nación (y, por tanto, a cada uno de sus habitantes) la necesidad que tiene de los otros, y, en ese sentido, la conexión con el resto del mundo a que se ve forzado. Hechos, en principio, puramente nacionales repercuten, a veces, de modo inmediato, en regiones muy apartadas del planeta, y estos fenómenos de implicación de lo ajeno en lo propio, como si perteneciesen a un mismo organismo (mencionemos también aquí el efecto, en ese sentido, de las guerras o de las huelgas, etc.) nos dicen justamente eso: que pertenecen a un mismo *organismo.* Lo cual, percibido a escala nacional, sería entendido intuitivamente después a escala de persona, bajo la especie de una mejor comprensión del papel poseído por el contorno social en la formulación de toda individualidad. *Se siente,* en efecto, así que el mundo, la situación o circunstancia forman, de un modo u otro, parte del yo, especialmente ese tipo de circunstancia, situación o mundo que es el contexto social, dentro del cual yo me hago y soy. Se experimenta, pues, de manera emocional, que vivir es convivir, y es esta emoción, en suma, la que «estimula» la aparición de ideas semejantes en la obra, tan distinta, de poetas y filósofos. Todo esto son, en efecto, «estímulos», pues la «causa», según sabemos, es, en nuestra consideración, un grado de individualismo social, al que tales «estímulos» mueven en la dirección emocional susodicha; o sea, *un grado de racionalidad.*

No sorprenda que mencione yo aquí a los filósofos al hablar de emociones, ya que el pensamiento, al basarse, según dijimos, en ciertas apetencias profundas ha de tener, con frecuencia, a mi entender, sin que nos demos cuenta de ello, un origen emocional. Toda emoción es, en efecto, una interpretación de la realidad: mi miedo en la selva interpreta la selva como peligrosa; mi simpatía por Pedro es una tesis acerca de su carácter. Y al ser o suponer una interpretación, toda emoción tiende a llevarnos, según he creído ver, al descubrimiento racional de la verdad o complejo de verdades en que últimamente ella consiste, a poco que nos abandonemos a su fluir y nos pongamos a pensar desde ese flujo. Las verdades que la emoción encierra son «halladas» así por nosotros y confirmadas como tales, a través del razonamiento que las fundamenta y engarza en un sistema coherente.

Desde una situación que nos emociona de un cierto modo (la emoción es, a mi juicio, el engarce entre situación y cultura, y me asombra que esto, hasta donde alcance mi conocimiento, no se haya dicho aún: la cultura es entonces una imagen visionaria, tiene configuración simbólica), desde una situación emocionante, repito, los poetas cantarán y los filósofos pensarán, así, intuiciones idénticas. Pero aquí entra la segunda cuestión que nos proponíamos: ¿Por qué los filósofos se adelantan a veces a pensar lo que sólo después cantarán los artistas? Acaso la respuesta podría hallarse en que tal vez la situación emotiva que nos impele al canto necesite mostrarse con una evidencia mayor que la que nos impele a la reflexión. Un sentimiento sutil sería, en esta hipótesis, suficiente para inclinarnos a pensar determinadas cosas, pero no para movernos al entusiasmo de cantarlas. La situación habría, si ello es cierto, de intensificarse para que pudiera hacérsenos presente en ese alto grado emocional que el arte parece exigir. Y así la imbricación y entrecruzamiento unitario del mundo sería ya suficientemente grande en 1914 para que Ortega fuese «estimulado» a pensar su célebre frase («yo soy yo y mi circunstancia»), pero sólo después de la crisis económica de 1929 y los consiguientes trastornos que también en otros órdenes ello trajo, empezaría a aparecer como evidente a los ojos de ciertos artistas: generación inglesa de poetas sociales en los años treinta; Alberti en España, etc. Y se haría, sobre todo, poco más tarde, del todo palmaria, terminada la guerra, tan evidentemente imbricadora (esa guerra que en exageración sólo aparente fue llamada, precisamente, «mundial») con el acceso a la historia de las dos generaciones españolas (y sus equivalentes extranjeras) a las que venimos aludiendo.

Claro está que, aparte de una «situación» que ha «estimulado» emocionalmente el origen de esas ideas y de esas intuiciones artísticas, ambas cosas habían venido preparadas en el mundo occidental, por el propio pensamiento, desde muy lejos: he ahí otro importantísimo «estímulo». Por tratarse de la raíz de cuanto acontece en el arte que vamos a estudiar, creo que no sobra lanzar una abarcadora mirada hacia el pasado. Pero antes de hacerlo, tal vez convenga decir cuál es la relación que media entre las dos causas que acabamos de estipular para el nacimiento de una nueva idea; situación en que se está, por un lado, y, por otro, conclusiones a que la meditación humana ha conducido previamente.

Lo que creo es esto: las ideas como tales ideas carecen de fuerza vital, de calor propagante y comunicativo. Para mover a los hombres necesitan encarnarse en la vida, que es lo único que de verdad importa a los más. Sólo cuando se potencian emocionalmente en una situación que les da sentido, las ideas adquieren la tensión que les falta, y se llenan de posibilidades de popularización y dinamismo. Pero claro está que la historia del pensamiento importa, e importa mucho, para explicar la germinación de las nuevas concepciones. Tal vez podamos trazar rápidamente aquí algunas de las líneas que han conducido a la mente humana, desde el siglo XVIII hasta hoy, hacia el hallazgo de una nueva interpretación de la vida.

Debemos retroceder en el tiempo: estamos ahora en el Siglo de las Luces. La unión de la idea de «naturaleza racional» humana, exaltada en tal época, con el hecho del desarrollo de la ciencia, que venía creciendo, sobre todo desde Galileo, y con el hecho, no menos importante, de la Revolución Industrial y su causa, el descubrimiento de la máquina de vapor, acaecido, todo ello, en la segunda mitad de ese mismo siglo, es lo que, a mi juicio, hizo nacer en De Turgot y luego, durante el terror, en Condorcet, la idea de «progreso» indefinido y fatal, de que habrá de vivir toda la centuria siguiente. Si se concibe, en efecto, que pensamos *porque* tenemos razón, la posesión de esa facultad lleva implícita la necesidad de su funcionamiento. El ejercicio racional de la mente es entonces una fatalidad semejante a la de la caída de los graves (y eso es lo que quiere decir «naturaleza racional»). Se deduce que la consecuencia de ese ejercicio de esclarecimiento, el progreso, ha de poseer idénticas características de obligatoriedad. El progreso no es una posibilidad, sino «una fuerza mayor». Estamos forzados a progresar. Y como, además, la realidad contemporánea, la aparición del maquinismo y el progreso, de hecho, científico-técnico (máquina de vapor, etc.) parecía demostrar la tesis, otorgándole evidencia (recordemos lo antes dicho sobre las relaciones potencializadoras entre situación y concepto), no nos pasma el vigor con que prendió en los espíritus la nueva idea, y el influjo que logró alcanzar en los actos mismos de los hombres. Pero esta idea, así vitalizada, hizo, a su vez, surgir una nueva concepción del tiempo: el tiempo, al hacernos «progresar», aparece no sólo como destructor, sino como creador.

La visión inmovilista medieval, que aún perdura después de la Edad Media y sólo muere del todo a fines del siglo XVII (todo cambio es una desnaturalización, un abuso), llevaba a creer que «cualquiera tiempo pasado fue mejor». Si se deseaba recobrar el bien que el abuso del cambio había desnaturalizado, era preciso «renacer» (de ahí, la idea de «renacimiento», la vuelta a los «antiguos», o al cristianismo primitivo). El paraíso estaba en el pasado. Pero la idea de progreso pone, como se ha dicho muchas veces, el paraíso en el futuro. El tiempo, de hallarse al servicio del diablo, toma el partido de Dios, y se concibe también positivamente. El tiempo nos mata, pero asimismo nos engendra y nos hace. La cronología deviene *esencial*. He aquí el historicismo del siglo XIX, desde el que se piensa la gran idea de la que se nutre nuestro tiempo, y que, a mi entender, vendrá a destruir la concepción progresista, en cuanto tuviese ocasión aquélla de encarnación vital. La idea nueva es ésta: el hombre, «más que naturaleza parece tener historia», que, tras este modesto enunciado que le proporcionó Dilthey, aún se formuló en esquema de mayor contundencia: refiriéndose al hombre, la historia es lo único que hay, no la naturaleza. El hombre es plástico, y nada existe en él que sea verdaderamente inmutable. Tenemos razón, pero podemos no usarla, y nuestros «primeros padres» probablemente no la usaron. Siguieron siendo, de hecho, animales, acaso durante siglos, hasta que un día se encendió la chispa del lenguaje y la criatura humana empezó a razonar. Se había *convertido* en hombre.

Pero entonces la razón puede ser mal utilizada; podemos incluso recaer en la animalidad, y, si esto es cierto, somos responsables de nuestra propia esencia. No somos, nos hacemos hombres. Ser hombres, y ser «este» hombre es resultado de una aventura, de un proyecto. Y como el proyecto no lo podemos engendrar en el vacío de una abstracción, sino en una circunstancia concreta, deduciremos que «yo soy yo y mi circunstancia»; deduciremos, pues, la esencialidad de la situación y de la concreción. He ahí las raíces del existencialismo y del paraexistencialismo de nuestro tiempo, y, por ende, la explicación del realismo o neorrealismo de los últimos años en la literatura y en el cine (aunque no olvido las razones que para el caso de la filosofía hay en otras direcciones: la superación del idealismo que fue preciso realizar, meditando desde su mismo ámbito interno, en reflexión puramente filosófica: aquí me ocupo sólo de lo que constituyen los «preparativos» que han hecho posible esa especulación).

Somos lo que decidimos alcanzar en cuanto que lo decidimos: esto es maravilloso y terrible. Maravilloso porque merecemos algo tan extraordinario como es nuestro propio ser, la integridad de nuestro destino. La vida humana se torna consecuencia de una decisión, y, por tanto, resulta ética en su más íntima sustancia. Por todos sitios, venimos a idéntico esclarecimiento: el moralismo de nuestro tiempo se vuelve inteligible, ese moralismo que los poetas y no sólo los filósofos han puesto de relieve. Pero nos explicamos más: nuestro pesimismo con respecto a la técnica, nuestro miedo al porvenir. Del mismo modo que la noción de «naturaleza racional» trajo consigo la aparición del optimismo progresista, la noción opuesta que niega la naturaleza humana y afirma la historia, tenderá a apesadumbrarnos. Y lo mismo que la idea naturalista en su positividad hubo de confirmarse en un hecho histórico espectacular (la revolución industrial) para convertirse en acontecimiento vital y emotivo (el optimismo progresista del siglo XIX), que es, repito, lo que posee energía social y artística, lo propio le acaecerá a la idea historicista en cuanto a su negatividad: el pesimismo que podía engendrar, sólo lo engendró al contacto de otro gran hecho confirmador: la catástrofe económica del año 29. Dentro de la literatura española, el gozne sobre el que gira y aparece el gran cambio, esto es, el paso del optimismo al pesimismo con respecto a la técnica, lo vemos en la obra de Jorge Guillén y en la de Pedro Salinas. En la primera parte de su tarea respiran aún ambos autores el aire optimista que oreaba la atmósfera espiritual desde hacía mucho (recordemos, en calidad de botón de muestra, la ciencia ficción del siglo XIX: Julio Verne, así como bastante después, ya en nuestro siglo, la escuela futurista). La segunda parte de su quehacer literario, nos muestra que el desánimo había cundido ya. El mundo técnico se empieza a mirar con recelo. La ciencia-ficción entrará en un tono fundamentalmente negativista. El superrealismo, tan subversivo, negará los fundamentos mismos del mundo civilizado (en España, Aleixandre y Lorca; Neruda en América; los surrealistas —o, en mejor castellano, los superrealistas) franceses exaltan lo elemental y repudian los abusos de la razón técnica, la razón instrumental). Estamos ya en otro clima, que la famosa «bomba», de pronto, intensificó. Todo ello había sin duda de propiciar y alentar la angustia existencialista, aunque ésta nazca de otro sitio: de la idea de libertad, aneja al concepto de «proyecto».

De esta angustia se hace amplio eco la poesía de Francisco Brines, de la que pronto voy a ocuparme. Pero antes se nos hace preciso saber qué ha significado su generación, pues es imposible ponernos en claro sobre lo que un poeta es, sin averiguar antes lo que han representado, como conjunto, las gentes que son sus rigurosos coetáneos.

II

DOS GENERACIONES FRENTE A FRENTE

SEMEJANZAS Y DIFERENCIAS ENTRE LAS DOS GENERACIONES DE POSGUERRA EN LO QUE TOCA A LA CONSIDERACIÓN DE LO QUE SEA LA «VERDADERA REALIDAD»

En la posguerra hemos definido dos grupos generacionales, y ya sabemos lo que les une: sin duda lo fundamental: realismo de situación, propensión narrativa, compromiso moral y, con gran frecuencia, compromiso político. Les separan, en cambio, matices, no menudos ciertamente, pero de ninguna manera esenciales. Y como, según hemos sostenido hace poco, todo lo que acontece en el estilo procede de un cambio en la consideración de lo que sea la «verdadera realidad», las diferencias no esenciales que distancian a las dos generaciones de referencia habrán de ser atribuidas a discrepancias de la misma índole en lo que respecta a ese «foco irradiante» o principio cosmovisionario que acabo de mencionar: el yo en cuanto unido al mundo, a la sociedad o circunstancia. Se trata de una simple cuestión de proporciones. Si la «verdadera realidad» en ambos momentos históricos es la persona en el seno de la sociedad, la disidencia que medie entre tales momentos vendrá dada por la distinta dosis con que aparezcan los dos elementos de la fórmula, persona y sociedad. Pues bien: la generación nacida entre 1909 y 1923 pondrá el énfasis en el segundo elemento, en la sociedad, mientras la generación nacida entre 1924 y 1938, sin destruir el esquema (la «verdadera realidad» sigue siendo la misma) correrá el acento hacia el elemento primero, hacia la noción de persona. Ello forzosamente hubo de acarrear numerosas consecuencias, cuyo examen puede resultar de interés. Enumeremos algunas de ellas.

Diferencias entre las dos generaciones: 1. Posición frente a la expresión de la intimidad y de lo puramente amoroso

Cuando lo importante era la sociedad, se consideraban inoportunas las efusiones de la intimidad como tal: repudio, por ejemplo, muy característico y significativo, entre los poetas de la primera generación, del poema puramente amoroso, esto es, de aquel que no se complicase con ciertas obligadas trascendencias, ya que éstas, al menos, salvaban la reclusión vitanda del yo en el interior de sí mismo, incorporándolo a un ámbito universal, al que todos los hombres podían acceder. Ahora, en la generación de 1924-1938, el poema íntimo, incluso el puramente amoroso y hasta erótico, hará su solemne reaparición, tras la atroz sequía antecedente. Algunos de los más bellos poemas de Francisco Brines o de Jaime Gil de Biedma irán precisamente en esta dirección.

2. Posición frente a la idea de arte mayoritario

Algo semejante ocurrirá con el concepto de arte mayoritario, que estuvo en boga entre los miembros de la generación de Blas de Otero («A la inmensa mayoría»). Puestos a enfatizar la sociedad, no hay duda de que el minoritarismo de que había hecho gala el período de entreguerras, y aún el anterior en bastantes casos (Mallarmé, Rimbaud, etcétera), resultará condenable. Y como ese minoritarismo procedía de una técnica basada en irracionalismo y sugerencia, si se quería llegar a todos, era preciso ir por el camino opuesto: frente a sugerencia, explicitación, frente a irracionalismo, logicismo (empleando esta última palabra en la acepción que puede tener aplicada a poesía). La generación de Brines significa, en este sentido, una considerable atenuación. Al desequilibrarse el complejo «persona-sociedad» a favor del primer miembro, el mayoritarismo, sin ser negado, es menos aplaudido. Ya no se exhibe en calidad de alarde y desafío. Existe sin estridencias y asoma como en sordina. Desaparece todo rigorismo al propósito, de manera que comienzan a verse, por bastantes sitios, principios de descomposición del sistema lógico y explicitador: Valente podrá ser simbólico en bastantes momentos (no me refiero ahora a sus últimos libros, cuyo simbolismo posee un sentido distinto, pues me parece más bien relacionado con el espíritu del período siguiente, el de la generación de los «novísimos»); Claudio Rodríguez lo será aún más, y el irracionalismo de otros órdenes dejará en sus versos huellas abundantes. Francisco Brines no sólo acudirá con frecuencia al símbolo de disemia heterogénea (el símbolo de realidad) [1], encadenado, para crear el clima emocional unitario en que consisten muchos de sus poemas, sino que, además, la sugerencia, el poder estético de lo no dicho, ocupará mucho lugar en su obra. Esto tiene un claro significado: ya no es indispensable ser entendido *por todos*. Yo diría que se busca la comprensión, pero la de aquellas personas que sean sensibles al arte (y que, no nos engañemos, resultan las únicas que se acercan a una librería para comprar un libro de versos). Algunos de los poemas de Brines tienen incluso pasajes, que, a fuerza de implicitaciones y silencios, pueden llegar a ser «difíciles», y hasta muy difíciles. Véase la serie de epigramas satíricos incluidos en la parte II de *Aún no*.

3. Posición frente a la protagonización poemática

Cambiará en el mismo sentido, y por motivos idénticos, la protagonización poemática. Como anteriormente el hombre era fundamentalmente sociedad, es decir, gente, grey, el narrador poemático se identificaba con el hombre cualquiera («yo, José Hierro, un hombre como hay muchos»). No se buscaba lo egregio, sino lo gregario y de todos, lo perteneciente a la grey y no lo que alejaba de ella. Vimos antes que en esta poética se prohibía toda intimidad; completemos lo dicho añadiendo ahora que esa prohibición se debe a que lo íntimo es, por definición, distinto y único. Pero eso es sólo el comienzo de esta técnica de rebajamiento e

---

[1] He dividido los símbolos en dos tipos: 1.º, «símbolos de realidad» o «de disemia heterogénea» cuando el simbolizador en su sentido consciente es posible en el mundo objetivo; y 2.º, «símbolos de irrealidad» u «homogenios», cuando el simbolizador no es posible o verosímil en el mundo objetivo. (Aparte, están los fonosímbolos.)

igualitarismo. Se llegaba, coherentemente, a más: a subrayar, precisamente en el insigne, lo que tenía de vulgar y cotidiano. Si aparecía en el poema un santo o la misma figura de Cristo era para decirnos de tan sublimes criaturas el dato no sobresaliente, lo cotidiano y general, lo que no excedía el rasero por el que se medían los demás hombres. El poeta era, por supuesto, «uno de tantos» (antes cité una significativa frase de Hierro), y se veía a sí mismo, no como un exquisito, al modo de Juan Ramón Jiménez, sino como portavoz de los muchos, lengua de la colectividad, palabra del pueblo, que se expresaba por su boca y del que no pretendía por ningún sitio distinguirse.

También en este punto, se nota el desplazamiento de la gravitación hacia lo personal al llegar el imperio de la nueva generación. Y también aquí tal desplazamiento no supone el rompimiento de la relación «persona-sociedad». El poeta no exhibe su carácter comunal, y menos su vulgarismo, como hacía la generación anterior, pero tampoco intenta seducirnos con primorosas exquisiteces, o extravagantes singularidades, que, de entrada, lo coloquen en situación señera, lejos del común de las gentes. Nos habla desde su persona y nos ofrece el espectáculo de una conciencia, que siendo singular, no se piensa como excepción a lo universal humano, sino como natural variante del conjunto: individuo, pues, pero dentro del grupo, instalado de lleno en él, y por tanto, sin otros signos de distinción que los que normalmente corresponden a la persona.

4. Posición frente a la intensidad o el descuido estilístico

Esto tendrá una inmediata consecuencia: el aumento de la tensión estilística. Cuando nos hablaba desde el verso un autor que quería ser, en lo fundamental, «vulgo», su palabra, correspondientemente, aspiraba a darnos idéntica impresión de «vulgaridad». El peligro que esa pretensión acarreaba resulta obvio: que la vulgaridad no fuese sólo una ilusión, esto es, un significado artístico, sino un lamentable suceso, una desgracia de la expresión. Pero, a la sazón, ello no parecía enteramente reprobable. Absortos los poetas en su tarea comunal y servicial, llegaban algunos, y no los menos sonados y celebrados de entre ellos, a la conclusión, sin duda desazonante y extraña, de que «no había tiempo para la belleza». El resultado de este obsesivo y pintoresco lema puede suponerse. Cuando la belleza no importa (la palabra belleza estaba entonces en entredicho y hasta en execración), prosperarán el descuido y la irregularidad del estilo con descarada e ingrata frecuencia.

A la nueva oleada poética, en cambio, la «belleza», esto es, la intensidad expresiva, sí que habrá de interesarles, no para buscar en el verso la llamativa excepcionalidad de hallazgos en sí mismos pasmosos, propósito fundamental de la generación del 27 y aun de toda la poesía que se origina en Baudelaire, en consonancia con su ideal aristocrático y a veces dandystico del hombre, sino para comunicar una fervorosa emoción de quien, sintiéndose persona, no se cree, como hemos indicado, depositario de ningún privilegio. Ya veremos hasta qué punto Francisco Brines rehúye todo brillo, aunque no deje nunca de buscar la tensión poemática.

5. Posición frente al esplendor del verso o la estrofa sueltos

En esto, Brines no está solo, aunque acaso en él se lleve a extremo la tendencia generacional al respecto. Se trata de una generación a la que asusta un poco la presencia en el poema de elementos «demasiado bonitos», «demasiado poéticos», es decir, aquellos que atraen sobre sí una atención que debería, en consideración de época, reservarse para el conjunto. Es el conjunto, pues, el que ha de manifestarse como tenso y significativo, y no las sucesivas parcelaciones en que podamos dividirlo.

La concentración poemática será entonces fundamentalmente cohesiva. El poema, en una proporción mucho mayor que antes, estará considerado como un todo, a cuyo fin se encaminan cada uno de los versos o estrofas particulares, que carecerán entonces de la relativa autonomía de que en otras épocas (y no precisamente en la época social) podrían disfrutar. Ahora, ni resalta la estrofa como tal, ni mucho menos el verso suelto, en cuanto unidades brillantes, con pretensiones de relativa independencia. Cada elemento se supedita a la totalidad, que es la que verdaderamente manda y decide, pero que como tal totalidad imprime exigencias estéticas de intensa colaboración a cada uno de los momentos poemáticos. Éstos adquieren importancia, pero en cuanto relacionados con el todo al que pertenecen.

No es difícil ver la estrecha conexión que hay entre esta poética y el foco cosmovisionario de la generación, al que antes hemos llamado «la verdadera realidad». La persona es merecedora, en efecto, dijimos, de realce y consideración, y hay que concedérselos sin regateo. Pero ese ingrediente particular existe y tiene valor en su subordinación al organismo completo de la sociedad, a la que, en definitiva, viene a servir. En los dos casos, el humano (inserción del hombre en la sociedad) y el puramente estilístico (inserción del verso en el poema), se da la misma concepción, lo cual prueba que ambas derivan de un origen común: ese principio cosmovisionario o «verdadera realidad», que nos impulsa a atender a la parte, pero no como separada del todo, sino como unida y solidaria con él.

6. Desaparición de la rima y del ritmo tradicionales

La congruencia entre estilo y visión del mundo se hace de este modo perfecta, y esta correlación tan ajustada y fina se completa y perfecciona con la desaparición de la rima y del ritmo tradicionales, que, por su misma naturaleza, tienden a detentar y retener la atención lectora que ahora quiere ir no hacia el miembro, sino hacia el organismo. El poema se hace con esto más fluido desde el punto de vista métrico y va derecho en busca de la totalidad, sin la *recreativa* detención en la gala particular que es incuestionablemente toda rima, y aun el ritmo convencional, que por esperable halaga nuestra expectación, que en él puede entonces igualmente *recrearse.* El ritmo se hace libre, aunque frecuentemente basado en el endecasílabo y sus combinaciones habituales (pentasílabos, heptasílabos, eneasílabos), con especial empeño en el alejandrino.

7. Olvido de la concepción estrófica

Del mismo modo, y por parejos motivos, se lleva a su culminación el olvido de la concepción estrófica del poema, que había tenido gran predicamento en el comienzo de la generación anterior (primer Blas de Otero, José Hierro, Vicente Gaos, etc.), probablemente por creer que la métrica tradicional era más propicia al mayoritarismo, y que luego el auge de la poesía social, y la dejación estilística que ello supuso, hizo que se abandonase, junto a todo lo que supusiese una preocupación «formalista», como entonces con desdén se decía. No hace falta recalcar que este olvido de lo estrófico no es ahora un aflojamiento de la exigencia estilística, sino, muy al contrario, se hace congruo con el empeño totalitario de la concepción poemática, que quiere evitar toda elación de aquello cuya indudable valía es exclusivamente relativa al cuerpo entero de las composiciones.

8. Naturalidad, no vulgaridad

Como se ve, el personalismo de la generación no significa, insisto, pérdida del sentido de lo general y social, cuyo intenso recuerdo suaviza todo posible ímpetu particularista. Y así continuará desarrollándose la tendencia al tono hablado y al léxico de todos los días, llevados ahora, eso sí, en virtud de la mayor preocupación formal, a su máxima expresividad, con eliminación de toda chabacanería. Se hace perceptible de nuevo aquí, repito, que la intensificación de lo personal no llega de ningún modo a anular la presencia de lo social, que también quiere ser tenida en cuenta, pero nunca del modo avasallador con que antes despóticamente se imponía. Se diría que el ingrediente colectivo y el individual se compensan y corrigen mutuamente, de manera que ni uno ni otro adquiere primacía sobre su opuesto. La conciencia de lo personal impide la caída en lo gregario, que tan frecuente había sido en la generación anterior; y la conciencia de grupo impide el gusto por lo excepcional y sorprendente, y más aún por lo extravagante. Se distingue así entre naturalidad y vulgaridad, y se rechaza esta última. Deja de privar, incluso, el recurso fundamental del período antecedente, la ruptura de frases hechas, porque, pese a la novedad lingüística que venía proporcionada en tal artificio por el elemento de ruptura, pesaba demasiado con su cuerpo tópico el resto no roto de la frase. Lo hecho de la frase hecha molestaba más que llegaba a agradar lo fresco e inaugurador del quiebro poemático.

9. Posición frente a la anécdota o situación poemática de que se parte

Todos los puntos anteriores reunidos apuntan a una diferencia de conjunto entre ambas generaciones, en lo que atañe a su realismo, que en las dos es un realismo no de cosas, sino del «hombre y la gente». Pero, según se deduce de lo hasta aquí dicho, el realismo de la primera generación poseerá un carácter más social que el de la segunda, desenvuelto con más amplitud en el ámbito de la persona.

Esto se nota muy especialmente en el modo que el poeta tiene de enfrentarse con la «situación», de la que los poemas suelen originarse. El realismo que esta generación tiene en común con la que le precede se había especificado ya, desde el comienzo de la poesía social, por las razones que sabemos, como de índole narrativa. El poema partía generalmente desde entonces de una «anécdota» (al revés de lo que sucedía en la poesía contemporánea, a la que causaba creciente horror todo elemento concreto de esa especie), esto es, partía de una situación realista. La novedad que la generación nueva viene a imprimir a este esquema genérico consiste en la personalización lírica con que la situación es vivida. Diríamos que la situación es un pretexto, aunque importante, para que el poeta reaccione pensando o sintiendo. A veces, la situación es dinámica, y el poema se hace cuento, historia, pero no por ello se da de lado el ingrediente lírico: ese cuento o esa historia no existen por sí y ante sí (y ésa es la diferencia con la poesía narrativa de todos los tiempos), sino sólo en cuanto punto de partida para que el poeta nos entregue su subjetividad en forma de reflexiones o emociones, que pueden ser afectivas o sensoriales, según los casos. Se comprende el magisterio que sobre una gran parte de esta generación (Valente, Barral, Goytisolo, Biedma, Ángel González, Brines, Sahagún, Ricardo Defarges, Caballero Bonald, Costafreda, Jaime Ferrán, etcétera) ha ejercido un sector de la poesía inglesa moderna, o personalidades como la de Cavafis y Cernuda, que se habían adelantado, en cierto modo, a su tiempo en cuanto a algunos de estos presupuestos generales, si es que no en cuanto a todos ellos.

10. Posición frente a la poesía política

Lo mismo diríamos por lo que toca a la importante cuestión de la poesía política. Ambas generaciones, al poner el yo en el escenario social, tomarán como temas predilectos los problemas políticos, y en general, los problemas de la relación con el prójimo, los problemas de la conducta. Son generaciones eminentemente éticas. Pero ocurre que la generación segunda, fiel a su vocación más honda que ya conocemos, se inclinará, también en este punto, con decisión mayor hacia el predominio del criterio personal. Enfocará, pues, las cuestiones políticas en forma de *juicios* que un individuo muy concreto, pero socialmente responsabilizado, realiza. Lo que antes había sido poesía *social,* se convierte así ahora en poesía *crítica,* en la que el autor no carece de señas particulares: es acaso un concreto burgués que se avergüenza de su clase, y que de niño fue educado, por ejemplo, en un colegio de jesuitas, al que era llevado por un chófer de uniforme, en maravilloso automóvil. En la poesía crítica, al revés de lo que sucedía en la poesía social, que procuraba esconder todo lo posible la persona como tal del autor, aparece ésta sin paliaciones ni disimulos. La concreción autobiográfica del contemplador, e incluso la consiguiente autoacusación, se hace, por tanto, decisiva. Ya no es exclusivamente la escena pública el objeto del interés poemático, sino la situación personal en relación con esa escena pública. Incluso podemos decir que lo poéticamente relevante en esta generación no resulta ser ya, en último término, la política como tal, sino el subyacente criticismo, que aunque, como vemos, es político con frecuencia, no lo es de manera primordial y sustantiva. Y así, el elemento político puede faltar en la obra de Francisco Brines, sin que su ausencia suponga un abandono de la actitud que es fundamental al período, actitud que en tal obra se ejerce en dirección exclusivamente moral, pero sin salirse por ello de la estructura que toda la generación comparte. Y así, por ejemplo, en tal eticismo se da significativamente, la misma tendencia a la autoacusación (léase el poema «Onor», de *Aún no*) que, en cuanto al criticismo político, acabamos de reconocer como propia de algunos de sus compañeros de generación. No nos asombra: la autoacusación es resultado de personalizar aún más el criticismo, haciéndolo, de paso, más hondamente asentible: al encarnar en el propio autor, la censura pierde todo posible aire pedantesco, que es el peligro que corre el poeta cuando se dispone a adoctrinar. Pues un dómine convertido en acusado se nos humaniza.

11. Posición frente a la sátira

Al ser moralistas y sociales, las dos generaciones cultivarán la sátira y es ésa una de sus características comunes. Pero, en perfecta coherencia con lo hasta aquí dicho, la sátira de la segunda generación se dirigirá frecuentemente a personas concretas y no sólo a grupos, como hacía la primera.

III

LA POESÍA DE FRANCISCO BRINES

La verdadera realidad en la poesía de Francisco Brines

¿Y por qué Brines tacha de su obra el tema político? Para aclarar este punto, conviene decir que, así como la segunda generación de posguerra concuerda genéricamente con la primera en su concepto de «verdadera realidad», discordando de ella en lo específico, igual, aunque en escala menor, sucede ahora en lo que atañe a la relación de nuestro autor con su grupo generacional: para Brines, la «verdadera realidad» es la misma que para todos sus coetáneos, a saber, «la persona en la sociedad», poniendo el acento, con igual fuerza, en los dos términos de la pareja. Pero lo que otorga originalidad a su visión, con respecto a sus compañeros, es el grado de universalidad con que en él aparece el elemento «sociedad». Brines contempla al «hombre» entre «la gente», como los otros componentes de su grupo; y, como ellos, ve aflorar en su persona lo íntimo y diferente, en cuanto normal variante de la genérica humanidad: esa «gente» entre la que su ser se produce. Pero en nuestro poeta, el sistema de solidaridades no se interrumpe aquí: se prolonga hasta el fin. Pues lo mismo que en su propia persona ve Francisco Brines, sobre todo, lo que le es coincidente con la gente concreta que hoy existe, en ésta, en la gente concreta, o sea, en la sociedad actual, verá, coherentemente, lo que tal sociedad tiene de común con todas las sociedades anteriores. Y como esa comunidad consiste, fundamentalmente, en una condición metafísica, es esto lo que de la gente concreta le interesará y hacia lo que llevará su ímpetu solidario. Comprendemos ahora, acaso definitivamente, la razón más profunda por la cual, puesto el poeta en trance de elegir temas generales en congruencia con la vocación universalista que acabo de mencionar, deba excluir los políticos, que sólo tienen sentido para aquellos poetas que en la fórmula «hombre-sociedad», entienden el ingrediente «sociedad» más en su separación que en su afinidad con las otras sociedades que en el pretérito hayan podido ser. Si de la «gente» con la que «el hombre» conecta, eliminamos, o tendemos a eliminar los elementos que se repiten en todas las gentes del pasado, lo que resta de la gigantesca sustracción es una concreción pura, en la que es posible, y acaso necesario, ver como fundamentales las relaciones políticas y puramente cívicas. Tal es lo que pasa con frecuencia en la mayoría de los poetas de la generación de Brines. Pero ni éste ni Claudio Rodríguez hacen política desde el verso, y, coherentemente, en ambos (muy distintos entre sí, por otra parte) la actitud moral será, por lo general, humanística, no cívica, que es la derivada del criterio de solidaridades menos amplio de sus compañeros de generación.

POESÍA METAFÍSICA

El concepto que tiene Francisco Brines de «verdadera realidad», no sólo nos aclara las exclusiones y repelencias de su musa; nos aclara también, y con más transparencia, si cabe, las simpatías e inclusiones de ella.

Consecuente con lo que es la raíz de su cosmovisión, los temas que habrán de seducirle serán los que se presten para expresar ese tipo de realidad que a él le parece «la verdadera», esto es, la de un hombre que sintiéndose persona, no percibe en sí mismo, pruritos de aristocrática distinción, sino de comunicación con las criaturas todas de su especie. Por un lado, Brines habrá, pues, de excluir de su verso, todo lo que no sea de interés general humano; por otro, excluirá también lo que, por su misma naturaleza, impida expresar la vibración personal del autor, la palpitación irrepetible de su propio espíritu. Nos explicamos entonces (fuera, como ya dije, de la falta de gusto que Francisco Brines muestra por la temática política) su atracción por los temas que han solido llamarse «eternos», aunque este nombre tenga para nosotros un deje ahistoricista que nos desagrada; por supuesto, el nombre y no los temas: amor, tiempo, vejez, muerte. Estos temas, sobre cumplir con la universalidad que el poeta demanda de ellos, cumplen con el no menos indispensable requisito de personalización, sin cuya posibilidad serían rechazados. Son asuntos que, prestándose para expresar a su través la genérica condición humana, permiten, con no menor facilidad, la vibración única de un alma particular. Esto hace que Brines se nos ofrezca como el poeta metafísico por excelencia *de su generación,* más aún que cierto primer Valente, que es el único que le acompañaría en esta dirección. Subrayo el término «generación» para hacer notar que su modo de ser poeta metafísico no es cualquiera sino el que corresponde a la precisa generación en la que se inserta, cuyos rasgos hemos descrito. De este modo, la poesía de nuestro autor se distingue de la de sus coetáneos, por el corte marcada y sistemáticamente metafísico que le caracteriza; y se distingue de la de otros posibles poetas metafísicos que antes de él hayan existido, por el sentido y forma específicamente generacionales de que la suya se reviste.

La tragedia del tiempo: «causas cosmovisionarias» y «estímulos»

El tema fundamental de esta obra será, pues, la tragedia del hombre en el tiempo. Desde cualquier punto de vista que se adopte, llegaríamos a la misma conclusión: hacérsenos comprensible la importancia creciente que lo temporal ha venido teniendo, a partir del romanticismo, en todos los aspectos de la cultura (ciencias del espíritu, artes plásticas, literatura, etc.). El asunto puede explicarse desde el punto de vista de las «causas cosmovisionarias» y desde el punto de vista de los «estímulos». La «causa cosmovisionaria» del tema del tiempo en la poesía de la «*Época* contemporánea», desde el Parnaso al Superrealismo, se relaciona con el progresivo intrasubjetivismo como «verdadera realidad» que convierte la objetividad del mundo en «contenido de la conciencia» (por ejemplo, en impresiones), ya que tal contenido, al ser una «corriente» y, por tanto, al ser algo esencialmente actual, momentáneo, fugaz (de ahí el instantaneísmo, del que la escuela impresionista hizo nervio de su técnica) pone de relieve la temporalidad. Y aunque la «Época» que hemos llamado «poscontemporánea» supuso la superación de tal intrasubjetivismo, no por eso la valoración del ingrediente «tiempo» disminuye. El yo concreto haciendo algo concreto en una circunstancias concreta, «verdadera realidad» del período, implica también temporalismo, *pues lo concreto existe siempre, asimismo, en un ahora, es pura actualidad,* como la impresión. El tiempo sigue, pues, protagonizando la cultura en el último tramo del siglo, y diríamos que con no menor presencia que antes.

Vista la sucesiva «causa cosmovisionaria» de esa temática en el largo período posromántico, examinemos ahora el principal «estímulo». No hay duda de que la rapidez de las transformaciones que la técnica moderna introduce en el mundo tras la Revolución industrial, al someternos a nosotros, y a la realidad que nos rodea, a un ritmo de modificación que se va acelerando, en progresión geométrica, hasta nuestros mismos días, nos obliga a captar, como en un atroz primer plano, la dimensión temporal de cada cosa, *ya que el tiempo lo percibimos en el cambio.* Filósofos y científicos, y no sólo artistas y poetas se sensibilizarán, pues, también desde tal «estímulo», para esta clase de percepciones, haciéndose, de un modo u otro, historicistas.

El tiempo, en Brines

La poesía de Francisco Brines ha de ser entendida en el interior de este gran contexto histórico, aunque nuestro poeta viva la intuición temporalizante con especiales matices. ¿Cuáles son éstos? No sólo un acento y un tipo de emoción que no podemos confundir con ningunos otros; también los aspectos o lados que del enorme asunto le interesan. Del tiempo, subraya, en efecto, muy originalmente Brines el empobrecimiento paulatino a que nos somete, la progresiva merma y disminución, en cuanto al tesoro de las sensaciones y de las impresiones, que es nuestro destino desde la adolescencia hasta la muerte. En *Aún no* la menesterosidad a que el poeta se siente reducido es ya tanta y está aceptada, al mismo tiempo, con tanta humildad por éste, que el lector llega a experimentar auténtica piedad por su desvalimiento sin queja. De ahí deriva, creo, el hecho de que un tema tan aparentemente trivial o frívolo como es el amor mercenario alcance en este libro, sorprendentemente, un profundo estremecimiento moral. Y es que tal asunto, en el contexto en que se halla, está expresando, con originalidad marcadísima, la sensación de honda carencia metafísica a que el protagonista poemático ha descendido, la tenebrosidad del oscuro pozo. Una pieza como «¿Con quién haré el amor?», resuena paradójicamente, con un acento de «noche oscura del alma« Asombra que del tema más directamente sexual, Brines haya hecho, creo, que por primera vez en nuestra literatura, el poema de la privación absoluta, en una especie de ascesis secularizada, que se nos antoja, precisamente por eso, terrible. Es una «privación» que se parece extrañamente a la que hay en los primeros escalones de la vía mística de un san Juan de la Cruz, pero sin la esperanza salvadora de una trascendencia divina que dé sentido al sufrimiento. Aquí el dolor humano del no tener, del faltar justamente lo único que nos es indispensable, aparece en estado de absoluta pureza. Diríamos algo muy similar de otras composiciones de *Aún no,* pues no se trata de un tema ocasional; se trata, por el contrario, de todo un sistema expresivo: así, «Sombrío ardor» o «Tendidos sin amor». Lo que en el otro poema era la soledad de quien menesterosamente busca, sin hallarlo, ese mínimo calor acompañante de un amor mercenario, es en estas dos piezas la ceniza de cuerpos que desalmadamente se poseen sin sentir algo más que deseo. La consecuencia que el autor saca de esta nueva experiencia no difiere mucho de la precedente: «dos sombras vivas hacen el amor», «hozan la nada», dice, y el poeta siente «que la vida se deshace». Por todas partes, el libro nos muestra el amor físico como desposesión espiritual, y la voz del poeta, siempre grave en esta poesía (coincidiendo en esto con bastantes poetas de las dos generaciones de la posguerra) deviene, consonantemente, cavernosa. Tono, en efecto, como de quien nos habla desde el interior de una gran concavidad, pero cerrada y sin salida, que no resulta menos inaudito que la peculiarísima concepción a cuyo servicio se halla. Y fijémonos en esto: el amor físico que el poeta en otras piezas no censura y que, al revés, exalta, asoma aquí como condenación. ¿Por qué? Porque se trata, en realidad, de un símbolo del aterimiento cósmico del hombre, de su mendicidad en cuanto a la significación y a la trascendencia. Y un símbolo, añadamos, de extraordinaria novedad y fuerza.

El progresivo desnudamiento del estilo

La expresión de los tres libros, escritos en momentos diferentes de la vida del autor (franca juventud, comienzo de la madurez y madurez completa), reflejará, en su esfera, con gran coherencia, el despojamiento metafísico al que el poeta finalmente, como digo, ha llegado. El estilo entra, en efecto, desde el punto de vista de la sensación, en un proceso idénticamente eliminatorio que le lleva a prescindir, cada vez más de este gratificador elemento, aunque, en conjunto, la sucesiva obra no se atenúe, sino que gane y crezca, por lo que respecta a lo estrictamente estético. Luego hablaré de esto. Pero es un hecho que *Las brasas* es el único de los tres libros que abunda en sensaciones, como su propio autor ha señalado: en esa primera entrega poemática, los sentidos existen con intensidad y se hacen constantemente presentes. La nariz huele, el ojo mira, el oído oye, el tacto toca, y todos esos órganos gozan y se pasman. Hay jardines, nardos, celindas, jazmines, limoneros, naranjos, pinos, aire, sol, mar, grillos, insectos, mundo exterior bullente y rico, el del paisaje valenciano, aunque todo ello se sienta como esencialmente precario, y aparezca cargado disémicamente de significaciones simbólicas que trascienden hacia emociones de pesadumbre. El pensamiento aún no asoma directamente como tal, sino en esa forma que he dicho, como significación escondida en el preconsciente del lector, asociada por éste, irracional y no lúcidamente, a las palabras, de manera que el libro parece, a primera vista, sólo descriptivo de ese mundo externo, gracias al uso de «símbolos de realidad».

El pensamiento ascenderá desde el fondo oscuro en que yacía hasta la conciencia plena, en la siguiente articulación poemática, *Palabras a la oscuridad,* lo cual no obsta para que pueda seguir usándose en él, a veces, aunque más parcamente, la simbolización de ese tipo imperceptible de que hablamos, como ya notó José Olivio Jiménez (*Diez años de Poesía española,* ed. Ínsula, 1972). Este predominio del pensamiento supone, claro está, el descenso de la sensación, aunque ello viene ampliamente compensado por la apertura temática que el libro aporta: el protagonista poemático viaja por el mundo, se enamora, vive; conoce ciudades, experiencias. Pero ese mundo por el que transita es, ante todo, fuente de meditaciones. Los sentidos tienen ahora un papel mucho menor. En *Aún no,* el despojamiento prosigue: el enfoque, amplio en *Palabras a la oscuridad,* ahora se cierra sobre un único tema, el de la proximidad de la muerte y la emocionada despedida de la vida, de manera que no sólo se ha perdido la sensorialidad del primer libro, sino también la amplitud temática del segundo. Claro es que esta pobreza se halla al servicio de la concentración: la palabra, al desnudarse, y la visión al hacerse ascéticamente más seca, como luego diré, alcanzan en ese tema único (tratado, eso sí, con diversidad grande de perspectivas) un alto grado de intensidad, y la expresión, no por despojada, deja de ser bella: al revés, alcanza una potencia de irradiación mucho mayor que antes, y sólo igualada en los mejores momentos del segundo libro. Precisamente, una de las cosas más notables de este estilo es la creciente potencialización expresiva en cuanto que corre pareja a una estética hecha, sobre todo, de también crecientes renuncias.

Todo esto nos dice que el protagonista poemático se convierte, no por casualidad, en vivo ejemplo de la tesis mantenida en la obra, que podemos compendiar así: vivir es un ejercicio de sucesivo despojamiento y dejación.

TÉCNICA FUNDAMENTALMENTE EVOCATIVA

La consecuencia de ello es la progresiva nostalgia (aunque pudorosa, y por ello contenida y aséptica) de un pasado que se experimenta como más rico y sustancioso, lo cual forzosamente habrá de reflejarse en el estilo. Lo dicho, en efecto, es una de las explicaciones de la técnica más frecuente y significativa de nuestro autor, consistente en una u otra de estas dos actitudes contrapuestas y complementarias: o bien la evocación del pasado, con el mismo carácter fragmentario, desunido y desordenado con que yace en la memoria (artificio más característico de *Palabras a la oscuridad*), o bien, la evocación imaginativa y reflexiva, en rápidas o demoradas entrevisiones, de lo que será irremediablemente el terrible futuro de anodadamiento que nos espera (procedimiento propio de los dos últimos libros, aunque tenga mayor uso en *Aún no*). Claro está que en la utilización de esta técnica influye también la tendencia de Francisco Brines a la «personalización». Si importa la persona, importarán sus experiencias, sus «recuerdos» y sus temores.

Las evocaciones del pretérito no son, en las páginas que consideramos, menos patéticas que las del porvenir, aunque tal patetismo se halle implícito y se utilice con extremada reserva. El mismo carácter de «recuerdo» que la evocación posee instala de inmediato lo narrado en el ámbito de la precariedad, sin necesidad de que el autor lo diga explícitamente. Y esta implicación y sintética brevedad contribuye, no sólo a ese pudor de que hablo, agradecido por el lector en forma de mayor «asentimiento» (segunda ley poemática, como diré en seguida), sino que contribuye a cargar la palabra de significaciones implícitas (una de las formas de la ley primera o de modificación del lenguaje), con lo que la expresión se atiranta y enriquece. Ello resulta todavía más dolorosamente emotivo cuando lo que se trae a rememoración es un instante de plenitud, cuya pérdida, que tácitamente, como digo, se da por sentada, ha de hacérsenos, por fuerza, lacerante en mayor grado aún. Como se ve, este método de evocaciones es un auténtico procedimiento retórico, puesto que sirve para que se cumplan, a su través, las dos únicas leyes que rigen el funcionamiento de la poesía, según ha intentado demostrar mi *Teoría de la expresión poética:* la ley primera, o ley, repito, de la modificación del lenguaje, y la ley segunda, o del «asentimiento», por parte de quien lee, al contenido anímico, en cuanto que éste se percibe como legítimamente nacido en el protagonista poemático que figura ser el autor. Acabo de decir que la rememoración en la poesía de Brines contribuye a intensificar el «asentimiento»; pero que no menos contribuye a cargar al verbo de un sentido que normalmente no tiene. La expresión, al hacerse sintética y más rica, ya no es la habitual, y por tanto, supone un apartamiento del tópico lingüístico. Ahora bien: en esto y no en otra cosa (siempre que medie el indispensable «asentimiento») consiste el fenómeno poético, pues en la topicidad las percepciones (visuales o lingüísticas) se anulan. Lo que veo a diario, en puridad no lo veo: sólo, en tal caso, extraigo y retengo de lo mirado aquel esquema mínimo que no me permite más que el puro reconocimiento del objeto como tal, para, de inmediato, darlo, precisamente, por visto, sin hacerme con él de verdad. Únicamente la sorpresa constituida por una desviación de la norma me obliga a percibir realmente la significación de que se trate, como ya dije en 1952 (primera edición de mi *Teoría de la expresión poética*). Tal es el sentido de los procedimientos retóricos. El que acabo de describir como propio de Brines es, sin duda, uno de ellos, y claro está que ha de manifestarse en su poesía de muy varios modos. Se muestra como especialmente expresivo, por ejemplo, cuando se complica en una serie. Esto es lo que sucede en la extraordinaria pieza «Relato superviviente», que puede muy bien servir de ejemplo de lo que suele ser, desde el punto de vista estilístico, un poema de nuestro autor, tanto en este aspecto que ahora estudiamos, como en otros que luego he de comentar.

La composición de «Relato superviviente» es acumulativa: consiste en presentar, uno detrás de otro, una sucesión de recuerdos: un instante, subiendo las laderas de Delfos, acompañado; luego París, en un 14 de julio. Y sucesivamente, como en un entrecortado sueño, Salzburgo, un lago alpino, Ferrara, una noche de Corfú, y por fin, Oxford, una escena estudiantil de competición náutica. Todo ello va surgiendo en la mente del protagonista poemático con el mismo aparente desorden y azar que es propio de las rememoraciones, o, más aún, de los procesos oníricos. Este caos, e incluso este azar, ya de por sí resultan altamente significativos, pues contribuyen a sugerirnos (otra vez la sugerencia, rasgo típico de nuestro autor) la falta de sentido de la vida. Precisamente tal idea es una de las que más frecuentemente se expresan (a veces de manera tácita como aquí, pero no siempre de ese modo) en esta poesía, pues que deriva, como puede suponerse, de la visión, antes indicada, de la temporalidad del mundo, en conjunción con la falta de fe en una trascendencia, idea, la última, que se halla en la raíz de esa misma visión.

Pero, aparte del caos y del azar, hay en esta técnica otro elemento que contribuye a lo mismo: la fluencia irrestañable como tal de los recuerdos. Al sucederse de ese modo las evocaciones, cada una de ellas, anula, de algún modo, en nuestra impresión no razonada, el sentido de la anterior. De forma que no sólo el recuerdo, por serlo, lleva consigo la sensación de lo fugaz, sino que, más gravemente, eso que es fugaz, carece, a causa de lo dicho, por si fuese poco, de significación. Lo cual no quiere decir, por supuesto, que no tenga un valor puramente momentáneo. Justamente porque en ocasiones lo ha tenido y cabe que lo tenga es por lo que se producen evocaciones en esta poesía. Otros poemas pueden confirmarnos en nuestra opinión. En «Mendigo de realidad», de *Aún no* (nótese, de paso, este título, tan expresivo de lo que más arriba indiqué acerca de la desposesión metafísica del protagonista poemático) leemos:

> *La ausencia que precede y la que sigue*
> *conforman nuestro ser, pero el presente*
> *se sabe luminoso en ocasiones.*

Aparte de la razón de poesía «personal» que antes sugerí, comprendemos ahora mejor por qué Brines emplea con tanta frecuencia el sistema evocativo. Ello se debe, en parte principal, a que todas las ideas que este sistema implícitamente, en cierto modo, conlleva (fugacidad de la vida, insensatez de ella, pero valor de algunos de sus instantes) se hallan en el fundamento mismo de su interpretación de la realidad. Dada ésta, se imponía de alguna manera, aquél.

Y ya que nos hemos referido a «Relato superviviente», debo agregar que, en este poema y en los otros en que se utiliza el mismo recurso expresivo, cada recuerdo da pie al poeta para proporcionarnos, no sólo breves narraciones (como es uso en toda la generación) sino sensaciones y sentimientos, pero, sobre todo, para transmitirnos hondas reflexiones sobre la vida, pues es la suya una poesía de la experiencia y del pensamiento, en mayor medida aún que en los otros miembros de su momento histórico. Veamos ejemplos. El poeta ha subido, acompañado, las laderas de Delfos. He ahí el relato, el «cuento», elemento germinativo, con gran frecuencia, de esta «lírica» que, curiosamente, halla base y se apoya en su opuesto: en un arranque narrativo. Se «narra», indudablemente, pero sólo para, a continuación, meditar. La contemplación de la persona amada le hace:

pensar
con el temor que da el conocimiento más profundo
en el azar de los encuentros de los hombres,

no sólo en el espacio,
también en la oquedad ilímite del tiempo.
(...)
Y aquel suceso natural [el del encuentro de los dos [aman-
tes] *pudo no ser, mas fue,*
y así es posible hoy la nobleza, la feliz dignidad,
como en otros momentos la degradada condición del hombre.

A veces, como digo, no son pensamientos, sino sutiles emociones, lo que el suceso evocado le produce. Pero lo característico es que esas emociones no aparezcan como tales, esto es, como emociones que el poeta intenta transmitirnos, sino como una experiencia más que se nos «cuenta». La emoción queda así «narrativizada», si se me permite la expresión. Estamos en París, el día de la Fiesta Nacional:

gasta el muchacho su mirada
no para ver virtud, sino la paz de los pecados en penumbra,
porque la calle es vómito,
y el cuerpo del muchacho es todavía
un lugar inocente.

Avanzaba la noche, la fiesta nacional, bulliciosas cohortes callejeras,
y una vergüenza súbita por no estar degradado;
con asco del pecado entonces supe
que hay un peor castigo para el hombre:
la soledad sentida como infame.

Pero a veces se trata de sensaciones, «relatadas», igualmente:

Y en el calor de Julio, agolpado el cansancio en mi mirada,
y extraño de mi vida, me senté en un café
no lejano del río. El tiempo no era nada:
sólo calor.

Poesía aparentemente lógica: su problemática

Aprovechemos estos ejemplos para intentar resolver, cuanto antes, el grave problema general que nos ofrece, por su misma textura, una poesía narrativa y de pensamiento como la de Francisco Brines.

Lo primero que plantearíamos ante una poesía como ésta, que incuestionablemente «parece», algunas veces, puramente conceptual, es la causa de que nos emocione. Asombra, en principio, tal constatación, puesto que lo poético requiere, para existir, según he recordado antes, apartarse del tópico lingüístico (que es, por definición, de carácter conceptual), en cuanto que, repito, en la topicidad, visual o lingüística, no se da una verdadera percepción. La poesía exige, sin excepciones, vuelvo a decir, modificar el lenguaje usadero, y esto sólo puede lograrse por medio de los artificios retóricos. ¿No es entonces un contrasentido hablar de trozos poemáticos horros de artificios y desnudamente conceptuales? Así es, pero precisamos añadir un importante distingo; y es el hecho de que hay que diferenciar con nitidez entre lo que puede constituirse como una pura ilusión y lo que se nos ofrece como incuestionable realidad. Cuando en un momento poemático no vemos ningún artificio retórico (metáforas, onomatopeyas, etc.) sino puros conceptos y lenguaje común, que resultan, no se sabe cómo, emocionantes (y acaso muy emocionantes) podemos tener la plena seguridad de que allí se esconde alguno de los procedimientos «invisibles» que yo, precisamente en ese libro antes mencionado, intenté poner de relieve (o tal vez se esconde algún otro o algunos otros que yo no supe ver). Dejando a un lado el sistema evocativo que he dicho, que ya es un modo «invisible» de cambiar o trastornar el lenguaje ordinario (en cuanto que le añade significados, y, además, no conceptualizados, que por sí mismo éste no tiene), en la poesía de Francisco Brines, lo que suele haber, en casos como éstos, son «rupturas del sistema», cuando no «símbolos de realidad» o «superposiciones» temporales. Veamos el primero de estos tres recursos, estudiado por mí hace muchos años. El concepto se nos manifiesta como poético cuando su mera aparición viene a romper un «sistema» en que nos hallamos, quiero decir, una relación que es para nosotros un hábito, entre dos elementos *A* y *a (A-a)*. En los versos de «Relato superviviente» que acabo de copiar la cosa está clara. Cuando leemos:

una vergüenza súbita por no estar degradado,

aunque aparentemente no nos hemos apartado de la lengua común, la emoción ha surgido en nosotros al quebrantarse nuestra costumbre («sistema») de conectar la «vergüenza» con la «degradación», no con su opuesto («ruptura del sistema de los atributos del objeto»). Ello sucede porque, en este caso, para poder entender lo que así invierte y combate nuestro pensamiento espontáneo, necesitamos completar, rápidamente, la frase del poeta con otro pensamiento que explique el aparente «disparate» que se nos propone. De esta manera, las «rupturas» son, en tales casos, métodos de sugerencia, que es lo que casi siempre hay tras la poesía aparentemente lógica. No necesito decir que toda sugerencia significa un quebranto del estereotipo lingüístico, puesto que la expresión pasa entonces a tener una carga semántica mayor que la que le corresponde ordinariamente. En el ejemplo que acabo de traer a colación («una vergüenza súbita por no estar degradado»), nuestra colaboración de lectores (colaboración con la que el autor, sin duda, cuenta) consiste en percatarnos de que lo dicho en el poema quiere expresar el sentimiento de vergüenza que el protagonista experimenta al sentirse distinto de la gente, puro aún; y, al mismo tiempo, quiere expresar lo que este sentimiento tiene de juvenil. Hay, pues, un juicio por parte del poeta y una comprensión del personaje, que es él mismo, en un ayer. Nótese que nada de esto se enuncia, pese a lo cual los lectores lo entienden:

sugerencia. Y como tal sentimiento de vergüenza es verosímil en un muchacho muy joven, lo «asentimos», y con ello se nos vuelve poético, gracias a la previa desconceptualización no tópica que se había producido en los vocablos.

Tomemos un ejemplo distinto. Cuando en otro de los fragmentos aducidos se nos afirma:

la soledad sentida como infame

ocurre lo propio. El verso contradice nuestra concepción ordinaria acerca de los atributos que estamos dispuestos a conceder a la soledad, con lo que también aquí debemos añadir, de nuestra cosecha, lo que el poeta no dice: que esa sensación del muchacho revela la menesterosidad humana y la injusticia que esa menesterosidad constituye. El poeta, aunque semeja «contarnos» *conceptualmente* lo que ha pensado o lo que ha sentido, lo que de veras lleva a efecto es provocar en nosotros el espejismo de tal conceptualismo inexistente. La topicidad de nuestros hábitos mentales queda deshecha, y así el lenguaje rompe a expresar un significado que le es, en principio, ajeno. Y ocurre que, al suceder esto, la significación ya no puede aparecer en forma conceptual, puesto que los conceptos son, por definición, significaciones rígidas, idénticas a sí mismas en cada uno de sus empleos, o sea, tópicos semánticos.

Lo mismo acontece con las sensaciones: su mera plasmación aparentemente conceptual será poética sólo en el caso de que destruya un «sistema» de cualquier tipo. Leemos, por ejemplo, esto:

El tiempo no era nada:
sólo calor.

Aquí lo aniquilado es de nuevo la «ruptura del sistema de los atributos del objeto» (pero hubiera podido tratarse, con idéntica fortuna, de otras clases de sistema, como acabo de decir). Para nosotros «el tiempo» es una cosa y el «calor» otra. Al decirnos Brines lo contrario, la frase expresa lo que literalmente dice, pero se dispone a significar, también, a extramuros de su estricta «letra». De este modo, el verso en cuestión nos comunica la índole *excesiva* de ese calor y *lo absorbente de su sensación desagradable, que impedía la libertad para otras posibles percepciones.* Obsérvese de nuevo que en el sintagma susodicho no hay explicitación, por lo que vemos repetirse aquí lo que en los otros ejemplos comprobábamos. No nos costaría, creo, trabajo mayor demostrar que el fenómenos se reproduce *sin excepciones* en cuantos ejemplos sometamos a análisis. La conclusión que de este resultado nos vemos obligados a sacar es, pues, que en tales casos, la poesía «lógica» (en el sentido de «conceptual») es un puro sueño. Pues bien: como adelanté, ello es cierto no sólo para estos casos, sino para todos los casos. La poesía lógica, la poesía conceptual no existe. La afirmación importa, puesto que toda la poesía de posguerra ha pretendido hacer una poesía de este tipo, una poesía «directa», como entonces se decía, una poesía sin metáforas ni elemento imaginativo alguno, desnuda de artificios retóricos. El elogio supremo de un poema durante todos aquellos años, y hasta hace muy poco, en que apareció una nueva sensibilidad, fue precisamente ése: lo «directo» y «desnudo» de la palabra poética, la supresión de toda desviación del lenguaje llano, familiar, cotidiano. Como antes indiqué, los miembros de la primera generación «no tenían tiempo para la belleza». Los de la segunda, aunque disponían, al parecer, de los momentos necesarios para lograr un buen poema, no querían llamar la atención con primores particulares, cuya evidencia distrajese el ánimo del efecto de totalidad. En los dos casos, además, la sensación de «lenguaje de todos» que necesitaban darnos quienes sentían que la «verdadera realidad» era el hombre en el «mundo», el hombre en cuanto «gente» (primera generación), o la persona, pero en cuanto *relacionada* con la «gente» (generación segunda) llevaba al uso de un tono hablado y de una expresión coloquial. El empleo de metáforas y de otros artificios de este tipo manifestaría a las claras un alejamiento de la expresión comunal que había que impedir. Como que iba en ello nada menos que la fidelidad a la «realidad verdadera», incluso a costa, con alguna frecuencia (en los poetas de la primera generación), de la poesía misma.

Nuestras conclusiones, ¿significan que los autores de las dos generaciones estaban, simplemente, en un error, puesto que su meta era un imposible, una verdadera contradicción, un absurdo?

La equivocación, cuando existió, fue teórica, no práctica. Se equivocaban, no quienes deseaban desde el verso una impresión de desnudez y llaneza, sino quienes creían que esa impresión respondía a una realidad. El poeta no puede, sin dejar de serlo, escribir verdaderamente en el «lenguaje de todos», porque su tarea consiste, justamente, en apartarse de ese lenguaje. *Pero puede, sin duda, producirnos la ilusión de que ello se ha logrado* (y no olvidemos que en el arte, por consistir en un fenómeno psicológico, lo que importa es la ilusión y no la realidad). Aunque creyesen, al menos muchos de ellos, que estaban haciendo lo contrario, los poetas «buenos» de las dos generaciones de posguerra (por ejemplo, el primer Otero, José Hierro, etc., en la generación inicial, y varios otros en la que le siguió) no utilizaron la lengua ordinaria, sino la que resulta de modificar ésta. Y esa modificación no tuvo por qué ser en ellos menos profunda y radical que en un poeta como Góngora, aunque sí mucho más imperceptible. Por lo pronto, en ningún poema de ninguna época puede haber un lenguaje como el usado en la conversación, no sólo por lo dicho, sino por un hecho que resulta previo a la existencia o no existencia de procedimientos retóricos desconceptualizadores, y es el de que las expresiones poéticas aparezcan siempre en el interior de un género literario. El género literario que llamamos «poema» quita, de entrada, a las palabras su sentido práctico de alusión a cosas existentes en la realidad. El poema nunca comunica «verdades», aunque lo que se diga en él sea, de hecho, verdadero, puesto que ante un poema no nos preguntamos «¿es verdad esto que aquí se sustenta?» La pregunta que nos hacemos reza, por el contrario, de este otro modo: «¿puede afirmar esto alguien sin darnos una impresión de deficiencia humana?» Como no nos hacemos cuestión de la verdad del dicho, sino sólo de su verosimilitud, no nos llegará aquélla; nos llegará sólo ésta, a diferencia del lenguaje «real» que utilizamos en nuestro diario trato. Son, pues, lenguajes entre sí diferentes: uno nos entrega verdades, y el otro, no.

La «falacia antirretórica» en la poesía de Brines

Volviendo a la poesía de Brines, he de decir que el espejismo antirretórico que experimenta el lector, en la mayoría de sus instantes, es completo. En el primer libro, nuestro «engaño» se debe al continuo uso, por parte del poeta, tal como más arriba mencioné, del símbolo «de realidad» encadenado, técnica que de Machado para acá, había venido teniendo, dentro de la literatura española (y lo mismo fuera de ese límite) un éxito grande. No debe extrañar que esa manera de simbolización pudiera interesar al Brines primerizo, ya que se trata de un recurso que, teniendo muchas posibilidades de emotividad, da resuelto al poeta, por su misma índole, el problema de la ocultación de su vitanda presencia. Y es que tal procedimiento forzosamente habrá de disimularse tras la evidencia, consciente y realista, de uno de *sus dos* significados. Como en tales símbolos el lector entiende, sin esfuerzo alguno, lo que el poeta está diciendo, irremediablemente ha de sufrir aquél el error de creer que la emoción experimentada procede del significado entendido, cuando, al revés, esa emoción nos llega, no de lo dicho, de lo asociado preconscientemente con lo dicho. En los dos libros siguientes, el poeta se permite, alguna que otra vez, ciertas escapadas imaginativas fuera del marco de lo que denominaríamos «falacia antirretórica»: uso, por ejemplo, de símbolos «de irrealidad», siempre de imposible enmascaramiento, que, al ser raros en el autor, se nos hacen especialmente amables y frescos:

> *Exiliado de toda habitación, del reposo*
> *benigno para el alma y el cuerpo,*
> *el habitante de las sombras*
> *lleva en la mano diestra*
> *un gótico reloj de arena, y el espanto*
> *hace nido en su oreja, y él quisiera sentir*
> *la sordera del sueño.*
>
> («Soledad final», de *Aún no.*)

Pero, en general, la estrategia del encubrimiento de los artificios literarios continúa con fuerza en ambas obras (y es ésta la diferencia que se abre entre *Aún no* y algunos poemas posteriores, donde asoman ya sin disimulos ingredientes marcadamente imaginativos: Brines penetra suavemente o se abre, de este modo, sin dejar de ser él mismo, a lo que se insinúa como acaso un nuevo momento). En *Aún no* y en *Palabras a la oscuridad* se usa bastante menos que en *Las Brasas* el encadenamiento de los «símbolos de realidad»: el «disimulo» ha de seguir otras tácticas. Una de ellas, acaso la más frecuente, la conocemos ya: la «ruptura del sistema», en varias de sus formas. Podríamos aludir a ello en perspectivas menos técnica si hablamos de la utilización incesante en esta poesía (y en la de Jaime Gil de Biedma) de impresiones insólitas (pensamientos, sensaciones o sentimientos), aunque no «irreales» ni «exquisitos». Se trata, por lo común, de impresiones que cualquier hombre medianamente culto puede «tener», aunque probablemente no «percibir» conscientemente y menos «expresar».

Este tipo de impresiones posee la ventaja de presentarnos la persona del narrador poemático precisamente en cuanto persona, pero sin separarlo del resto de los hombres, norte, como sabemos, de la estética de Brines y de su generación.

SUPERPOSICIONES TEMPORALES

Otro recurso que con frecuencia usa nuestro autor, llevado por su necesidad de expresar la temporalidad y precariedad de la vida y del mundo, es el que en mi citada *Teoría...* he llamado «superposición temporal». Consiste en la presencia simultánea, en un mismo instante, de dos tiempos distintos: uno real, A, el presente, y otro ilusorio, B, el pasado o el futuro. Pues bien: de hecho, el artificio en sus manos, no siempre, pero sí casi siempre, se invisibiliza o tiende a invisibilizarse. Como en la obra que consideramos este recurso es muy importante, detengámonos un momento en su estudio. Lo primero que observamos es la parquedad de su uso durante todo el siglo XX, en que, por primera vez, se utiliza. Hagamos un breve inventario: se da apenas una sola vez, tanto en Rubén Darío como en Antonio Machado, Guillén o Dámaso Alonso; muy pocas veces más, en Juan Ramón Jiménez, en Aleixandre, en Borges... Eso es todo, o casi todo, lo que con anterioridad a la poesía de Francisco Brines podemos rastrear. Brines toma el artificio y hace con él dos cosas: multiplicar su empleo y complicar su estructura. Multiplicar su empleo: puesto que frente al carácter insólito de sus apariciones anteriores, el recurso se muestra nítidamente en su obra nada menos que trece veces (una vez en *Las Brasas*, nueve en *Palabras a la oscuridad*, y tres, en *Aún no*). Advierto que no entran en el cómputo los casos desdibujados o reminiscentes, que harían aumentar esa cifra de manera considerable; ni tampoco, los numerosísimos ejemplos en los que se producen simples «recuerdos», pese a que éstos sean ya, al menos en bastantes casos, auténticas superposiciones, como vamos a ver a renglón seguido. Pues es precisamente el continuo uso, que más arriba mencioné, de la memoria de un pasado y de la imaginación de un futuro, tan peculiares de nuestro autor, lo que hace nacer el recurso en la poesía que estudiamos. Y esta técnica de rememoraciones permitirá, por sí misma, la innovación brinesca de introducir frecuentemente en el sistema un elemento más, un plano más de tiempo, con lo que, como anuncié antes, el artificio se complicará. Pero en algunas ocasiones no se trata de añadir un tercer plano al conjunto formado por la pareja tradicional, sino varios. Tomemos un ejemplo especialmente complejo. El poeta evoca un recuerdo:

Y por el río bajan los veloces remeros
centelleando al sol, rodeados de gritos
ahora sordos, y con los huesos húmedos.
Es un esfuerzo hermoso, como el verdín
que les recubre, una tarde dichosa
de juventud y de belleza;
transcurren las carreras, y en su fervor
sigo bebiendo un líquido viscoso, y asisto todavía
al espectáculo correcto de una cortés conversación
de centenares de personas, bajo abiertas sombrillas,
aunque yo siento frío, y los ojos se nublan
y una tierra me da nuevo sabor,
                                        y hondo caigo
por el vacío inmenso de la vida acabada,
con ese gesto inútil, en el terror del ojo,
del esfuerzo de un brazo
rompiendo con el remo la quieta superficie
de las aguas, el silencio del sol.

Clara está la múltiple superposición. En primer término, hay una plano de tiempo (*A*), que podríamos llamar «real», en el que el poeta, desde un hoy (*A*) rememora un ayer (*B*). Pero ese «recuerdo» (*B*) se descompone, a su vez, en dos instantes: primer instante (el que con mayor propiedad podríamos designar con la letra [*B*]: unos remeros juveniles, en Oxford, bajan por un río; y un instante segundo (*C*), en el que esos mismos remeros están sepultados en sus fosas. El artificio alcanza en este punto una gran perfección, por la manera tácita con que el poeta junta los planos temporales, y sobre todo, por el carácter «parpadeante» de su repetida aparición. Pues los dos planos, (*B*) y (*C*), se reiteran y barajan. Para hacerlo ver con diafanidad, pondré la letra correspondiente ([*B*], para los instantes de «vida», y [*C*], para los de «muerte») después de cada manifestación:

> *Y por el río bajan los veloces remeros*
> *centelleando al sol, rodeados de gritos* (B)
> *ahora sordos y con los huesos húmedos* (C).
> *Es un esfuerzo hermoso* (B), *como el verdín*
> *que les recubre* (C), *una tarde dichosa*
> *de juventud y de belleza* (B).

Dos veces (*C*) y tres (*B*). Su fórmula sería, pues, *A-B-C-B-C-B*. Pero la cosa no queda aquí: en esa evocación del pasado, además de estar los remeros simultáneamente muertos y vivos, el propio poeta figura también. Y se originarán entonces nuevos planos: un plano *a,* en que el poeta aparece viendo el espectáculo de los remeros; otro *b,* en que bebe «un líquido viscoso» (símbolo de la muerte), y luego sucesivamente éstos: *c,* el poeta, moribundo en un futuro («yo siento frío, y se me nubla el ojo»); *d,* el poeta, muerto («y una tierra me da nuevo sabor»); y, por fin, en ese momento de la muerte, retorna aún, *e,* el brazo de uno de los remeros oxfordianos. (Se hace indispensable advertir aquí que este último plano *e,* aunque coincida cronológicamente con el plano *a,* es, desde la perspectiva del recurso que estudiamos, un plano *distinto,* en cuanto que funciona como plano *ima-*

ginario de otro relativamente *real,* que sería, precisamente, el *a.*) Si sumamos ahora todos los términos temporales que en ese trozo poemático se han juntado, y aunque eliminemos el que hemos llamado *b,* por la ambigüedad, desde nuestro punto de vista, de su interpretación simbólica, tendríamos, en primer lugar, los tres elementos de la serie inicial, *A, B* y *C,* en su complejísima disposición reiterada *A-B-C-B-C-B;* y luego, los cuatro de la segunda serie: *a, c, d* y *e.* Como el plano *B* y el *a* son, en realidad, el mismo, nos quedan, como plenamente distintos entre sí, seis estratos temporales (*A-B-C-c-d-e*) en complejísima superposición: *A-B-C-B-C-B-a-c-d-e.*

Es muy frecuente en esta poesía que desde un presente (*A*) alguien se ve a sí mismo, o a otro u otros seres, en un futuro (*B*), momento desde el que, a su vez, la criatura o criaturas así imaginariamente proyectadas en el tiempo están mirándose en un instante actual (*C*). El instante actual entra, pues, en el juego dos veces, uno como realidad (*A*), y otro como evocación (*C*). El poeta contempla todos los días pasar por su calle unos muchachos:

Todos los días pasan,
y yo los reconozco. Cuando la tarde se hace oscura,
con su calzado y ropa deportivos,
yo ya conozco a cada uno de ellos, mientras suben en grupos
o aislados,
en el ligero esfuerzo de la bicicleta.
(...)
Cuando la vida, un día, derribe en el olvido sus jóvenes
edades,
podrá alguno volver a recordar, con emoción, este suceso
mínimo
de pasar por la calle montado en bicicleta, con esfuerzo ligero
y fresca voz.
(...)
Y al recordar el cuerpo que ahora sube

solo bajo la tarde,
feliz porque la brisa le mueve los cabellos,
ha cerrado los ojos,
para verse pasar
(...)
y ha sentido tan fría soledad
que ha llevado la mano hasta su pecho,
hasta el hueco profundo de una sombra.

(«Mere Road»)

La gran emoción que este poema comunica (leído en su texto íntegro, no en el anterior extracto, que elimina, justamente, lo más emocionante) se debe, como en los otros casos, al recurso estudiado, en el esquema que antes adelanté, pero en mayor complicación aún. Hay aquí, en efecto, un presente (*A*), constituido por esos jóvenes ingleses vestidos de modo deportivo, que suben en grupos con «el ligero esfuerzo de la bicicleta». Algunos de ellos, pasados los años (*B*) recuerdan de nuevo el presente (*A*), al que por su carácter ahora no real sino imaginario (e imaginario en segundo grado) llamamos (*C*); y aún se dibuja un nuevo plano (*D*) en el último verso, pues ahí se da una imaginación de la muerte, realizada también desde (*B*).

La estructura *A-B-C* se repite en otras composiciones, y a veces, como en «Evocación en presencia», de *Palabras a la oscuridad,* con una variación muy afortunada, pues aparece de nuevo el plano (*A*), no como recuerdo (*C*), sino como realidad (*A*). Esta reaparición del plano real (*A*) es, como digo, relativamente frecuente, pues tras las anteriores manipulaciones con la cronología que el esquema señala (*A-B-C-A*), esta reaparición final de (*A*) resulta llena de emoción temporalizante. Tal es lo que sucede, por ejemplo, en «La mano del poeta (Cernuda)», poema que manifiesta, además, una interesante variación de la fórmula. Brines imagina primero la mano muerta de Cernuda desde un hoy (*A*); luego, desde ese mismo hoy, se la representa en un remoto mañana (*B*), momificada en un museo; y por último, vuelve a imaginarla en el mismo museo, pero cuando han pasado, probablemente, siglos (*C*), pues que éste se describe ruinoso, roto el cristal de la urna en que la mano se había exhibido. La pieza termina, como dije, con un «regreso» al tiempo (*A*):

y al sentir en mi mano aún el calor
apresuré la marcha del viaje.

El patetismo (siempre en Brines lleno de contención) que la fórmula del «regreso» proporciona, admite otras posibilidades. En un poema de *Las Brasas* («Ladridos jadeantes»), un viejo (*A*) se recuerda como joven (*B*); pero sucede que este muchacho se está imaginando, por su parte, viejo y desamado (*C*), tras lo cual el muchacho cobra conciencia de sus pocos años y de su amor (*B*). Aquí la retrogradación, como podemos observar, no es el plano real (*A*) de vejez sino a uno de los imaginarios, el (*B*), por ser el que contiene mayores posibilidades de emotividad temporalista. Agreguemos que este poema se nos constituye aún como más complejo, si tenemos en cuenta que el viejo inicial (el del instante *A*) es el propio poeta, que en la fecha en que redactó la composición que nos ocupa tenía veintitantos años. Tal es, supongo, la razón psicológica que le llevó a utilizar el tiempo (*B*) de juventud, y no el (*A*) de vejez, para el «retorno», pues, «in pectore», tal estrato (*B*) era el verdaderamente «real». Si consideramos este dato (que un buen lector ha de tener, sin duda, en cuenta), la serie se enriquecería con un elemento más, y la nomenclatura habría de correrse hacia delante en una letra, con lo que la disposición final tendría la siguiente forma: *A-B-C-D-C*. Si aceptamos este análisis, nuestra anterior estadística acerca del número de superposiciones en la poesía de Francisco Brines habría de ser ampliamente corregida, ya que, con un criterio más angosto, no han entrado en nuestros cálculos estos casos, tan peculiares y repetidos de *Las Brasas,* en que la figura del poeta se disimula y encubre bajo la apariencia de un viejo que lo simboliza (cosa que ya había hecho Machado en algunas ocasiones: poema XXX: «caminante viejo / que no cortas las flores del camino»). De haber adoptado la norma de clasificación más amplia que la indagación de la pieza «Ladridos jadeantes» parece insinuarnos, composiciones como «El visitante me abrazó» y otras como ella, caerían de lleno en nuestra definición del recurso.

No me parece necesario insistir más en el estudio de los pormenores técnicos con que las superposiciones se nos muestran en la poesía de Francisco Brines, para comprender la originalidad, complejidad y maestría con que este poeta las ha sabido manejar, hasta convertirlas en uno de los cuatro medios fundamentales en que su arte se apoya (los otros tres son, como sabemos, el empleo de «recuerdos», de símbolos «de realidad» y de «rupturas del sistema»). Sería muy fácil hacer ver, si tuviésemos espacio para ello, cómo la complicación, a veces grande, que la técnica de superposiciones llega a alcanzar en Brines tiene sutiles consecuencias expresivas que resultan de evidente eficacia. Pues la complicación de que hablamos no surge por un capricho de nuestro autor, sino por la honda necesidad de darnos un cierto tipo de emoción temporal, muy compleja también, que sólo puede expresarse de ese modo que he dicho. Por otra parte, es palmario que esa complicación no nos proporciona nunca una sensación de artificio, ya que se mueve, en todo caso, dentro de los límites de lo posible en la realidad: un joven puede imaginarse viejo, un viejo recordarse joven, etc. Brines se permite esos incesantes juegos con la cronología, ese ir y venir del tiempo, sin abandono del realismo que le caracteriza ni renuncia de la «falacia antirretórica» desde la que su arte se levanta. Pero al hacer esta afirmación, nos percatamos de otra peculiaridad brinesca en el manejo del recurso. Las superposiciones, en sus anteriores empleos durante la época contemporánea (Juan Ramón Jiménez, etc.), habían venido adoptando (excepto en un solo caso: cierto soneto de Antonio Machado) formas «irrealistas», de significación exclusivamente irracional, muy en consonancia con las tendencias del período en cuestión. Así, por ejemplo, Aleixandre dice de un violín hecho de madera de cedro:

El violín donde el cedro aromático canta
como perpetuos cabellos

o de un elefante vivo en una selva:

El elefante que en sus colmillos lleva algún suave collar.

«Violín» con «hojas perennes» («perpetuos cabellos»); «elefante» con «collares» en sus «colmillos»: estamos ante seres que tomados literalmente son imposibles en la realidad. Pero es que, además, esa literalidad se nos impone, puesto que el significado es exclusivamente irracional y en consecuencia oculto. Se alude, sí, pero sólo de ese modo, o sea, de manera sólo emotiva, a la delicadeza del elefante, pese a su tosca apariencia, o al frescor y como silvestre naturalidad y oreo de la música de tales violines. Mas como nuestra conciencia no percibe sino con el sentimiento esos sentidos ocultos, se ve obligada, en cierto modo, a atenerse a la «letra», que aunque rechazada por la razón, se «visualiza» con fuerza, y hace triunfar entonces a la irrealidad en cuanto irrealidad.

Nada de esto existe en las superposiciones de Brines, que, por el contrario guardan siempre la verosimilitud realista. Y es esta verosimilitud, como digo, la encargada de disimular hasta un máximo la evidencia «retórica» del procedimiento, su carácter de tal, que, desde la cosmovisión del período, era, justamente, lo que se hacía necesario esconder.

YUXTAPOSICIONES TEMPORALES

Afín a las superposiciones, y con idéntico sentido, hay en Francisco Brines otro procedimiento que antes de él sólo se había dado, creo, dentro de la poesía española, en un poema de José Hierro. Más allá de ella, lo comprobé en dos lugares de Rupert Brooke. Y aunque supongamos que no sean éstas las únicas manifestaciones del fenómeno, tan gran escasez de hallazgos nos está diciendo el interés que tiene comprobar su presencia en, al menos, cinco momentos brinescos: uno en *Las Brasas,* tres en *Palabras a la oscuridad* y otra en *Aún no.* Se trata de «yuxtaposiciones temporales». En las yuxtaposiciones de esta clase, dos o más instantes, que, en verdad, se hallan entre sí separados, aparecen como sucesivamente colindantes, aunque sin llegar a «superponerse». Las «yuxtaposiciones» de esta especie son, pues, formas débiles de superposición, de manera que juntando los cinco ejemplares del primero de este tipo de recursos a los trece del segundo (y aún habría que añadir a esta lista cuatro o cinco casos más que se dan en los poemas inéditos) se nos abulta y acrece la importancia de los artificios temporalistas en ella.

Tal vez la muestra más perfecta de esta técnica se halle dentro del libro *Las Brasas,* en un poema en siete partes, titulado «El barranco de los pájaros». Lo que nos llama la atención en esta obrita es la curiosísima alianza y simbiosis con que el recurso susodicho se combina con la alegoría y con símbolos de realidad. El tema de la pieza consiste, aparentemente, en la descripción de una excursión al campo, pero en el fondo se trata, en efecto, de una manera de representar alegóricamente el transcurrir, a través de los años, de una vida de hombre. Unos «niños», de mañana, empiezan a subir alegremente un monte (partes I y II). En la parte III los excursionistas encuentran a un atemorizante leñador, descrito con significativa fiereza: «su fiera mirada sin amor, su brazo fuerte de verdugo». Todos reciben de sus manos un hacha. El lector entiende inmediatamente, *y de modo racional,* que estamos en el momento en que el hombre se dispone a la lucha por la vida. Se trata, pues, de una alegoría (cuya naturaleza es consciente) y no de un símbolo (cuya naturaleza es irracional). Pero aunque el hilo general del poema se arrime a la alegoría y no al símbolo, ello no impide que en el sucesivo desarrollo poemático el poeta se vaya sirviendo de sucesivas oleadas de símbolos de realidad encadenados, en los que la diferencia específica entre serie y serie nos va indicando los respectivos cambios en la edad de los viandantes. Y así, tras el encuentro con el leñador, prosiguen todos el camino *silenciosamente:* no hay duda de que este silencio es disémicamente significativo. Y no sólo esto: Se habla de «lluvia» que deja «incierto» el camino; de calzado, que pronto pesa «rojo de barro»; aparece la palabra «bruma». Palabras todas que se asocian irracionalmente con la idea de inseguridad, dificultad, e incluso, en un caso («barro rojo») con la idea de «agresión»: ha comenzado la lucha, la rivalidad. En efecto, el poema sigue: «nos herimos a golpes de pedradas». Algo parecido ocurre en las partes siguientes, de que, para abreviar, haré gracia al lector. Por fin, en la parte VII ya no se habla de «jóvenes». Lo que hay es un «hombre», que, al término de esa misma parte, se convierte, inesperadamente, en «anciano». La yuxtaposición temporal es evidente: a lo largo de la excursión, los niños del comienzo se han ido haciendo, poco a poco, viejos, y esta transformación es precisamente la causa principal en virtud de la cual entendemos racionalmente, alegóricamente, la significación general del asunto. A este logicismo contribuyen también, por supuesto, algunos de los pasajes (como, por ejemplo, el del leñador) que, al ser poco verosímiles en sentido puramente realista, nos hacen entrar en más que vivas «sospechas» de alegorización.

He sido tan minucioso en el precedente análisis porque esta combinación de alegoría (en cuanto al plan del conjunto), simbolización real encadenada (en cuanto al desenvolvimiento de muchos, no de todos, los pasajes) y yuxtaposición temporal (como resultado de la alegoría), se constituye como un artificio retórico único, aunque de tipo complejo, que carece de precedentes en la poesía española. El carácter alegórico y no simbólico del argumento es tan indudable como el carácter simbólico y no alegórico de la mayor parte del desarrollo, ya que para que el poema haga todo su efecto es necesario caer antes en la cuenta de que con el hilo argumental se está hablando del discurrir de una vida, no de una excursión, aunque, a su vez, el lector deba, ante cada una de las partes, poner ese conocimiento lógico, que procede de la totalidad, entre paréntesis, y tomar «en serio» a los excursionistas y al paisaje descrito, o sea, aceptarlos como aceptamos una descripción realista, para que, a continuación, las palabras en disemia heterogénea simbólica puedan hacernos llegar sus significaciones irracionales (ocultas en la emoción) junto a los significados lógicos que tengan.

El poema que ahora estudiamos, aunque aparentemente sencillo, según es norma, no ya de Brines, de toda la época, es de lectura no del todo fácil, pues su innovación técnica obliga al lector a una doble actitud, en velocísima alternancia, para la que anteriores lecturas no han podido «prepararle». La historia de la poesía contemporánea nos ha enseñado a leer textos irracionales, textos de disemia heterogénea y textos no irracionales, pero no textos esencialmente híbridos, en el sentido en que éste lo es.

«El barranco de los pájaros» nos interesa también por otra cosa, pues la mezcla de la alegoría con la yuxtaposición de tiempos proporciona a esta última una sorpresa estructural: la de que los planos temporales yuxtapuestos (niñez, juventud, madurez, vejez de los excursionistas) se deslicen, a su vez, por otra dimensión cronológica diferente, la correspondiente a la alegoría: la que media entre el mañanero comienzo de la excursión y el atardecer del día siguiente, en que ésta ha dado fin.

Algo muy semejante vemos en «Juegos en la orilla», de

Palabras a la oscuridad, sólo que aquí nos hallamos frente a un poema breve, y, sobre todo, la alegoría ha desaparecido para dar paso al símbolo: primero, vemos a unos muchachos que pasean alegres por las «afueras de la ciudad», a la orilla de un río; «con las horas», sin embargo, «se iba alejando la alegría»; y al regresar, iban aquéllos «hablando palabras de oscuro sufrimiento». La comprensión plena de este poema tal vez exija haber pasado antes por el anterior, que es el que nos da su clave, o, al menos, nos ayuda a encontrarla. Pues de otro modo, el poema sería interpretable exclusivamente como lo que también es: un caso de «correspondencia entre personaje y ambiente», variedad del símbolo que Brines usa algunas veces y que se dio, de manera creciente, en todo el período contemporáneo, a partir de Baudelaire. Ejemplos excelentes de ello lo constituyen, digamos, el final del poema XXX de Machado, dos momentos del poema 130 de la *Segunda Antopología Poética* de Juan Ramón Jiménez, y otros dos del poema «Cazador» de Lorca. «Juegos en la orilla» es, sin duda, una excelente ilustración de esta misma técnica, que Brines ha aprendido en la ya larga tradición contemporánea, y cuya aceptación por su parte se debe a las mismas razones de «falacia antirretórica» que le arrastraron a aceptar el uso del símbolo de realidad. La «correspondencia» admite, en efecto, tres modalidades entre sí diferentes, pues cabe establecerla lo mismo sirviéndose de símbolos «de realidad» que por medio de símbolos de irrealidad o de «visiones». Es sintomático que Brines, para «corresponder», utilice siempre la primera de estas formas, que es, como ya dije, la única no revestida de espectacularidad.

Pero, volviendo a nuestro tema, podemos preguntarnos dónde se halla la yuxtaposición temporal. Yace tras la significación simbólica, y como ésta, por definición, se esconde, le pasará lo mismo a la yuxtaposición. La alegría inicial de los personajes que se va, poco a poco, borrando de los rostros juveniles para terminar en unas «palabras de oscuro sufrimiento», complejo ajustado con precisión al ámbito físico en que aquél se produce (paisaje visto desde el mediodía hasta la caída de la noche) ¿no viene a simbolizar la pérdida de nuestra intensidad, tono y riqueza vitales con el transcurrir del tiempo, intuición radical de esta poesía, como sabemos? Por tanto, aunque no lo parezca, hay aquí una yuxtaposición de tiempos, que el símbolo enmascara e implica en su significado irracional. Nos hallamos, pues, ante una curiosa variedad (que no constituye, sin embargo, en Brines caso único), en que el recurso se muestra irracionalizado. Los jóvenes no se transforman en viejos de modo taxativo, como en *El barranco de los pájaros,* pero el cambio sentimental que en ellos se produce (el goce, primero intenso y luego débil, trocado al final en su opuesto) viene a simbolizar esa mutación cronológica y física. Añadamos que de nuevo aquí, el tiempo yuxtapuesto se desliza y mueve en el interior de otra dimensión temporal distinta: la de esas pocas horas en que los muchachos del poema están actuando.

RARIFICACIÓN DE LOS ARTIFICIOS EN LA POESÍA DE LAS DOS PRIMERAS GENERACIONES DE POSGUERRA: TENSIONES Y DISTENSIONES EN EL POEMA

Complementos lo expresado en los epígrafos precedentes diciendo que la «falacia antirretórica» en la poesía de Brines, y, en general, en la poesía de las dos primeras generaciones de posguerra, no se debe sólo al empleo de procedimiento que por su «discreción» pasan inadvertidos, sino también a la posibilidad, inexistente antes de esa fecha, de que un buen poema, para darse, precise ahora usar, a causa de la cosmovisión reinante, *menos* artificios retóricos de los que antes, desde diversa cosmovisión, precisaba *para obtener, en ese sentido, el mismo efecto.* Mas, ¿no hemos afirmado que el goce poético viene exclusivamente proporcionado por la presencia en el texto de que se trate de tales artificios?

¿No estamos aquí cometiendo una paradoja? Como aparentemente así es, conviene aclarar, cuanto antes, nuestras palabras, lo que supone entrar en la explicación previa de otra importante cuestión. Ello me obliga a apartarme, momentáneamente, de nuestro tema central, incurriendo así en una digresión que espero sea fructífera y no larga en exceso.

La única diferencia que parece esencial, aunque sólo a primera vista, entre la poesía y los otros géneros literarios, es la exigencia en la primera, por parte del lector, de una tensión expresiva que por comparación con los últimos nos parece «continua»: Éstos, en efecto, muestran a las claras admitir frecuentes «distensiones», o dicho de otro modo: las «descargas» estéticas (llamaremos así a los instantes en que el texto golpea con fuerza nuestra sensibilidad) están, en el poema, muy próximas unas a otras, y por el contrario, relativamente muy alejadas en el cuento, en el teatro (en cuanto leído), y sobre todo, en la novela. Esta diferencia no es un capricho ni una casualidad: responde a la estructura misma de los distintos géneros, y al hecho de que el lector, precisamente porque sabe lo que los distintos géneros se proponen, no les puede pedir a cada uno de ellos sino la tensión que les sea hacedera en relación con tal propósito. Ésta es la explicación de que el juicio de «asentimiento» que mi mencionada obra puso de relieve como ley de la expresividad literaria no cómica, lo dé el lector (del modo implícito que caracteriza a este tipo de juicios) en conexión con la exigencia susomentada. Tan es así, que si un cuento especialmente «poético», como puede serlo «Las nubes» de Azorín, lo escuchamos *como cuento,* nos parecerá, en efecto, poético; pero si por error lo escuchamos como el poema que no es, lo disentiremos, al no hallar en él la tensión continua que de los poemas esperamos. El «cuento» dejará, en tal caso, de enviarnos la emanación poética que antes desprendía. Esto quiere decir que lo poético de un cuento sólo surge en cuanto significación precisamente de «cuento», y no de poema, etc., y lo propio diríamos de las novelas o de las obras teatrales.

El género literario correspondiente decide acerca de nuestro asentimiento o no asentimiento a su contenido. *Sólo asentiremos con plenitud a un poema si éste lo es, o sea, si cumple con la norma de tensión relativamente continua que de la estructura poemática esperamos.* Pero he aquí que esta diferencia en cuanto a tal norma entre el poema y los otros géneros, diferencia que nos parece esencial, diríamos «natural», no resulta, de hecho, «natural» sino «histórica»: el asentimiento, para otorgarse con plenitud, requiere, en unos períodos artísticos, un grado de continuidad en la tensión expresiva distinto que en otros. ¿A qué se debe tal discrepancia? Si no me equivoco, ha de ser atribuida a la índole de la cosmovisión del período de que se trate. Situados en una cosmovisión como la vigente durante el imperio de las dos primeras generaciones de posguerra, en que la «verdadera realidad» estaba constituida por el hombre *socializado* (en uno u otro grado) había que esperar un lenguaje poético que nos produjese la ilusión (en un grado u otro igualmente) de ser también *social*. Pero el lenguaje social es *el que todos usan*. Ahora bien: entre los géneros literarios, el más lejano, en cuanto a ese ideal lingüístico comunitario, es el poema, y lo más próximos, la novela o el cuento. El poema se sentirá entonces sobrecogido por una sensación de culpabilidad en materia grave, al experimentarse en desacuerdo con respecto a la «realidad verdadera». Y como se avergüenza de sí mismo en tan decisivo asunto, intentará «corregirse» en cuanto a esta «errada» configuración suya, para amoldarla al espíritu de esos otros géneros, los prosísticos, que conformándose con mayor rigor a lo que la época demanda de la literatura, son vistos con ojos más complacientes, y ello hasta el punto de que su estructura se convierte en paradigma: el poema *querrá ser* cuento, novela. Desde ángulo muy diferente, llegábamos a la misma conclusión no hace mucho, y así hemos hablado del carácter narrativo que el poema adquiere a la sazón, y de la naturalidad expresiva que éste busca, en esas fechas, por encima de todo. Al revés de lo que sucedió en la época contemporánea, período en el que la prosa aprendió del verso, ahora, por el motivo enunciado, el verso aprenderá de la prosa. Y no sólo tomará de las novelas y cuentos naturalidad y narratividad, sino la posibilidad, aunque en grado mucho menor, por supuesto, de las relativamente amplias «distensiones» de que ellos se permiten disfrutar. Claro está que este disfraz novelístico o cuentístico con que se manifiesta ahora el poema no pasa de ser un inteligente medio de supervivencia durante una época difícil. El poema se acercará al relato sin confundirse con él, o acaso más exactamente: la confusión completa entre el género poemático y los géneros narrativos existe, pero es puramente intencional: se manifiesta en calidad de puro simulacro, y este simulacro de identidad es, justamente, la aproximación. Al iniciarse la ceremonia identificativa, el poeta tranquiliza su alterada conciencia, y le es ya suficiente con este simbólico comienzo, que, por tanto, no tendrá por qué proseguir.

Se deduce de lo dicho que para lograr el pleno asentimiento no necesite ahora el poema, como lo necesitaba antes, afectar nuestra sensibilidad con las frecuentes descargas que los recursos retóricos, asimismo frecuentes, desencadenan. Bastará (como les sucede a los géneros propiamente narrativos) con que el lector sienta que el dicho poemático nos está conduciendo, *con fatalidad,* eso sí, a ciertos instantes, acaso muy altos y emotivos, pero relativamente lejos unos de otros, por hallarse igualmente distanciados los procedimientos retóricos de que aquéllos se derivan. El poema se identificará entonces, en consecuencia, pero sólo en forma de pura «indicación» o «gesto», a lo que de verdad, y no sólo gestualmente, son el cuento o la novela. Y lo mismo que el cuento o la novela pueden resultar «buenos» y manifestarse, sin embargo, como «distendidos», así les habrá de suceder a los poemas en esta época que consideramos.

Enlacemos ahora con lo afirmado al comienzo del presente epígrafe: no podemos dudar de que estos trozos poemáticos, a veces de alguna extensión, en que *realmente* no comparecen «artificios» ni de por sí, en consecuencia, emocionan, y sólo se constituyen (en el caso de las piezas logradas) *como camino indispensable hacia ellos y su emoción correspondiente,* esos trozos, repito, contribuyen poderosamente, tanto como la imperceptibilidad de los recursos mismos cuando éstos se dan, a proporcionarnos la impresión antirretórica que el período anhela.

Y ya que, aunque de pasada, hemos añadido ahora un nuevo rasgo a la lista de coincidencias estilísticas que establecíamos al comienzo entre las dos generaciones de posguerra, no vendrá mal señalar la discrepancia de matiz que también entre ellas podemos ver aquí: la generación segunda procura con mayor ardor que la primera la fatalidad expresiva, tanto de esos fragmentos puramente ancilares que no aspiran a conmovernos, como de los principales que, por el contrario, aspiran a ello; y así, la segunda generación pone más cuidado que la otra en que tanto los momentos «subordinados» como los «principales» cumplan con su respectiva misión: los «subordinados» conduciendo rigurosamente hacia la estructuración de los «principales», a los que fundamentan y apoyan; y estos últimos, siendo, gracias a los primeros, máximamente emotivos.

Nos explicamos inesperadamente un rasgo de estilo que más arriba se nos había definido ya como peculiar de Brines y de su grupo. Y es que aunque la existencia en un poema de elementos no conmovedores y sólo serviciales haya sido inherente a todas las épocas, queda como exclusivamente propio de la que nos ocupa a causa de su narrativismo, el gran volumen que estos elementos subordinados llegan a alcanzar, con lo que el poema, a la sazón, habrá de adquirir aquella fisonomía especial que páginas atrás hemos designado como «fundamentalmente cohesiva», según la cual, en un poema, han de primar con fuerza los «todos» sobre las «partes». Éstas (a veces nada breves) no buscan entonces brillar con autonomía, sino cumplir *perfectamente* su cometido de supeditación, por gris que tal cometido pueda parecer a las sensibilidades educadas en un criterio opuesto. En suma: la tendencia a hacerse «relato» es lo que explica en esta poética el predominio del conjunto en detrimento de la feudal parcela.

Los instantes de conciencia en Brines y en Juan Ramón: su diferencia

Creo que podemos ya decir sintéticamente qué cosa sea un poema de Francisco Brines, determinando la horma o estructura en que ese poema se apoya y de la que surge. Lo que encontrábamos al estudiar el sistema evocativo en esta poesía, resulta generalizable para toda ella: siempre o casi siempre las piezas de nuestro autor se inician en una situación, que, cuando se hace dinámica, se convierte en «relato». Pero esta «situación» o «relato», por mucha extensión que ocupen en el poema, se nos aparecen como meros puntos de partida para lo verdaderamente sustantivo que es la descripción de los estados de conciencia del poeta al ponerse en contacto y reaccionar frente a eso que se nos «cuenta» o «describe». Colocado, pues, en un concreto mundo o «circunstancia», el poeta «recuerda» escenas del pasado (técnica rememorativa), imagina un futuro de vejez o de muerte, reflexiona, o experimenta sensaciones y sentimientos. Nos hallamos, en suma, ante una poesía que pone el mundo como existente, pero no separado y aparte del yo, sino junto al yo. Es en el yo donde ese mundo comparece, y lo hace, claro es, de modo no ilusorio. Los estados de conciencia se tornan así, *otra vez,* importantes, pero *no en sí mismos* (tal como sucedía en la época «contemporánea»), sino referidos a un mundo externo que el poeta contempla en un momento (situación) o en una sucesión de momentos (relato). El mundo existe como existe el yo: ambas cosas son, en consecuencia, reales. Y como lo real que interesa (mundo y yo) ocupa un sitio y se da en un tiempo, el poeta realista que es Brines (realista, pues aunque Brines bucea frecuentemente en el misterio, según ha señalado certeramente José Olivio Jiménez, lo hace en cuanto que el misterio es un componente *real* de la vida) nos hablará preferentemente de *concreciones.* Esto lo acabamos de recabar para la obra de nuestro autor al afirmar que cada uno de sus poemas se origina en ciertas situaciones, estáticas o dinámicas, *muy determinadas.* Pero ahora ampliaremos lo dicho, afirmándolo también para la reacción subjetiva que esas situaciones suscitan en el autor: los estados de conciencia que las situaciones producen serán, justamente, eso, *estados,* es decir, *momentos,* igualmente *concretos,* del flujo psíquico.

El *instante irrepetible* de la conciencia, en relación con el instante, también irrepetible, del mundo exterior, se constituirá, pues, como el tema fundamental de esta poesía, precisamente, repito, porque se trata de una estética realista que ama lo concreto, o sea, lo que aparece, por definición, en un aquí y en un *ahora.* Y como todo instante de una y otra clase, tanto del orbe de fuera como del de dentro, es un corte en el curso de una corriente, y en un corte de esa especie lo diferencial con respecto al antes y al después de ese mismo flujo sólo puede ser un matiz, se deduce que el arte de Brines se especialice en la matización, e intente expresar esas sutiles variaciones y entreveramientos en que consisten la conciencia y el mundo, considerados ambos en uno o varios de sus empíricos instantes. Y como tales matices y tornasoladas delgadeces requieren para ser dichos de cuidadosa exactitud, en el estilo brinesco la precisión lo será todo, y ello cada vez más. *Aún no* representa la culminación de la tendencia, que ya se hace evidente en la segunda mitad del libro anterior.

Todos los términos y conceptos que acabamos de manejar al referirnos a este sistema expresivo («precisión», «matiz», «instante» o sucesión de instantes, es decir, «cambio») vienen a coincidir extrañamente con los que necesitamos utilizar cuando hablamos del impresionismo, y especialmente del impresionismo literario y poético de, por ejemplo, un poeta como Juan Ramón Jiménez. Y en efecto, nada hay más parecido al método verbal de Brines, aunque sólo en este aspecto, que el del autor de *Platero y yo* en su primera época, la de los romances y alejandrinos. Pero con una diferencia esencialísima y de principio, que separa luego a ambas estéticas con idénticas esencialidad en cuantos rasgos puedan posteriormente definirlas, incluso en aquellos que parecen, a primera vista, equivalentes en los dos autores. De este modo, Brines, pese a todas las semejanzas que abstractamente podamos señalar, no es, en absoluto, impresionista. De Juan Ramón Jiménez le aleja lo radical, esto es, la raíz y principio de su poesía: qué sea para él la verdadera realidad. Y partiendo de este decisivo punto diferencial, todo se constituirá como diferente en ambos poetas, puesto que tendrá sentido discrepante, al radicarse de otro modo.

Para Juan Ramón Jiménez, en lo que su poesía tiene de impresionista, la verdadera realidad residirá en la impresión. Y como la impresión es esencialmente cambiante, los objetos habrán de aparecérsele como cambiantes también y con idéntica esencialidad, por lo que toca a lo único que de ellos interesa, que es su reflejo o impresión en el alma de quien mira. Y como el cambio es, de este modo, esencial en el impresionismo, el objeto resultará diverso a cada instante. El objeto *no es, está.* O dicho mejor: su ser se manifiesta como momentáneo y consiste en su estar. Este ser-estar de las cosas, en cuanto reflejadas en la conciencia, es lo que, al asumir la función de «realidad verdadera» se convierte en el fin primordial de la poesía. Y como todo objeto en el ahora de su estar sólo se diferencia en cuestiones de matiz de lo que ese mismo objeto era previamente y devendrá luego, en cuanto propietario en ambos casos de otro ser diferente, tal matiz representará la esencia de las cosas, la única que poseen: la puramente actual. El matiz, al esencializarse, pasará a un primer plano del interés estético y eso será lo que de las cosas habrá de destacarse con máxima precisión.

Tan escueta descripción de la estructura más honda del impresionismo juanramoniano pone, sin embargo, me parece, suficientemente de relieve, las concomitancias, sin duda sorprendentes, que en él se dan con respecto a la poesía de Brines. Mas al mismo tiempo que establece parecidos y coincidencias, viene a señalar, con idéntica energía, la separación inasimilable que distancia a ambas concepciones líricas. Todo se nos ofrece simultáneamente en ellas como igual y como distinto: Como igual, puesto que, tanto una como otra, se interesan en cuanto al significado, por el flujo o por el estado momentáneo de la conciencia, y, en consecuencia, por el matiz; y en cuanto a la técnica, ambas buscan la precisión, ya que sólo con precisión puede el matiz expresarse. Pero al mismo tiempo que igual, todo es discrepante y otro en las dos actitudes, en cuanto que los estados de conciencia por los que tanto Juan Ramón Jiménez como nuestro autor se preocupan, ostentan, entre sí, entidad y aspecto muy disímiles. En Juan Ramón Jiménez el gusto por las interioridades surge de la gigantesca renuncia al cosmos en que su obra consiste, de la negación de cuanto hay en el orbe. Todo lo que existe se reduce, en definitiva, a representación íntima: de eso, pues, habrá de ocuparse con exclusividad el artista. Por el contrario, si Brines habla de los fenómenos psíquicos es, sí, porque le interesa la persona y lo personal, pero, como sabemos, esa persona, dotada de reactividad psicológica, no es lo único con que contamos ni asoma con autonomía: se da y se hace frente a un mundo que es tan real como ella. De esta diferencia fundamental, realismo *versus* intrasubjetivismo, derivarán todos los otros distingos. Pues es evidente que el instante anímico cantado ha de tener en Brines un cariz que en nada se aproxime al que en Juan Ramón posee. Si en Brines ese instante conecta de manera no prescindible con el mundo del que, en una relación de causa a efecto, procede, no podrá expresarse el instante, sin aludir a su origen. La descripción de la situación originaria o la narración de la vicisitud de su movilidad en el tiempo se harán así obligadas. El instante de la conciencia en Brines remite, pues, a una objetividad que lo explica, y que a veces le otorgará un matiz ético: se imponen descripción o cuento. En Juan Ramón Jiménez, en cambio, aniquilado el mundo que no importa, sólo resta el instante de la conciencia, que ha de asomar independiente y absoluto, inexplicado, sin qué ni para qué, autárquico, autónomo, y, por supuesto, ajeno como tal a toda ética imposición. En Brines, se trata de un instante, pero solidario, cargado de un pretérito que sobre él gravita; en Juan Ramón, el instante se halla aliviado de toda carga, insolidario, ligero y flotador. Son dos universos contrarios; y como son contrarios, se parecen, aunque sólo en la medida de esa oposición (al ser tan dispares las respectivas «formas», el lector no percibe las concomitancias, que sólo el análisis revela). Y es que para que algo pueda ser lo contrario de una cosa necesita coincidir con ella en lo fundamental, como ya dijo, hace algún tiempo, Aristóteles.

Topicidad y diferenciación

Comprendemos ahora, creo que del todo, la razón por la cual a Brines no le arredra abordar temas que carezcan como tales de novedad (la muerte, el amor, el tiempo, la vejez) e incluso utilizar con frecuencia símbolos o palabras gastados en una larga tradición (sombra, ceniza, oscuridad, noche). La topicidad se anula en la exactitud del matiz, por definición, diferencial y único. Esta contraposición entre topicidad y diferenciación es, en el plano verbal, la respuesta del arte de Brines a la contraposición persona-sociedad que, como elementos polares de que se compone la realidad verdadera, hay en la cosmovisión de nuestro poeta. Y como todo ello tiene tan profunda causa, que es, además, la misma que explica todas las características de esta poesía, existirá aquí también una perfecta congruencia con respecto al tono y la intención generales de la estética de Brines, hecha de eliminaciones: si lo importante es emocionar «sin retórica», o sea, sin que ningún elemento sorprenda excesivamente y llame la atención sobre sí, lo mejor será esconder con alguna frecuencia la novedad del matiz tras la apariencia no relevante. De este modo, lo personal del lenguaje se une entrañablemente a lo que de social tiene, asimismo, éste, igual que la persona, en la consideración de la época, ha de estar relacionada con el grupo.

DISTANCIACIÓN, PUDOR

La poesía de Brines resultará así fundamentalmente elegante, pues, como se ha dicho muchas veces, esta cualidad pide, ante todo, discreción. Jamás será elegante lo escandaloso, por bello que sea. La elegancia ha de sentirse, no verse, ya que está hecha de ingredientes que deben pasar inadvertidos. O si se quiere, podríamos afirmar lo mismo, de un modo aparentemente opuesto, diciendo que si bien la elegancia, que es una resultante, se nos hace perceptible, no sucede lo propio con sus componentes. La poesía de Brines, persecutora del efecto de totalidad, sin distraerse en realzar por sí mismo los pormenores o «componentes» del desarrollo poemático, poseerá como pocas esa virtud que ahora nos ocupa.

A la elegancia de esta poesía contribuye con fuerza el extremo pudor con que en ella el poeta expresa su intimidad. Por supuesto, el pudor de Brines responde al giro distanciador que la poesía occidental tomó con posterioridad al Romanticismo. ¿Por qué? Por lo pronto, en cuanto a los «estímulos», por efecto del propio Romanticismo, frente al que se reacciona. El impudor romántico (resultado del alzamiento del yo concreto a «verdadera realidad»), visto como un pecado, lleva al pudor o «distanciación» contemporáneos. De otro lado, existe también, con idéntica fuerza, un «estímulo» «material»: la impersonalización creciente de la producción industrial, la forma de pago, la medicina, etc., en ese período. Pero, como ya sabemos, además de los «estímulos», existen las «causas cosmovisionarias», la más remota y explicativa de las cuales es el grado de individualismo, «foco primario» de cada momento cultural, del que nacen los «focos secundarios», a los que denominábamos, «realidad verdadera». El gran individualismo romántico llevaba a considerar «realidad verdadera» al «yo» concreto, un «yo» que había en cierto modo, devorado el mundo, por lo que la persona del artista comparecía incesante e insolentemente en la página escrita: he ahí el impudor que caracteriza al romanticismo. Pero si el individualismo en un alto grado engendra impudor, ¿qué habrá de ocurrirle a este impudor al aumentar precisamente su causa, el individualismo? Parece lógico pensar que el impudor hubiese de aumentar en la misma medida, y, sin embargo, no es así. La elevación de la graduación individualista que, a través de un «salto cualitativo», dio lugar a una nueva época, la «contemporánea», lejos de acrecentar el impudor, lo aniquila. ¿Podremos explicarnos cosmovisionariamente tan sorprendente paradoja? La explicación yo diría que es ésta. Al intensificarse aún más el individualismo, habrá más interés en el individuo. Pero el individuo humano se diferencia del animal (cuyo miedo a morir le lleva a una incesante atención al mundo externo, lugar tenebroso de donde le vienen todos los peligros), en su capacidad de ensimismarse. Interesarse en el individuo es tanto, pues, como interesarse en su interioridad: la progresiva atención a lo individual, iniciada, sobre todo desde el Romanticismo, conduce a un proceso de creciente interiorización de la «verdadera realidad», proceso que alcanza su culminación en la Vanguardia, y, especialmente, en el Superrealismo. En efecto: la «verdadera realidad» en el Romanticismo, como ya sabemos, es el yo concreto, mientras en la época contemporánea, lo sabemos también, la verdadera realidad no es el yo concreto, sino, con mayor adentramiento, lo que está dentro de ese yo, o sea, el contenido de la conciencia, cuyo sustentáculo es un yo universal, una conciencia pura, mero soporte de las vivencias. Y como ese yo es, en efecto, universal, representa al «yo» de todos los hombres o de amplios grupos de ellos, y puede, en consecuencia ser sustituido con ventaja por un «tú», por un «nosotros», por un «él», etc. Hemos dado, por consiguiente con la explicación del pudor contemporáneo, que, como se ve, resulta si no me engaño, de una interiorización mayor que la romántica, tal como adelantábamos. Su manifestación adopta muchas formas. Una de ellas, acaso la más frecuente, es, como digo, el uso de un tú, testaferro acaso del yo, pero del yo *universal* del poeta (¿qué buscas, poeta, en el ocaso?»); mas puede también darse el pudor al ofrecerse la subjetividad impersonalmente («oh angustia. Pesa y duele el corazón»; «y el alma aúlla al horizonte pálido»; «algunos lienzos del recuerdo tienen...», ejemplos todos de Antonio Machado); o al ser el yo depuesto en ciertos símbolos que objetivizan los sentimientos; etc. El caso es que el «yo» concreto permanezca en la sombra, escondido del modo que sea: en el interior de un «yo universal», o en cualquiera de sus encarnaciones. Se hace así indiferente la atribución de las emociones, por parte de los lectores, a la psique concreta del autor, o a la de otro hombre cualquiera. Podremos acaso suponer que la emoción es la del autor, pero sin que hagamos de esta suposición una cuestión de gabinete: el asunto queda como en el aire y esencialmente indeterminado: se trata de la emoción de «alguien».

Todo esto vale para la época contemporánea. ¿Qué ocurre en la poscontemporánea? El pudor prosigue en cantidades mayores aún, pero la causa cosmovisionaria es ya otra. El intrasubjetivismo imperialista y desplazador de antes se ha desvanecido, para hacer sitio a una distinta «realidad verdadera» (fruto de otra dosis individualista): la que ya conocemos, el yo en la sociedad. Este yo socializado no podrá ser exhibicionista. En la primera generación, el término «sociedad» de la fórmula podía tanto, que venía, de hecho, a anular toda intimidad, dijimos. En la generación segunda esto no pasa, y la persona existe. Pero es una persona que, aunque capaz de interioridad, la manifiesta con máximo tacto y discreción, pues el poeta es un hombre como todos en lo fundamental, y sólo tiene de íntimo la cantidad precisa que un individuo exige para serlo. Y si todo el grupo, al que pertenece Brines, ha de evitar el escándalo de un yo demasiado visible, impropio de quienes se sienten hondamente solidarios del prójimo, nuestro autor llevará esta tendencia a un extremo, precisamente porque en él la solidaridad se extiende, según hemos visto, a la totalidad de los hombres de todas las épocas.

Por eso, se acentúa en Brines la tendencia generacional a rehuir pudorosamente cuanto pueda ser visto como excesivamente «brillante» o «sorprendente», pues ambas cosas resultan espectaculares y nos ponen en situación de pasmo ante la figura del autor. El autor ha de emocionarnos sin atraer hacia sí la atención, que debe recaer sobre el significado poemático conjunto. Su personalidad se retira a un discreto segundo término desde donde nos cuenta, pero en voz baja, sus experiencias. El tono natural, sin engolamientos, con que nos habla, e incluso sin «artificios» aparentes, es ya una forma de pudor. Puede muy bien aplicarse a la poesía de Brines lo que éste dice de los árboles en otoño:

> *árbol que desnuda*
> *su frente de hojarasca*
> *y entra así cristalino en la honda noche*
> *que ha de darle más vida.*
>
> («Otoño inglés» de *Palabras a la oscuridad.*)

Puesto el poeta a hablarnos de unos jóvenes amantes que ve «a la orilla de Trápani» los compara con otros de la prestigiosa Antigüedad, pero el pudor le impide elevar tanto la altura de su voz:

> *No imagino un suceso desusado*
> *para cantar con elevado tono, con acento*
> *de llama, vuestra amorosa historia;*
> *es muy baja mi voz.*

De ahí que el mito clásico quede significativamente rebajado. Se trata:

> *de una historia de amantes, vulgar*
> *y cotidiana, de otros tiempos*
> («Versos épicos» de *Palabras a la oscuridad.*)

Y este pudor llega tan lejos que desaparece hasta la posibilidad de canto, pues hay que evitar no sólo todo divismo, sino las actitudes que lo recuerden, por legítimo y remoto que este recuerdo pueda ser. En vez de cantar, contar. Tropezamos así con una diversa motivación del narrativismo generacional, pues en una cosmovisión cada elemento se relaciona con los demás en una urdimbre múltiple, supradeterminándose.

La misma idea que del hombre tiene Brines, y la humildad con que, a este tenor, piensa su propia realidad personal, contribuyen poderosamente a la sensación de pudor que se nos da. Pues si el hombre (y el hombre que Brines es) resulta, a juicio de nuestro poeta, tan menesteroso e insuficiente como más arriba señalábamos, y si el paso de los años lo disminuye y rebaja aún más ¿con qué títulos podría el protagonista poemático alzarse en plinto alguno?

El pudor de Brines no consiste sólo en esta actitud humana de inhibición y disminución; el poeta evita taxativamente, además, todo lo que signifique manifestación externa del dolor:

> *a los ojos*
> *no le suben las lágrimas que siente*
> («El visitante me abrazó» de *Las Brasas.*)

Si alguna vez hay llanto, éste es «mudo»:

> *Un mudo llanto enciende*
> *la soledad de mis mejillas*
> («La ronda del aire», de *Aún no.*)

La ausencia de cualquier especie de queja es, justamente, lo que más nos emociona en numerosos pasajes de nuestro poeta. El hecho escueto en su negatividad nos hace más efecto, no sólo porque «asentimos» más al autor, a causa de razones éticas, sino porque, en tal caso, la expresión se carga de significaciones no dichas (dolor, valentía, etc.), apartándose de este modo, como sabemos, del tópico lingüístico, *y por tanto con desconceptualización.* ¿Qué duda cabe que resulta más conmovedor decir:

> *Toco tu imagen*
> *fría, la hiel del desamor,*
> *y en esta plaza rota de Madrid*
> *cae la noche, se borra más mi vida,*
> *y no recuerdo nada de la felicidad.*
> («Reminiscencias», de *Aún no.*)

que añadirle al simple enunciado de la punzante situación una retahíla de lamentos?

La eliminación del llanto no se limita a lo externo, sino que cala en profundidad hacia el alma, y se convierte en estoica aceptación de la vida como es, en toda la dimensión de su tragedia, y ahí yace el eticismo fundamental de esta poesía, que, como se ve, no es un eticismo político o cívico (como el de los otros miembros de su generación) sino un eticismo de índole metafísica. El poeta habla de los astros:

No hay que mirar con ojos empañados
la belleza del fuego que allí quema,
que es olvido; tampoco hay que mirar
la hostil altura con dureza inútil.
(«Entra el pensamiento en la noche», de *Palabras a la oscuridad.*)

Alguien oye
que la vida se va...
(...)
...Su fracaso
lo juzga con templanza, no se agita
su pecho
(«Con los ojos abiertos» de *Las Brasas.*)

La humildad del protagonista poemático es una forma de esa aceptación. Al poeta le basta con muy poco, lo que la vida quiera darle, aunque todo se incumpla; pero

el pecho se consuela porque sabe
que el mundo pudo ser una bella verdad.
(«Cuando yo aún soy la vida», de *Aún no.*)

Esta aceptación puede intensificarse y hacerse trágica indiferencia:

Todo será rumor en la ceniza.
No hay asombro en los ojos, ni pasión
en la voz, ya casi no hay creencias,
el oído es cortés, la voluntad perdida,
aún noble el sentimiento, y la razón
humilde. Agradecido a la belleza,

fiel al dolor y a la amistad,
aún vigorosa la lujuria, esclavo y desasido
del único tesoro: el tiempo.
Y porque espera la sordera sólo
el alma se aproxima indiferente.
(«La ronda del aire», de *Aún no.*)

Y es que todo da igual; las vidas más discrepantes coinciden en lo sustancial del anonadamiento:

Estabas tras la mesa del despacho
dictando normas, tu verdad estéril,
cuando la asfixia recorrió tu pecho.
Yo, sin verdad alguna, mas siguiendo
con desprecio las leyes que imponías,
morí de asfixia yendo por la calle.
Sobre ti y sobre mí, vuelan ahora
las alas lentas de los mismos cuervos.
(«Aquella misma hora», de *Palabras a la oscuridad.*)

Por eso en «Vidas paralelas», de *Aún no,* se hacen irónicamente equivalentes una vida de trabajo y esfuerzo y otra dedicada al hedonismo más superficial:

que a debida distancia cualquier vida es de pena
(«Vidas paralelas», de *Aún no.*)

mientras en «Alocución pagana» se nos afirma como cosas parejas creer en una trascendencia y practicar los ritos religiosos, o, descreído, ser ajeno a ellos, pues:

lo que habrá de venir será de todos
(«Alocución pagana», de *Aún no.*)

La estofa postreramente indiferenciada con que Brines, en actitud teleológica, contempla la realidad nos explica dos extraños versos (los subrayados) del poema «Métodos de conocimiento»:

> *Yo alcé también mi copa, la más leve,*
> *hasta los bordes llena de cenizas:*
> huesos conjuntos de halcón y ballestero,
> y allí bebí, sin sed, dos experiencias muertas.

«Halcón» y «ballestero» son dos opuestos idénticos, como en los ejemplos anteriores: todo es últimamente (en sus «cenizas») uno en cuanto a su significado.

En Brines, el pudor no es, pues, como en la época contemporánea, desinterés con respecto al yo, al cobrar máxima relevancia las impresiones como tales; ni es tampoco, como en la primera generación realista, una anulación de la persona en el seno de la sociedad; ni siquiera, como en casi todos los miembros de la generación segunda, aparece como resultado de ver al hombre en cuanto sujeto de relaciones sobre todo cívicas o políticas. El pudor de Brines tiene distinto origen. Procede de dos fuentes, que entre sí conectan y se influyen: en primer lugar, de un impulso de solidaridad con los hombres de todos los tiempos, y no sólo con la parcela actual de ellos. En tan vasta comunión, sentida como esencial, queda cercenado, en lo que atañe a lo sustantivo, cuanto excede la condición metafísica del hombre, que es lo único compartible con tanta universalidad, condición en la que prima la idea de muerte. Pero si, en definitiva, es la muerte mi auténtica significación, se impone la actitud humilde, en la que todo impudor se imposibilita. Pero creo que en el pudor de nuestro poeta hay también, como vimos, un elemento más personal todavía, la resignación, que podía muy bien no haberse dado, aunque, por otra parte, es muy coherente con la humildad, antes mencionada, a la que viene a intensificar. No sólo, pues, se trata de considerarse poca cosa, sino de aceptar esa poca cosa que se es, sin protestas, que siempre resultan llamativas, cuando no escandalosas, y en las que la persona queda, quiérase o no, subrayada y hasta ofrecida en espectáculo.

Hasta aquí nos hemos venido refiriendo al pudor de Brines por lo que toca al modo psicológico y ético con que se nos manifiesta la persona literaria del autor o protagonista poemático, o sea, esa persona tal como se transparenta en los versos. Ahora examinaremos ciertos procedimientos retóricos a través de los cuales ese pudor se acentúa aún más o adquiere nuevos matices. Machado, como antes dije, había utilizado, por vez primera, un tú «testaferro» para encubrir el yo, práctica que tuvo gran éxito con posterioridad (en Lorca, Cernuda, Aleixandre, etc.). Los ejemplos no faltan en Brines:

> *Saliste a la terraza...*
> («Aceptación», de *Palabras a la oscuridad.*)

> *Andas,*
> *penetras en el frío descampado*
> («Despedida de un cuerpo»)

> *Mirabas el mundo,*
> *creías, era la fe*
> («Palabras aciagas».)

También se da en Brines alguna rara vez el «nosotros» del que ya hablé, otro instrumento de distanciación, que, de origen igualmente machadiano («Crear fiestas de amores / en nuestro amor *pensamos*»), tuvo gran presencia en toda la poesía de la posguerra. En un poema de *Palabras a la oscuridad,* leemos:

> *Nos consuela su luz.*
> («En la noche estrellada»)

No falta en él tampoco la impersonalización de lo intrasubjetivo, de intensa tradición, aunque reciente, antes de llegar a sus manos (Machado, Juan Ramón Jiménez, Guillén, etc.):

> *El pensamiento, a ciegas,*
> *construye una verdad...*
> *(...)*
> *y las palabras lucen...*
> («Noche», de *Aún no.*)

(en vez de «mi pensamiento», «mis palabras»); ni el uso de una figura histórica, en la que puede o no depositarse algo de la personalidad del autor, sistema usado ya por Cavafis, Eliot, Cernuda, etc. «La muerte de Sócrates» y algún otro poema de Brines se escriben dentro de esta fórmula. Como se ve, nuestro autor recoge, según era de esperar, las soluciones al propósito, que la literatura anterior le da hechas; soluciones o esquemas expresivos en los que cabe poner acento diferenciado cuando se tiene, como es el caso de Brines. Pero es que aparte de estos artificios, en sí mismos impersonales y vacíos, que una personalidad dibujada puede llenar con un carácter propio, hay en el autor de *Aún no* algún recurso de distanciación que le es peculiar; por lo pronto, en cuanto a su empleo sistemático, pero también, en cierto modo, por su empleo a secas. Nadie, que yo sepa, lo había utilizado en español hasta la fecha, al menos, tal como él lo hace. Me refiero a un encubridor «testaferro» o correlato de objetivización, de corte más alejado y audaz que el «tú», pues se trata ahora, no de la segunda, de la tercera persona: «él». Toda la primera parte de *Las Brasas,* y, con menos frecuencia, las dos partes siguientes, utilizan este originalísimo método. Y aún insisten en su uso, salpicadamente, poemas de los libros siguientes:

> *él*
> *sabe que las tristezas son inútiles*
> («Junto a la mesa», de *Las Brasas.*)

Y él entiende
esa felicidad
(«Ladridos jadeantes», de *Las Brasas.*)

Le detuvo la noche
(«Le detuvo la noche», de *Las Brasas.*)

Sintió su corazón ocioso
(«Sintió su corazón ocioso», de *Palabras a la oscuridad.*)

En este desamparo que es su alma
busca la compañía de un espejo
(«Oculta escena», de *Aún no.*)

¿Qué sentido tiene esta invención brinesca? A mi juicio, se debe, no sólo a un intento de objetivar el yo en un soporte aún más alejado de su propia persona, y, por tanto, de mayor pudicia; se debe también, probablemente, a otras dos razones de mayor entidad. Sería la primera de ellas que, puesto que se canta lo común a todos los hombres, el autor se siente identificado *con cualquiera de ellos,* en cualquier época (de ahí la cita que pone Brines al frente de *Las Brasas*: «Alguien ve siempre una muchedumbre de pequeñas brasas.» El poeta es una de esas brasas). La razón, complementaria de la precedente, radicaría en la intuición de la menesterosidad y progresiva escasez del hombre, en las que el autor se reconoce. Al decir «él» y, de este modo, distanciar su figura poemática, da a ésta un cierto género de borrosidad y mengua existenciales; diluye su presencia y la pone en algo así como en una vida debilitada y menor. La interpretación que acabo de hacer acaso sea confirmada por el hecho de que, frecuentemente, en *Las Brasas* (que es donde el recurso, como dije, aparece sistematizado), el empleo de la tercera persona se expresa en formulaciones que intensifican, precisamente, la indeterminación del protagonista, la penumbra, la nebulosidad y pobreza de su manifestación. Antes he mencionado la cita: «Alguien ve siempre una muchedumbre de pequeñas brasas»; véanse otras:

alguien
que es un bulto de sombra está sentado
(«Está en penumbra el cuarto»)

Alguien oye
que la vida se va
(«Con los ojos abiertos»)

Entra un hombre sin luz
(«El balcón da al jardín»)

Me parece que, aparte de otros sentidos que ya conocemos, posee idéntica motivación de rebajamiento y merma el trasvase y encubrimiento de la personalidad del autor (que tenía veintitantos años al redactar *Las Brasas*) bajo la figura de un viejo:

hombre
que siente ya madura su cabeza,
destruido el cabello y el cansancio.
(«La sombra de la tierra»)

Repasa
su mano por el pelo blanco
(«Con los ojos abiertos»)

La técnica de disminución y de indeterminación atenuadora puede aplicarse, en algo así como un segundo grado, cuando el protagonista, que encubre al joven autor, no sólo es visto como viejo y luego, al fin de poema, como muerto, sino, además, como muerto en fecha incierta:

Nunca nadie
sabrá cuándo murió. La cerradura
se irá cubriendo de un lejano polvo.
(«Está en penumbra el cuarto»)

Y fijémonos ahora en el resto de esta estrofa, en que el poema finaliza, pues se nos hace ahí evidente otra manera de pudor: la evitación, a toda costa, del patetismo manifiesto, cosa, esta última, muy comprensible, además, en una poesía que, éticamente, acepta el fracaso humano, por ser naturaleza del hombre: la protesta existe, pero queda implícita. Ante un fenómeno en sí mismo patético, como es el paso del tiempo y la muerte, el poeta necesita emplear a fondo todos los recursos de paliación. ¿Cómo? Haciendo que el estrago cronológico sea visto por el lector en su forma más incruenta y menos comprometedora paıa el hombre («polvo»), y sobre eso, afectando a un objeto que nos resulte indiferente. Y así, es una cerradura la que se cubre de polvo. Pero, aparte de ello, este polvo es «un lejano polvo». Todo lo que se constituye como amenaza de sufrimiento se distancia o adelgaza y vaporiza: la cerradura no nos atañe; el polvo carece, en sí mismo, de terribilidad, pero por si fuera poco, se disminuye en «un polvo», que, por otra parte, aparece como «lejano». Claro está que esta lejanía del polvo está expresando simultáneamente, e incluso con mayor principalía, otra cosa: el paso de muchos años, tras la muerte del «viejo». Yo ahora sólo atiendo a uno de los costados semánticos que la expresión «lejano polvo» induce en mi sensibilidad.

Lo que quiero sobre todo subrayar es que el patetismo se evita aquí, entre otras cosas que hemos dicho, por traslación: el elemento que es, en este sentido, morboso, cambia de lugar, pasando, desde el sitio en el que resulta virulento hasta otro innocuo. El sistema puede aplicarse a un adjetivo demasiado sentimental y autocompasivo, que pierde este carácter al desplazarse hacia el contorno:

ahora que escribo versos
en las huérfana noche.
(«Entre las olas canas el oro adolescente», de *Aún no*.)

Sentido de la composición

En relación con algo de lo antes dicho, se encuentra otra de las cualidades típicas de nuestro autor: el sentido de la composición, que consiste siempre en la distribución lógica de los materiales verbales. En la época contemporánea, esta cualidad había sido muy buscada por los poetas, pues el individualismo, dijimos, es «*conciencia* de mí en cuanto hombre», y «conciencia» es, ante todo, razón. El creciente individualismo contemporáneo está hecho, precisamente, de creciente racionalidad, que, aplicada a la estructuración poemática, produce esa búsqueda, a la que me he referido, del perfeccionamiento en la composición. La primera generación realista, por las razones que ya sabemos, olvidó —con la excepción de Hierro, que es, con el primer Otero, sin duda un poeta muy importante— este sobresaliente aspecto del arte. Ahora, la generación segunda puede de nuevo volver a considerarlo. Pero de entre los poetas del grupo, es Brines uno de los que más lo hacen, por razón de sus personales intenciones estéticas. Veíamos antes que todo en su poesía llevaba a evitar que la persona del autor se ponga en evidencia y manifestación. Pero esta antipatía por lo extremoso, y el amor consiguiente por el dorado término medio, le ha de llevar al gusto por cuanto represente y suponga un orden:

Y es la emoción del orden
lo que Ferrara en mí revive
(...)

Esta ciudad (...) deja orden afortunado
(«Relato superviviente», de *Palabras a la oscuridad*.)

El artista (se refiere a Piero della Francesca en una de sus obras):

> *no puso fantasía ni invención.*
> *Sobre la faz del hombre y de la tierra*
> *dejó el* orden debido.
> *(...)*
> *Copió la vida toda*
> *y a semejanza de él [el amor], aunque visible,*
> *un aire hermoso y denso allí respiran*
> *logrando* un orden nuevo que serena:
> *feliz, sin libertad, vive aquí el hombre.*
> («Muros de Arezzo», de *Palabras a la oscuridad.*)

Habla del ser amado:

> *Un ser en* orden *crecía junto a mí,*
> *y mi desorden* serenaba
> («Causa del amor», de *Palabras a la oscuridad.*)

Y es precisamente este ideal de orden y serenidad lo que, aparte de la tendencia misma generacional, impele personalmente a Brines hacia la rigurosa exigencia formal de que ahora hablamos. No sólo todos sus libros están perfectamente ordenados, sino que la excelencia de la hechura se lleva a la composición de cada poema. Tómese como ejemplo la pieza, ya mencionada por nosotros con distinta intención, que se titula «La mano del poeta (Cernuda)», de perfecta distribución en sus tres partes, de las que la última es una especie de «variación» (en el sentido musical) con respecto a la inicial (de la música, es, en efecto, de donde el poeta debe aprender en punto a composición). Compárense los versos postreros de cada una de esas partes. En la parte primera, el poeta contemplaba «la mano muerta de la muchacha egipcia tras el cristal expuesta, en el vario y caótico museo de la ciudad»:

Y al recordar la mano aquella
dirigí la mirada hacia la mía,
y sentí en la otra mano su calor.

En la parte tercera, lo que Brines ve es la mano de Cernuda («y recordé la mano muerta del museo porque pensé en la tuya»), a la que imagina en otro museo, pasados los siglos:

Y vi después tu mano, en la sala vacía del museo,
roto el frío cristal, ya sólo polvo, naufragio indiferente
que la tierra y el cielo contemplaban.
Y al sentir en mi mano aún el calor
apresuré la marcha del viaje.

A su vez, dentro de la parte segunda, hay también «variaciones», de la misma especie y sentido, separadas asimismo entre sí (aunque, claro es, no tanto). La «variación» consiste sólo aquí en la puesta entre paréntesis de la frase que el poeta había escrito con anterioridad, pues tan mínimo cambio basta para proporcionar un matiz semántico distinto.

Versos 6-7:

Y miré aquellos días, pude abarcarlos todos con la memoria,
y los sentí vividos sin dolor, y sin amor vividos.

Versos 50-51:

(Y miré aquellos días, pude abarcarlos todos con la memoria,
y los sentí vividos sin dolor, y sin amor vividos)

Estos paralelismos (lo mismo el que hay entre las partes I y III que el que se da en dos lugares de la parte II), aunque distantes uno de otro, actúan en el recuerdo del lector, y producen un efecto estético considerable.

Si tomamos el poema «Mendigo de realidad» de *Aún no,* la técnica será la misma. La pieza comienza de este modo:

Retiraste mi mano de tu mano
y me has dañado el ser.
Ahora aúllan los perros por los pinos
y los astros conciertan en la altura
luz y muerte.

Y termina así:

Con un hambre cruel de realidad
aúllo sordamente con los perros,
miro apagar el alba las estrellas
y he sentido mi mano desechada
como si ajena fuese.

Los mismos materiales (mano desechada, aullidos, astros con su luz), pero «variados» en cada caso. Primera frase «originaria»:

Retiraste mi mano de tu mano
y me has dañado el ser.

«Variación»:

Y he sentido mi mano desechada
como si ajena fuese.

Segunda frase «originaria»:

Aún aúllan los perros por los pinos

Variación correspondiente:

Aúllo sordamente con los perros.

Tercera frase originaria:

Y los astros conciertan en la altura
luz y muerte.

«Varía» de este modo:

miro apagar el alba las estrellas.

La evolución de la expresividad

Y ya que hemos desembocado en la cuestión expresiva, en el logro estético, no me parece inadecuado terminar este estudio, ampliando un poco lo dicho acerca, precisamente, de este aspecto de la poesía de Francisco Brines, ahora que está de moda hablar de las obras literarias, diciendo de ellas cualquier cosa, excepto su valor como tales obras de arte. La misión de la crítica no es otra que la valoración, y todo debe conducir a hacernos comprender por qué el crítico da esta o aquella importancia a la obra que juzga. Las anteriores páginas han intentado descubrir cómo son los versos de Brines y el motivo de que esos versos sean como son. Algo hemos afirmado, aquí y allí, también sobre la expresividad de esta poesía, pero sospecho que menos de lo necesario. No toda ella me parece de idéntica intensidad, aunque el conjunto no nos ofrezca las desigualdades y altibajos que son frecuentes en otros poetas. Tal es mi primera observación propiamente crítica. No sólo la dignidad literaria, también la altura poética, se sostienen con extraña persistencia, a todo lo largo de la obra de nuestro autor. Ninguno de sus poemas se nos manifiesta como erróneo o como fallido, cosa que se puede decir de muy pocos artistas, incluidos los más grandes. Pero, como digo, esto no supone que todos los libros tengan la misma densidad ni el mismo mérito. Brines empieza siendo en *Las Brasas* un poeta sin desfallecimiento en su emoción y con acento propio. La expresión no busca destacar por sí misma ni un solo momento, pero, gracias al simbolismo «de realidad», tiene eso que solemos llamar «clima», que unifica, en un tono único de gravedad y cansancio, al libro entero. Aunque alguna pieza pueda ser mejor que otra, el lector no destaca en su recuerdo aisladamente ninguna de ellas, pues todas funcionan como pormenores de un conjunto, que es lo único verdaderamente memorable. En realidad, se trata de un solo poema, cuya técnica como tal poema es la que hemos descrito páginas atrás con la expresión «predominio del todo sobre las partes».

Si dividimos *Palabras a la oscuridad* en dos agrupaciones desiguales, y en la primera de ellas, más breve, incluimos las partes I, II y III, y en la segunda, el resto del libro, yo diría esto: la división inicial responde al mismo autor de *Las Brasas,* algo evolucionado de técnica —aunque no mucho—, con mayor diversificación y amenidad. Ya destaca, eso sí, del conjunto algún que otro poema, o por su intensidad, o por su sentido de la composición y emoción conmovedora, o por el frescor de su timbre, cosa que en adelante ocurrirá cada vez más. Pero la expresividad se confía aún a la emanación emocional de las palabras, no a lo que llamaríamos «belleza verbal», de modo que no hemos salido, en cierto modo, del sistema expresivo antecedente.

El cambio vendrá dado, a partir de la parte IV. Nos encontramos inesperadamente en ella con un autor que se ha levantado hasta un plano distinto al que, en adelante, se mantendrá constantemente adscrito. Por lo pronto, la expresión se *fataliza,* si se me permite decirlo así, adquiere una necesidad que antes no manifestaba en la misma medida. *Y cuando conviene* se hace «bella». No es que se pretenda llamar la atención con «hallazgos» sorprendentes, en los que el lector se demora —ya sabemos que no es ésa la estética de Brines—, pero no se rehúye sistemáticamente la belleza cuando ésta se hace indispensable para la congruente expresión del contenido. No es casualidad que la mayoría de las veces esa belleza de la forma aparezca, precisamente, cuando el poeta quiere pintar un mundo o una criatura bellos:

miras mi corazón con dos oscuras y suaves violetas, alojadas
debajo de la luz
(«Todos los rostros del pasado»)

vienes...
sólo vestido el cuerpo por transparente ola
(«Balcón en sombra»)

y la emoción...
(...)
apagaba la luz del fatigado cuerpo adolescente
y lo dejaba como una piedra desvaída, de oro.
(«Relato superviviente»)

En la vieja ciudad, palacio del otoño
(«Crucé sus calles hoy»)

Hoy lo que ven mis ojos
no es un color que a cada instante muda su belleza,
y ahora es antorcha de oro,
voraz incendio, humareda de cobre,
ola apacible de ceniza
(«Otoño inglés»)

Pero, por lo general, la belleza que campea no es de ese tipo, y justamente por eso, la sensibilidad del lector no queda gastada para ella, y cuando llega, la recibe con mayor frescura y gusto. La novedad de esta zona del libro está constituida por la aparición de reflexiones situacionales, en las que, como sabemos, el poeta expresa finos matices de la sensibilidad o de las sensaciones o las emociones. *Belleza, pues, como precisión,* término en el que pueden incluso englobarse los anteriores ejemplos, ya que, en definitiva, precisión es pintar bellamente un mundo bello. Pero el término «precisión» acaso sea mejor reservarlo para los casos en que se nos da una observación extraña o difícil, de índole física o espiritual, que sólo puede expresarse por medio de calificativos insólitos o metáforas inusuales:

> *Fuera del coche estaba*
> *desvaída la luz y el cielo* miserable,
> *y* un cierto frío de mendigo.
> *Tuve extrañeza de la tierra aquella.*
> («La mano del poeta [Cernuda]»)

Aún no continúa esta técnica, pero la lleva a su máxima desnudez y eficacia. Es un libro, como dije ya, más estrecho de temática; pero al estrecharse de este modo, se concentra y depura. El lenguaje se hace entonces más acendrado y continuamente insólito (por su significado, no por su forma). Antes, la observación desacostumbrada ocurría, *pero sólo de vez en vez;* ahora ocurre *a cada paso,* se convierte en sistema expresivo en el que el poeta se halla *situado.* Ahora bien: notamos que esta frecuente o sistemática «rareza» semántica no persigue el asombro de los lectores, sino el rigor de lo que se quiere decir. Tómese, como ejemplo de ello, la pieza titulada «Signos vanos». Todo lo que sucesivamente se nos va diciendo, desde el principio hasta el final en ese poema, admirable como tantos del libro, viene a colocarse, con naturalidad, un punto más allá del sitio donde yacen nuestras percepciones ordinarias. Y como consecuencia de ello, la expresión no puede ser sino incesantemente fuera de lo común. No se trata, sin embargo, de que el autor se comporte como un ser de excepción. Lo que éste dice responde a experiencias universales, sólo que nuestra capacidad perceptiva de tales experiencias no es tan adecuada a la realidad como la del poeta. Pero al ser expresadas por éste, las sentimos como nuestras, cosa que no sucede nunca cuando el escritor es un «exquisito». Los adjetivos o las atribuciones tienen en *Aún no* frescor de nuevas, pero no como antes, en que imperaba al propósito, un criterio de parquedad. La novedad es ahora incesante. Vemos un hombre que llega a su propia casa «furtivo»; le esperan en su cama «sábanas fúnebres»; su vigilia es «celosa»; su oído, «seco»; su nombre «no es ni vicio ni virtud, sino silencio». Aparece una «penumbra» «lasciva de los humos», «la escalera reciente de arracimadas manos», «vasos desiertos», «derramadas miradas y licores», «la remisa invasión de la tarde que hubo», etc. Pero pese a este chorro vivo de invención verbal, ni por un instante se nos ocurre pensar que el poeta quiere deslumbrarnos con palabras o frases inoídas. Sentimos, al contrario, que el autor tiene que decir lo que dice para dar salida y forma justas a cierta experiencia muy hondamente humana. La poesía de Francisco Brines no es aquí, en cierto sentido (sólo en cierto sentido, claro está), «cuestión de palabras», sino de observaciones exactas que exigen una pareja plasmación expresiva. Lo estético, en este caso, no resulta de «la iniciativa de los vocablos», no es hallazgo de un verbo «en libertad», sino logro de un lenguaje que, opuestamente, se estrecha a decir, con precisión, la experiencia, que ha sido, de algún modo, previa, o que, al menos, nos lo parece. Es otro género de fatalidad expresiva, muy diferente y hasta antípoda del que nos da, por ejemplo, el superrealismo (cuando el superrealismo acierta), pero también, Baudelaire, Verlaine o Antonio Machado, Lorca o Aleixandre. Diríamos en burda fórmula (a la que debemos añadir un grano de sal e incluso más de uno) que en estos poetas hay un primado de la expresión sobre la experiencia; en tanto que sucede al revés en Brines, y en quienes son como él. A este método tendió, sin duda, el arte de nuestro autor, desde los primeros poemas, al menos, de *Palabras a la oscuridad,* y resueltamente desde la parte IV de tal obra. La poesía de Francisco Brines tenía por ello que desembocar en *Aún no,* donde se alcanza, a mi juicio, la madurez definitiva de un estilo, tan alto y conmovedor ya, en esa dirección, hacia las últimas partes del libro precedente. En su obra posterior a *Aún no* la evolución de Brines ha consistido en acentuar, no en todas, pero sí en algunas composiciones características, los elementos imaginativos, pero puestos éstos al servicio de la expresión, igualmente justa, de una experiencia, aunque, en este caso, paradójicamente, imaginada y no vivida: la experiencia de la nada y de la muerte.

Sin embargo, lo que prima en la mayor parte de los poemás últimos de Brines es la continuación e intensificación de la tendencia a la precisión que tan relevante era ya en *Aún no,* según hemos dicho. El poeta ha completado y afirmado así, de un modo redondo, su estilo y su mundo poético, y hoy se nos aparece como uno de los poetas primeros de toda la poesía de la posguerra.

LA POESIA DE CLAUDIO RODRIGUEZ

La originalidad de la poesía de Claudio Rodríguez

Aunque han pasado bastantes años, me acuerdo aún del efecto de sorpresa que la lectura en 1952 del primer libro de Claudio Rodríguez, *Don de la ebriedad,* inédito a la sazón (el libro se publicó al año siguiente), produjo en mí. Me hallaba de pronto frente a un poeta completamente desconocido y sumamente joven (tenía su autor dieciocho años) que, sin embargo, aparecía en el escenario de la literatura española con un arte maduro y personalizado. Me pasmaba, pues, a la par (dada la edad, casi inverosímil, de su autor) la originalidad de su dicción y la perfección de ésta. No recordaban los versos de *Don de la ebriedad* a los de ningún otro poeta español, y ello en un sentido, hasta donde tal cosa cabe, absoluto, pues no sólo no delataban influjos, en el sentido malo de este vocablo, sino que, de algún modo, tampoco en ese otro sentido en que la palabra «influjo» no supone demérito. La voz de *Don de la ebriedad* parecía llegar de parte que no era la tradición hispana. Claudio Rodríguez me confesó más tarde que por aquellas fechas no había leído todavía a ningún poeta contemporáneo de nuestra lengua, aunque sí a los clásicos, y que de la extranjera conocía sólo poesía francesa, en especial la obra de Rimbaud. Esto explica en alguna parte la sensación que yo experimenté en mi primer encuentro con *Don de la ebriedad,* pero no la explica por completo, pues a la vista está que el libro en cuestión tampoco evoca en nosotros la imagen de Rimbaud, ni la de los poetas franceses del siglo XIX, o, en todo caso, los evoca sólo muy vaga y remotamente, en la utilización, a veces, por ejemplo, de ciertos materiales irracionales. Por tanto, la originalidad de Claudio Rodríguez como poeta no procedía sustancialmente del hecho negativo de su falta de contacto, por aquellos años, con la tradición poética española: nacía, en lo esencial, de la personalidad misma de su autor, como sus siguientes libros *(Conjuros, Alianza y Condena* y *El vuelo de la celebración)* han venido a proclamar: el acento de Claudio Rodríguez siguió siendo personalísimo, y ello cada vez más. Y no sólo lo fue con respecto a los otros poetas, sino con respecto a sí mismo: cada uno de los cuatro libros que de él han aparecido significa un cambio importante en la modulación de su estilo.

Hago hincapié en esta cuestión de la originalidad, porque, aparte de lo que acabo de decir acerca de su primer libro y de su efecto en mí, la obra de Rodríguez en su conjunto es original en un sentido distinto y más radical en que lo son o pueden serlo la de todos los demás poetas de su promoción. Éstos, en efecto (y me refiero sólo a los que la poseen), nos ofrecen su originalidad de otro modo: desde dentro de una corriente literaria, perfectamente definida y enunciable, con la que se relacionan y a la que deben la dirección fundamental de su impulso poético, tanto como la fundamental configuración de su estilo. Recibirán de esa corriente, digamos, un género próximo, sobre el que cada poeta aportará unas diferencias específicas, encargadas de darnos el timbre diferenciador. Cuando leemos la obra de Claudio Rodríguez nos cuesta trabajo, en cambio, reconocerla como llevada por la misma corriente que arrastra a la de los otros poetas; en todo caso esa corriente le coge como a trasmano: no la arrebata, la salpica; o, si se me tolera el artificio de prolongar la imagen, todo lo más, diríamos que la humedece y ambienta. El lenguaje poético de Rodríguez no sólo es inconfundible, sino extrañamente discrepante en algo que, al primer pronto, nos parece fundamental. Su originalidad se nos manifiesta, pues, como más profunda y de raíz.

El realismo metafórico de Claudio Rodríguez: alegoría disémica

Acaso se me diga: el segundo libro de Claudio Rodríguez, *Conjuros,* está lleno de elementos rurales, de alusiones muy concretas a la vida de los pueblos y del campo castellanos; y eso, sin duda, se relaciona con el realismo de toda la poesía de la posguerra. A primera vista, no se puede negar que ello sea así. En *Conjuros* hallamos, al parecer, cosas tan cotidianas y costumbristas, y hasta domésticas y usaderas, como la ropa tendida, el fuego del hogar, una viga de mesón, una pared de adobe, la contrata de mozos, la labranza o el baile de las «águedas». Pero en cuanto apuramos nuestro análisis, nos percatamos de que ese realismo es sólo aparente y por de fuera: se aposenta exclusivamente en la primera capa del estilo, la más superficial, pues no es sino un medio para hablarnos de otra cosa que está detrás, metida, ella sí, en el entresijo y sustancia de tal estilo, lugar en que todo ese realismo y costumbrismo quedan como trascendidos, transfigurándose en su opuesto: una consideración universal, sobrepasadora de cualquier concreción. Se trata, en suma, de una metáfora, aunque como diré en seguida, de una metáfora de extraña y personalísima estructura. Ocurre que al hablar de ropa tendida, por ejemplo, Claudio Rodríguez piensa, *sobre todo,* en su alma; que al referirse a la viga del mesón, alude, *sobre todo,* a la instalación del hombre en un cobijador mundo de hombres, mundo que hay que merecer con nuestra honda solidaridad; y lo mismo les pasa a los otros casos, y así el baile de las «ágüedas» se nos muestra, no como una mera descripción aproximadamente costumbrista, sino como un modo de expresar la incorporación del hombre solidario en el humano acorde colectivo. Ese baile es el vivir en la fraterna compañía, *y no solo* una fiesta local. (Ya sabemos, digámoslo de paso, la relación que media entre esas ideas de solidaridad, tan centrales en esta poesía, y la visión generacional de que hemos hablado en el presente libro, visión consistente en la concepción de un «yo» unido a la sociedad en cuanto «realidad verdadera»). Y la prueba, caso de que la necesitásemos, de ese ánimo trascendentalizador con que Claudio Rodríguez se acerca, no sólo a ésta, a muchas otras de entre las realidades concretas de las que nos habla, es la aparición repentina, en tales poemas, de ciertos adjetivos o expresiones que imposibilitan al lector una interpretación literal:

> *y a tu corazón baja*
> *el baile* eterno *de águedas* del mundo.

Si se menciona un oficio y un jornal es para llamarlo, ya desde el título de la composición, «alto jornal»; si se describe la contrata de mozos, se dice: «nuestra uva no se ablanda», «siempre está en su sazón, nunca está pocha». El lector comprende, o debe comprender, en seguida: esa contrata es algo más que una contrata; es la generosa entrega de los hombres a su prójimo. Por eso dice *ilusionadamente:*

> *...Lo que importa*
> *es que vendrán, vendrán de todas partes,*
> *de mil pueblos del mundo, de remotas*
> *patrias, vendrán los grandes compradores,*
> *los del limpio almacén.*

El adjetivo «limpio» no deja sitio a la vacilación.

Nos hallamos, pues, ante lo que podríamos designar con una unión de contrarios: *realismo metafórico.* Y al decir esto y percatarnos de su índole paradójica, echamos de ver que, también aquí, Claudio Rodríguez da una vez más prueba de su inventiva creadora, de su honda singularidad de poeta. Pues hay que decir en seguida que esta técnica, tal como la usa nuestro autor, es, de alguna manera esencial, cosa nueva y sorprendente. Y precisamente porque esa técnica va, en cierto modo, a redropelo de nuestros hábitos de expresión, ha podido dar lugar a equívocos interpretativos que conviene despejar desde luego, añadiendo a lo hasta aquí escrito unas pocas palabras.

Digamos, pues, lo siguiente. La técnica de *Conjuros,* que penetra (aunque característicamente de otro modo, según veremos) en *Alianza y Condena,* consiste, tal como la hemos entendido, en tomar un elemento concreto de la vida real, generalmente un elemento rural o costumbrista (aunque no siempre posea aquél tan atenido carácter: véase el poema «A las estrellas»), e «interpretarlo» en dirección ascendente y trascendentalizadora. ¿Cuál es la extraña consecuencia de este método poético? La aparición de un tipo metafórico de aspecto insólito; algo que podríamos clasificar como «alegoría disémica», especie nueva de recurso retórico que nos conviene examinar. Pero la alegoría ¿es un fenómeno nunca visto? ¿Es cosa pasmosa la disemia en la imagen? Ni una cosa ni la otra nos pueden maravillar. La Edad Media (nadie lo ignora) utilizó abundantemente la alegoría, y, de otro modo, la alegoría es tendencia de épocas aún posteriores; y el uso de la disemia en la imagen se generaliza a lo largo del siglo XX, como creo haber mostrado páginas atrás [1]. ¿Cuál es entonces la novedad? La novedad consiste *en juntar* esas dos cosas que, por separado no pueden ser más familiares. Lo que me parece una innovación de Claudio Rodríguez radica, precisamente, en otorgar disemia, rigurosa disemia, a la alegoría, pues hasta él lo que podía en ocasiones ser disémico era el símbolo «de realidad».

---

[1] También en mi *Teoría de la expresión poética,* ed. Gredos, 5.ª ed., Madrid, 1971, tomo I, págs. 209-235, y en otros libros míos.

El símbolo se diferencia de la alegoría[2] en su índole «irracional», esto es, en el hecho de que su significación queda oculta, envuelta sin resquicio por la emoción, que es lo único de que el lector toma conciencia. El poeta dice algo que nos emociona, sin que lo entendamos de manera lógica y distinta, bien que siempre exista un sentido, que desde su escondite sentimental puede ser extraído, por análisis, en operación rigurosamente extraestética, y por tanto, innecesaria. *Nos emocionamos sin entender,* y sólo *tras la emoción* (que es lo importante desde el punto de vista del lector) cabe que entendamos. En esto ha consistido esencialmente el «giro copernicano» que da la poesía a partir de Baudelaire. A la significación del símbolo, en cuanto que no aparece en la mente lectora (ni tampoco en la creadora del poeta, por supuesto) más que en forma de emoción, la podemos llamar, dando a la expresión un sentido especializado de término técnico, «significación irracional». Pero el símbolo se ofrece a veces en versión de disemia heterogénea, y, en este caso, tendrá, como el sustantivo proclama, dos sentidos: uno «irracional» y el otro «consciente». Ante los símbolos «de realidad» o de «disemia heterogénea» el lector no percibe el carácter figurativo del dicho, no sólo porque la otra significación es, como digo, «irracional» y, en consecuencia, imperceptible por la razón, sino porque tal significación irracional queda aún más disimulada tras la significación consciente.

Nótese bien que ni las metáforas tradicionales, ni sus posibles desarrollos a poema entero, las alegorías, son en principio, disémicas. Si yo digo «oro» para designar el cabello rubio, la palabra «oro» ha perdido su sentido ordinario, y sólo tras esa pérdida sobreviene la adquisición de un sentido distinto: se alude ahora a un matiz de color y *sólo* a un matiz de color. No hay en la metáfora «tradicional», ni en

---

[2] Como se ve, la diferencia que establezco aquí entre símbolo y alegoría es muy distinta de la que Baruzzi y Dámaso Alonso han señalado.

su forma más amplia, la alegoría, disemia, sino monosemia. Las palabras utilizadas metafórica o alegóricamente pasan de tener *un* sentido a tener *otro* sentido, con lo cual la monosemia inicial se mantiene incólume. Mas en el caso de Claudio Rodríguez, la cosa, revolucionariamente, se transforma. Como la intención de este poeta es, en principio, sólo «interpretativa» de la realidad con la que se enfrenta, su ánimo no es aniquilador del objeto. El objeto es entendido como tal objeto, es entendido, pues, «lógicamente», aunque se le vea, *asimismo,* como portador de un significado universal. Lo mismo que al decir que «Juan es hombre» no destruimos la «juanidad» de Juan, su carácter singular y concreto de persona, que también posee Juan, aparte y sin merma del carácter abstracto y universal con que esa frase lo sorprende, de idéntica manera, repito, la interpretación universalista, por ejemplo, del baile local de las «águedas» que *Conjuros* nos da, no le quita a este baile su concreción realista, con la cual el sentido puramente alegórico convive con el otro costumbrista en amigable compadrazgo y audaz componenda. Audaz, porque debemos fijarnos en el hecho importante de que en estas peculiares imágenes de Rodríguez no hay «irracionalidad»: las dos significaciones, la universal y la concreta, *aparecen,* o deben aparecer, en la mente del lector, en el instante en que éste ejerce su condición de tal, y son, en este sentido, *conscientes.* No se trata, en suma, como ya dejé dicho, ni del consabido símbolo «de realidad» disémico, cuya índole es irracional (recurso propio de la poesía contemporánea), ni de la racional alegoría monosémica, más consabida aún. Es un fenómeno inédito que difiere de ambos, tanto, o casi tanto, como éstos entre sí. Nos hallamos, indudablemente, ante una alegoría, pero una alegoría de insólita traza, una alegoría, repito una vez más, que mantiene dentro de su seno dos sentidos conscientes, uno denotativo y otro connotativo perfectamente diferenciables: uno, que se atiene a la literalidad, y otro, que la excede ampliamente. Hemos dado así con una especie nueva de alegoría: la alegoría, vuelvo a decir, disémica.

LA INVERSIÓN DEL PROCESO ALEGÓRICO DE «CONJUROS» EN «ALIANZA Y CONDENA»

Y veamos ahora lo que le ocurre a esta singular imaginería en el nuevo tramo al que asciende —en todos los sentidos— el estilo de Claudio Rodríguez con *Alianza y Condena*. La técnica metafórica de *Conjuros* consistía, según acabamos de sostener, en ir de una realidad concreta a su interpretación universal. Tratándose fundamentalmente de la «interpretación» de un objeto, es evidente que el ojo del poeta había de ver *primero* el objeto como tal que iba a ser interpretado, y sólo *luego* lo que ese objeto quería decir en términos de más ancha y larga significación. Ahora bien: una vez que el poeta se situó en tal ruta ¿no le sería dado alargarse un poco más allá, aventurándose a un enfrentamiento aún más revolucionario y decisivo con su propio sistema? En vez de *partir* del objeto *para llegar* a la anchurosa significación trascendente, el poeta podría invertir el proceso, de forma que la amplificadora significación trascendente se adelantase y se pusiese intencionalmente *antes* del objeto. Éste quedaba así automáticamente convertido en un elemento metafórico expresivo de aquella trascendencia, pero un elemento metafórico nada usual. Como si para comunicarnos la idea de «hombre» y sólo la idea de «hombre» se nos dijese «Juan» y sólo «Juan». En efecto, se trata de que una concreción pasa a ser la metáfora, no «irracional» (en el sentido antes indicado) sino, como he dicho antes, connotativa, de algo que es abstracto y más abarcador o, en otro giro: se trata, en definitiva, de que *un individuo* venga a ser representante del *género* al que, en la interpretación del poeta, pertenece. *Es la misma técnica de* Conjuros, *pero vuelta del revés.* Si antes un baile local, el de las «águedas», que sólo era un caso particular de algo más general, la cooperación solidaria entre los hombres, nos remitía a dicho significado, ahora un significado general, del que *intencional,* aunque a veces *tácitamente* partimos, nos lleva a uno de sus casos particulares. Todo se reduce, pues, a una simple cuestión cronológica: qué cosa sea *antes* en la consideración del autor; pero una cuestión que aunque simple tiene resultados de importancia, pues al ser lo general, en el ánimo del poeta, *antes* que lo particular, la tarea expresiva ya no puede consistir en *interpretar* un objeto, y forzosamente entonces desaparece la disemia. No habrá, pues, en tal caso, dos significados, el literal y el propiamente metafórico, sino sólo uno, el metafórico. Pero entonces, ¿en qué consiste aquí la originalidad del producto expresivo que Claudio Rodríguez obtiene? Lo original no será ya, como antes, la *estructura* misma de la imagen, sino el *material* de que ésta se sirve. Al resultar la imagen de invertir el proceso propio de *Conjuros,* la metáfora, *que aparece ahora en el punto de llegada,* es siempre un elemento concreto. ¿Por qué? Precisamente porque era un elemento concreto *de lo que se partía* en las «interpretaciones» de *Conjuros,* puestas ahora, si se me permite la expresión, «boca abajo». Mas debe observarse que, por la misma razón, ese elemento concreto, que en *Conjuros* se amplificaba hacia una «interpretación» más abierta y general, sigue ahora, en el nuevo libro, dado que sólo se trata, insisto, de una permuta en cuanto al *lugar* en que se sitúan los materiales utilizados, refiriéndose a esa significación de mayor abertura. Dicho del modo más contundente y exacto que hace poco hemos utilizado ya: el elemento concreto —y eso es lo importante— representa y expresa al género entero del que, dentro de la concepción del poeta, ese elemento forma parte. Y como esto es algo que ofrece gran novedad expresiva, tal vez resulte desorientador para algunos de los lectores primerizos de *Alianza y Condena.*

Tomemos, por lo pronto, un ejemplo de estas posibles

dificultades. Reconstruyamos el acto creador que ha llevado a su autor a componer el poema titulado «Brujas a mediodía», a mi juicio, uno de los mejores del libro. El auténtico tema de esta pieza no está constituido, pese a las apariencias, por las brujas, sino por la idea de la incomprensibilidad del verdadero ser de las cosas. Lo que el mundo ofrece a nuestra mirada, viene a decir el poeta, es un «aquelarre de imágenes», un caos donde nada es lo que parece. Entre nuestra mirada y el mundo se interponen «altas sisas» en que todo cambia: «el agua es vino, el vino sangre, sed la sangre»; la harina «pasa como carne, la carne como polvo y el polvo como carne futura». Nuestro conocimiento queda así perturbado. No podemos saber lo que la vida, el mundo sean. Todo está como trocado en su esencia misma. He aquí la significación general que el autor tiene en cuenta inicialmente y desde la que sale, a continuación, en intuitiva búsqueda de la metáfora o alegoría con que pueda representarla. ¿Y qué encuentra? Un elemento concreto (las brujas, sus sortilegios) que no serían, en principio, sino un caso particular del sortilegio general de que el mundo es víctima. A la hechicería particular de las brujas se le encomienda la representación de algo que tiene carácter universal: un sortilegio cósmico.

Cuando el poeta dice:

> *...Y ahora*
> *a mediodía*
> *si ellas* [las brujas] *nos besan desde tantas cosas...*

bien vemos que esas brujas no son brujas (no hay, pues, disemia) sino el encantamiento que toda realidad padece. El lector, que durante una gran parte del poema oye hablar de brujas, de brujas muy concretas («y huele a toca negra y aceitosa, a pura bruja este mediodía de septiembre»), ¿no corre el albur de malentender lo que con tanta belleza y originalidad le está diciendo el poeta? Tal es el peligro al que se arriesgan las creaciones artísticas cuando son verdaderamente innovadoras.

Quizá se vea más claramente aún la táctica metafórica de *Alianza y Condena* en el poema «Dinero». También aquí un elemento tan material y tangible como el aludido en ese título ostenta la representación del género mucho más amplio en el que se incluye: todo cuanto es valioso en la vida del hombre. Y precisamente lo claro y evidente del procedimiento en este caso es el responsable de su mayor dificultad para el lector medio. Cuando el poeta en el tercer verso dice:

Necesito dinero para el amor

o cuando en el noveno afirma:

Porque el dinero a veces es el propio
sueño, es la misma
vida

etcétera, ¿seríamos exagerados al decir que acaso resulte fácil el descarrío interpretativo? Creo, pues, que las presentes páginas tal vez no sean completamente ociosas, y sirvan, al menos, para facilitar, acaso, en ese sentido, el acceso del libro a algunos posibles lectores.

Irracionalismo metafórico en otros momentos de esta poesía

La originalidad de las imágenes de Claudio Rodríguez que acabamos de examinar puede combinarse, por supuesto, y coexistir pacíficamente, con muchas de las libertades irracionalistas propias de la época contemporánea, muy usadas por este poeta (y no sólo en su primer libro) y, en cambio, bastante olvidadas, a la sazón, por la poesía de la posguerra española, técnicamente conservadora en este punto. La expresión de nuestro poeta adquiere así una riqueza, flexibilidad y fantasía que también le distinguen. De la nieve dice:

Cae, cae,
hostil al canto, lenta,
bien domada, bien dócil,
como sujeta a riendas
que nunca se aventuran
a conquistar.

Véase con qué suaves y bien preparadas transiciones se pasa de la idea de una nieve que cae a la idea, tan alejada, en principio, tan, en principio, de dificilísima aproximación, de unas «riendas que nunca se aventuran a conquistar». ¿Cómo logra este poema acercar dos cosas tan aparentemente inconciliables? Valiéndose de un artificio que aunque propio de la poesía de nuestro siglo ya desde Rubén Darío (que lo utilizó sólo seis o siete veces) y desde Machado (que lo utilizó sólo en dos ocasiones), pero, sobre todo, desde Juan Ramón Jiménez (en quien ya es muy frecuente), Claudio Rodríguez sabe hacer suyo, beneficiándose así de la agilidad y libre expresividad que puede proporcionar al poema. Se trata, dentro de la metáfora, del desarrollo en el plano evocado E de ciertas cualidades que le son inherentes, pero que se ofrecen con rara independencia de las que resultan propias del plano real A, al que, sin embargo, finalmente vienen a ser atribuidas. Juan Ramón Jiménez compara su corazón (plano real A) con un árbol en otoño (plano evocado E), diciendo:

poco a poco las hojas secas van cayendo
de mi corazón mustio, *doliente* y amarillo.

Caérsele las hojas (e_1) y ser mustio (e_2) y amarillo (e_3) es propio del árbol otoñal (E), no del corazón (A) del que el autor lo predica. Estamos, bien se ve, ante el mismo procedimiento que Claudio Rodríguez utiliza en el trozo transcrito (y en bastantes más). En efecto: la lentitud con que cae la nieve le trae a Claudio Rodríguez por asociación una metáfora muy atrevida: la lentitud de un caballo:

nieve lenta = caballo lento

Las cualidades de E, lento caballo (ser bien domado, dócil, sujetarse a riendas), se dicen entonces de la nieve, plano real A. El método de Rodríguez se parece, pues, al que nos ha acostumbrado la poética novencentista desde Juan Ramón sobre todo, pero conviene observar que en Rodríguez hay más valentía aún de la que suele haber en estos esquemas cuando son usados por Jiménez, y, por supuesto, más valentía de la que da señales el ejemplo del árbol otoñal (por valiente que sea) que de éste hemos traído a colación. Más valentía, no sólo porque la imagen misma significativamente es más remota y atrevida (nieve = caballo), sino porque, de entre los elementos de E que pasan a A, hay uno («que nunca se atreven a conquistar») que no es del todo (al menos, no es del todo claramente) propiedad de E (caballo con riendas). En realidad, su aparición se debe a una mera asociación que se le ha ocurrido al poeta, a partir de los conceptos de doma, docilidad y sujeción, que, ellos sí, pertenecer de lleno al plano evocado E. Como se puede deducir, también aquí Rodríguez da notas propias y va más lejos que sus modelos, a los que recrea y configura de un modo personal y distinto.

He tomado este ejemplo para hacer ver cómo nuestro poeta, por asimilación y superación, en este caso, de una práctica aprendida en la tradición novecentista, sabe salirse de la atonía imaginativa que caracteriza a otros poetas de la posguerra española, que no aprovechan, o aprovechan muy poco, esa tradición. Algo semejante hubiera podido mostrar para el caso en que Claudio Rodríguez utiliza esas típicas figuras irracionales, simbólicas, propias del siglo xx, que he denominado en otro lugar imágenes visionarias, «visiones» y «símbolos» [3]. He aquí un ejemplo de imagen «visionaria» o simbólica, en *Don de la ebriedad:*

> *Este* rayo de sol, que es un sonido
> *en el órgano...*

He aquí un trío de «visiones» en *Alianza* y *Condena.* Ésta que subrayo:

---

[3] *Op. cit.,* tomo I, págs. 137-302. Intento hacer ver en tal obra que esas tres variaciones figurativas, tan peculiares de nuestra época, tienen en común su irracionalidad, esto es, su utilización de las asociaciones no conscientes, o, dicho con mayor propiedad, conscientes sólo a nivel emotivo. Las diferencias entre ellas serían éstas. Las imágenes visionarias establecen siempre, y siempre conscientemente, una comparación entre dos términos (A = E); dos términos que en cuanto tales, se manifiestan con claridad a nuestra percepción, aunque su semejanza objetiva no exista: ambos coinciden sólo emotivamente, y ello a causa de sendas cadenas asociativas no conscientes cuyo último eslabón es común a los dos elementos comparados:

$A\ [= B = C =]$ emoción de C en la conciencia.
$E\ [= D = C =]$ emoción de C en la conciencia (represento entre corchetes, en estos dos esquemas, los eslabones no conscientes), de donde resulta posible comparar A con E:

$$A = E$$

La visión no establece comparación ninguna: es la mera atribución de una cualidad o función irreal *e* a una realidad A, cualidad o función que tiene, por supuesto, una finalidad expresiva, pero de tipo, asimismo, irracional en el sentido antes indicado. En el símbolo propiamente dicho (los otros dos casos son también simbólicos en sentido lato) tampoco existe parangón entre dos realidades distintas. El poeta formula, o bien («simbolismo heterogéneo») un enunciado plenamente posible en la realidad y poemáticamente verosímil («los caballos negros son»), o bien («simbolismo homogéneo») un enunciado *e* de algo no imposible en la realidad (eso sería, precisamente, «visión»), pero sí *poco probable* en ella, y por tanto, siempre de escasa verosimilitud en el poema. Pero las tres especies coinciden, repito, en la posesión de significados irracionales, fruto de asociaciones no conscientes, como sabemos. Se trata, en los tres casos, de símbolos: símbolos «de irrealidad» (la visión, la imagen visionaria y el símbolo homogéneo) y símbolos «de realidad» (los símbolos heterogéneos o de disemia heterogénea).

Esa velocidad conquistadora
de su vida, su sangre
de lagartija, de águila y de perro
se nos metían en el cuerpo como
música caminera

o esta otra, que subrayo también:

...y hombres
con diminutos ojos triangulares
como los de la abeja,
legitimando oficialmente el fraude...

O ésta:

Vi la decrepitud, *el mimbre negro.*

Lenguaje castizo

Los ejemplos de todo ello abundan en nuestro poeta. Pero esta virtud de mayor fantasía que tanto le distingue, no se limita, por supuesto, a la imagen. Abarca todo el dominio de la expresión, que Rodríguez maneja siempre, o casi siempre, no sólo con características de brillantez, novedad y sorpresa, sino, frecuentemente, de un modo castellanísimo, con casticísimo frescor en el mejor sentido del adjetivo. En esto, Claudio Rodríguez, en cierto modo, es también único, pues al hablar ahora de casticismo, me refiero a ese casticismo que no nos da la impresión de proceder de lecturas, sino de vida. Se ve que el poeta ha aprendido su lenguaje del trato con los hombres, en la diaria y fraterna conversación, no del trato con los libros. Y como no procede de libros, no nos recuerda tampoco a libros, no nos recuerda a poeta alguno. Véanse unas palomas:

ésa es de corto vuelo. Aquella otra
nuevica es, la otra pedigüeña,
algo cegata la del ala malva,
la del cargado buche, tan sencilla.

O unos mozos que se contratan:

...¿Quién compra
este de pocos años, de la tierra
del pan, de buen riñón, de mano sobria
para la siega; este otro de la tierra
del vino, algo coplero, de tan corta
talla y tan fuerte brazo, el que más rinde
en el trajín del acarreo? Cosa
regalada.

O la descripción de un amanecer:

...a poco
del sol salido, un viento ya gustoso...

Observación exacta del detalle inesperado

Dentro de esto, es de destacar otra cosa que me parece importante y peculiar, y que contribuye a la sabrosa expresividad del lenguaje que vemos en Claudio Rodríguez: el don de la observación exacta del detalle inesperado, ese don que tomó por primera vez su forma suprema en la *Divina Comedia* de Dante. En *Alianza y Condena* se habla de un viejo, Eugenio de Luelmo, del que se dice en otro de los poemas grandes del libro:

...Como alondra
se agachaba al andar, y se le abría un poco
el compás de las piernas, con el aire

del que ha cargado mucho (tan distinto
del que monta a caballo o del marino).

CONDENSACIÓN DEL SIGNIFICADO

La vivaz imaginación de Claudio Rodríguez (pues a la imaginación, y no a otra cosa, hay que achacar, en principalísima medida, esa capacidad suya de observación que acabo de describir) le da a veces un raro poder de condensación semántica:

donde la adulación color lagarto
junto con la avaricia olor a incienso

El primer verso, con impetuoso salto imaginativo, rompe los puentes verbales, y pasa, sin transición, de la idea de «adulación» a la de «color lagarto», con lo que es el lector quien, intuitivamente y como un supuesto de su emoción (supuesto que no tiene por qué hacerse consciente), ha de añadir a la expresión lo que el poeta ha silenciado: Adulación — hipocresía — cualidad rastrera y repugnante — animal rastrero por reptante y repugnante de color — color pálido y repugnante del reptante lagarto.

El resultado de ello es el apretamiento sucinto y sugerente del significado, que tan decisiva importancia tiene en poesía [4]. Algo semejante vemos en el verso siguiente, que alude, sintéticamente también, a la beatería e hipocresía

[4] En mi libro citado se sostiene que la faena poética consiste en darnos la ilusión (pues de una ilusión se trata, bien que por ser universal se constituya como estéticamente utilizable) de que se individualiza el significado, y esto ocurre porque la palabra, de hecho, adquiere una cierta plenitud semántica que en el lenguaje *usual* no tiene. Ahora bien: esto se puede lograr por tres medios fundamentales, cada una de las cuales se diversifica en innumerables esquemas posibles. Y uno de esos tres medios fundamentales es, precisamente, la síntesis de la expresión, la acumulación, dentro de una frase, significativamente simple en principio, de más de un sentido.

de ciertas gentes que, en realidad, sólo se preocupan del dinero. Uno de los versos se apoya intensificadoramente, además, en el otro, del que ha nacido por asociación. La noción de hipocresía, aunque implícita, del verso inicial ha facilitado la evocación del verso siguiente, que supone esa misma noción. Esta concentración de materia lingüística es aquí de un vigor que nos trae a la memoria momentos, muy distintos, de Quevedo o, más cerca de nosotros, momentos, también muy diferentes, de Lorca, poetas ambos caracterizadamente imaginativos, a la manera condensadora que acabamos de registrar.

Condensación por identificación de dos conceptos a través de una rima

La densidad semántica puede proceder, claro está, de otras fuentes, pues Claudio Rodríguez usa un variado repertorio de recursos, que no intenta disimular, apartándose también en esto de la tendencia general de su momento histórico al lenguaje aparentemente «directo», tendencia que él asume, sin embargo, pero de otro modo: con la continua sensación de tono casi coloquial que, pese a todo, nos da *Alianza y Condena.* El estrujamiento lingüístico de que hablo aparece, por ejemplo, cuando se ponen tácitamente en relación dos ideas, gracias a una rima que las enlaza y como unifica. De una raza, la nuestra, se dice que sólo supo:

de fantasías y de dinastías

También aquí es el lector el encargado de agregar a lo dicho por el poeta lo que el poeta no dice, a saber, la identificación de las dos realidades, y entonces la expresión se carga de sentido; y pasa a significar, *desconceptualizadamente* además, algo como esto: «de fantasías y de dinastías, *que es otra forma de fantasmagórica irrealidad*». Véanse otras ilustraciones de lo mismo, que no creo que precisen ya, al menos en su contexto, de comentario por nuestra parte:

> *la cáscara y la máscara...*
> *y la sotana y la badana...*
> *destronamientos, desmoronamientos...*

El mundo poético de Claudio Rodríguez y sus consecuencias en la expresión

La pureza y belleza del lenguaje y su fresco casticismo no son otra cosa que la respuesta verbal a todo un modo de interpretar el mundo precisamente como pureza, frescor, genuinidad, autenticidad solidaria. Si somos puros, en el sentido de verdaderos (y debemos serlo) nos entenderemos con la naturaleza y con los objetos naturales, pero también con los demás hombres, en lo que éstos puedan tener y tienen de más valioso. Pureza y solidaridad son, en último término, una realidad sola, gozne único sobre el que resbala o gira toda la poesía de Claudio Rodríguez en sus libros. Nos explicamos así los elementos que continuamente maneja nuestro autor: justamente los que, de una manera u otra, le sirven para representar y expresar ese anhelo suyo, tan poderoso y arraigado, de confraternización, unión, desnudez en la honda verdad, profunda y radical autenticidad: la cobijadora viga de un mesón, el baile de las «águedas», que ya hemos comentado, etc., o bien, la simple espuma del mar (a la que dedica un poema supremo), los inocentes gorriones, la lavadora lluvia, las brilladoras y desnudas estrellas, o, de otra manera, el mundo rural, del que obtiene Rodríguez todo un arsenal metafórico, y al que canta en un extenso repertorio de objetos y criaturas. Léase, por ejemplo, el poema, antes mencionado, «Eugenio Luelmo», conmovedor homenaje a la llana naturalidad y a la amistad acompañadora de un aldeano viejo.

El gran tema de esa poesía, hecho de dos caras o aspectos —solidaridad, pureza—, uno de los cuales (la solidaridad) es común a toda la poesía de la posguerra, aspectos que tan pronto se entrelazan como se expresan por separado («Oda a la niñez», «Oda a la hospitalidad») ¿es dicho del mismo modo a lo largo de la obra de nuestro autor? Ciertamente, no. Primero, la pureza es un don:

> *Siempre la claridad viene del cielo,*
> *es un don.*
> (*Don de la Ebriedad,* I)

y el poeta se «embriaga» de ese don («don de la ebriedad») que le ha sido concedido. Consecuencia de ello será el estilo casi puramente exclamativo, extático de sus dos primeros libros, y más aún del segundo. Es una etapa de poesía típicamente juvenil, hecha toda ella de entusiasmo sin reservas ante la vida y el mundo. El tercer libro representa, por el contrario, la sabia aparición de esas reservas, la llegada de los primeros hondos desengaños, que abren la mente, mucho más madura ya del hombre que es el poeta, al desconsuelo de pensar que no es oro todo lo que reluce. Hay, sí, cosas puras y hombres puros, y hacia ellos se dirige el entusiasmo, aun muy intenso y vivo, del autor: pero junto a ellos, existen el fraude, la malversación, la perfidia, la hipocresía, la falsedad. El mundo, antes fuertemente unitario de Claudio Rodríguez, se escinde así en algo como una dicotomía, a través de la que el poeta suele mirar hacia cuanto es. Llama la atención la frecuencia en *Alianza y Condena* (empezando por ese mismo título) de los esquemas sintácticos en donde está presente la disociación de la realidad en dos polarizaciones, positiva la una y negativa la otra:

> *entre gente que sólo*
> *es* muchedumbre, *no*
> pueblo, *¿dónde*

la oportunidad del amor,
de la contemplación libre, o al menos,
de la honda tristeza, del dolor verdadero?

(Cáscaras)

...*Compañeros*
...*si tan* ricos
de propaganda, de canción tan pobres

(Porque no poseemos)

Nosotros tan gesteros, pero tan poco alegres

(Gestos)

A pesar de que hagamos
de convivencia, técnicas
de opresión y medidas
de seguridad y
de la hospitalidad, hospicios, *siempre*
hay un hombre sencillo y una mirada clara
....
no pregunta
sino invita...

(Oda a la hospitalidad)

tendida en servidumbre
y en confianza, no en
sumisión o dominio

(Íd.)

que estamos en derrota, nunca en doma

(Lo que no es sueño)

que no es baluarte sino compañía

(Ciudad de meseta)

Jamás casas: barracas.
Jamás calles: trincheras.
Jamás jornal: soldada.

(Íd.)

Vivir en vecindad, no en compañía
dan valor, no virtud.

Dentro de esta bifurcación del mundo, la pureza ya no es un *don,* sino un *deber.* La realidad, en cierto modo natural de los primeros libros, se hace ética en el último, en correspondencia, esta vez, con una tendencia generacional [5]. Entra en juego la responsabilidad, y, por tanto, la posibilidad del remordimiento («En invierno es mejor un cuento triste») y de la gratitud (fin de la parte primera de «Por tierras de lobos»). El poeta, ya en el interior de un orbe moral, sabe, con humildad, reconocerse pecador (y ello le salva de todo hieratismo puritano, en que pueden caer y caen a veces otros poetas moralistas): «yo que también fallé». Nueva coincidencia generacional: reléase lo que hemos dicho, a este propósito, sobre Brines. Reconocimiento del propio fallo, que le hace, por otra parte, más comprensivo aún con el prójimo, y capaz de ternura, sentimiento este último que, significativamente, es nuevo en *Alianza y Condena.* En efecto: la ternura de Claudio Rodríguez es el resultado de contemplar seres puros en un mundo *que puede no serlo;* es resultado, pues, de la libertad responsable, y de algún modo no podía darse hasta que el mundo natural de

[5] Quiero recordar, y discúlpese la insistencia, que, a partir de una cierta fecha de difícil precisión, pero cuyo núcleo central viene a situarse para España entre 1947 y 1962, la cultura europea (España incluida, por supuesto), se tiñe de moralismo, o mejor, se hace centralmente moralista. ¿A qué se debe este fenómeno? Lo hemos dicho páginas atrás. Aunque el hecho no afecta sólo a la filosofía, sino de algún modo, digo a la totalidad de la cultura, desde la filosofía se percibe mejor en cuanto a su causalidad. La idea filosófica (que los artistas experimentan también, aunque a su modo emocional) de que el hombre no tiene propiamente naturaleza, sino que se la hace, con un «proyecto» vital desde una historia y en vista de unas circunstancias, lleva implícita la noción de *responsabilidad* en el mero hecho de vivir humanamente. La metafísica se convierte así en ética, y el arte, que es siempre expresión de la vida, se hará ahora, consecuentemente, expresión de la vida en cuanto que la vida se nos aparezca en su misma estructura, como de naturaleza moral.

los dos libros iniciales fuese sustituido por el mundo ético del libro tercero.

Con la aparición del mal, el tono de exaltación, en los pasajes en que ella sobrevive, queda ya muy rebajado, puesto como en sordina. Cifra de ello sería, no sólo el fuerte descenso del número de exclamaciones, sino hasta la desaparición de su mismo signo ortográfico, cuando las exclamaciones se dan. Diríamos que ese tono ha quedado como sofocado por la impregnación de otro más decisivo y mayor, que es el predominante en el libro, y que parece como si envolviese al primero casi atmosféricamente: un tono natural y como hablado, dentro del que la exultación de la primera época sólo trabajosamente, y a costa de perder mucha de su graduación inicial, puede abrirse paso, aquí y allá, en el nuevo libro. La desilusionada sabiduría de *Alianza y Condena* no tolera, en cierto modo, otra cosa que ese lenguaje sin énfasis (aunque con expresividad y belleza, según dijimos), que, por otra parte, resulta acorde y permanece fiel al anhelo de naturalidad, en todos los sentidos, que es anejo al espíritu de este poeta y de su momento histórico.

Cuando terminamos la lectura, una sensación de bienestar nos inunda: un corazón benévolo y un alma limpia nos acompañan, ya para siempre, desde las páginas de un libro.

ENSAYO DE AUTOCRITICA

I

MI POESÍA
HASTA *INVASIÓN DE LA REALIDAD*

DIFICULTADES INICIALES

Un editor me indicó la conveniencia de un prólogo para cierta Antología de mis versos, y estas páginas son resultado de tal petición. Es muy difícil hablar de uno mismo sin producir una impresión de extrema petulancia, y, sobre todo, sin dar lugar a que algún lector, que no tiene por qué conocer los entresijos de la creación literaria, tergiversando ciertos hechos, pueda caer en la equivocación de confundir lo que en el poeta es hallazgo, a través de una ardiente intuición, realizada a veces incluso fuera de la conciencia, con la búsqueda voluntaria y fría, como de profesor o científico, de eso que al fin fue expresado y dicho en el poema.

El poeta, aunque en ciertas zonas de la creación artística deba actuar con plena lucidez, obra en las más movido por un oscuro instinto, que es el que sin duda le aporta sus logros más reconfortantes. Es el crítico o el teórico de la literatura el encargado de aclararnos después el sentido y el porqué de la expresividad de eso que el poeta antes elaboró acaso ciegamente, aunque guiado, eso sí, por una sensibilidad que, en el mejor de los casos, se hallaría alerta para el rechazo de los materiales muertos, inexpresivos. Ahora bien: cuando es el propio autor el que, usurpando, momentáneamente, el papel, tan distinto, de ese teórico o de ese crítico, se dispone a hablarnos de su propia creación, corre el riesgo de que alguien se desoriente en el sentido que antes dije, y tome la actitud del autor-en-cuanto-que-actúa-de-crítico por la del autor-en-cuanto-que-actúa-de-poeta. La identidad de la persona llevaría, en tal supuesto, a identificar, engañosa e indebidamente, sus dos contrapuestas actividades.

Lo que se me pidió fue que hablase de mi labor poética como podría hablar de la de otro autor cualquiera. La dificultad, precisamente, de tal ensayo de distanciación me ha tentado como una incitante aventura, que fuere interesante emprender. Puesto a ello, recibo una primera sorpresa, derivada, sin embargo, de cuanto acabo de decir: aparte de la dificultad indicada, referirse críticamente a la propia obra no resulta tampoco más fácil, de hecho, en otro sentido, que referirse, del mismo modo, a la obra ajena. Al no ser la obra poética en un cierto sentido (entiéndaseme bien) resultado del cálculo y de la premeditada búsqueda, sino, por el contrario, de alguna manera, encuentro gozoso en la oscuridad con lo que es siempre para el autor un don inesperado y un asombro feliz, resulta aquél tan ignorante de las causas y componentes de la posible expresividad de sus hallazgos como otra persona cualquiera. Y claro está que entonces, lanzado a estudiar eso que ignora, no se encontrará el poeta, en un esencial respecto, en condiciones de superioridad sobre los buenos lectores de sus versos que hubiesen querido hacer, con estos últimos, lo propio.

Algunas cosas, no obstante, las sabe el autor con una plenitud de certidumbre que ninguno de sus lectores puede poseer: las intenciones artísticas que movieron o inmovilizaron su pluma; las repulsiones de esa misma índole; quizá el porqué de unas y otras; ciertas circunstancias íntimas que favorecieron las actitudes fundamentales del artista; etc. Tal es lo que de entrada, en alguno de sus puntos, me parece digno de ser expuesto.

Mi posición personal frente a la poesía social de mi generación

Con esto, penetramos, como de refilón, en un tema que, por otros motivos, podría acaso suscitar en alguien curiosidad, y no sé si aún un interés de más calado. Me refiero a mis relaciones con la poética de mi propia generación. Ésta ha sido, con algunas excepciones, una generación que quiso tratar desde el verso los problemas políticos y sociales; por el contrario, mi poesía, cantó, en todo momento, desde supuestos distintos y se propuso otras metas. ¿Qué motivaciones profundas me movieron a tan alto grado de independencia con respecto a muchos de los poetas de mi tiempo? Creo que debo comenzar por responder a esta pregunta.

Las razones que me impulsaron a discrepar de mis coetáneos, y seguir, en cuanto a este importante pormenor, un camino divergente al que ellos, en su mayoría, siguieron, son muy simples: yo tenía y sigo teniendo acerca de la naturaleza de la poesía, y en general acerca de la naturaleza del arte y de su misión, una idea absolutamente contraria a la que otros poetas de mis años dieron repetidas muestras de sustentar. No he podido creer nunca que el arte deba proponerse fines pragmáticos, aspirando nada menos que a «modificar el mundo», como literalmente decían, una y otra vez, los poetas sociales coetáneos míos, poetas cuyas pretensiones, como se ve, no eran leves. Lo raro es que, tras el descrédito de la obra literaria de tesis en el siglo pasado, se haya podido incurrir de nuevo en una actitud que en nada se le diferenciaba, nacida de lo que estimo ser un idéntico error por lo que toca a la índole de los fenómenos estéticos. Permítaseme que me detenga unos momentos a considerar este punto, esencial acaso para explicar mi propia conducta al propósito.

El hombre es racional y práctico, de modo que su mente se dirige, en principio, *hacia la función* y no *hacia la forma* de los objetos que mira. No en vano es la función de las cosas y no su forma lo que nos parece definitorio de éstas, su verdadera significación, de la que la forma no sería sino una mera cobertura, un puro medio, sin el cual, lo decisivo, la función, no podría existir. De ahí que cuando contemplamos una realidad en trance de funcionar, nuestros ojos tiendan más a buscar la perfección de ese funcionamiento suyo que la perfección de su constitución plástica. Podríamos sentar este axioma, a cuya verdad llegaríamos aún por otros caminos distintos del abreviado por el que ahora rápidamente hemos querido discurrir. Diremos entonces: en situación de espontaneidad, la forma «desaparece» en la función. Cuando miro a través de un cristal no veo el cristal; paso más allá de él y me dirijo directamente a lo que constituye la finalidad de este artilugio, que es transparentarme el paisaje. Solamente si le suprimo al cristal su función, pintándolo, digamos, por uno de los lados, o haciéndolo opaco de otro modo cualquiera, *veré el cristal,* que antes, al funcionar éste con corrección, se me rehusaba. De la misma manera sucederá siempre que lo percibido sea un útil. Cuando en el camino veo pasar un carro y me fijo en sus ruedas, me inclinaré a considerarlas exclusivamente en cuanto cumplidoras de una tarea que en el presente caso sería el hecho de rodar. Me absorberé en el rodaje de las ruedas, y olvidaré así lo que tales útiles puedan ser como formas, fuera de su carácter utilitario. Para que yo me dé cuenta de lo que *como formas,* y no como practicidades, significan, necesito arrancarles, al menos con la imaginación durante un instante, su finalidad práctica. Pues bien: las formas que como tales formas, exentas de fines pragmáticos, nos significan de un modo desinteresado son precisamente las que llamamos formas artísticas. Las artes decorativas actuales nos proporcionan hoy una excelente e inesperada demostración de lo que llevamos dicho. Con frecuencia, una prensa de aceite, un timón de barco, una máquina de coser «antigua», o si se quiere, esas ruedas de carro que antes mencioné, se usan, en ciertas condiciones, desde hace no demasiado tiempo, como elementos de adorno en lugares o circunstancias donde tales instrumentos carecen de todo sentido instrumental. ¿Por qué tal ubicación o circunstancialidad? Precisamente porque al estar así aislados de la función que les corresponde habitualmente, o mejor dicho, privados de ella, tales enseres ascienden a la categoría de «bellos», o al menos, pueden ascender a esa categoría y bastantes veces lo hacen.

¿A causa de qué? La rueda de carro, o la prensa de aceite, etc., al ser contempladas, sin más, ahora, por ejemplo, desencajadas del lugar en el que cumplen o pueden cumplir su cometido, al contemplarlas, digamos, en el ángulo de esta sala en que estoy, donde su rodar o girar, incluso si pudiesen darse, carecerían de todo sentido pragmático, quedan, por ese mero hecho, desposeídas de su utilidad, y en consecuencia, mi mente, que no puede verlas ya como los útiles que han sido, se ve forzada a entenderlas de otro modo: como puras formas, que me entregan en tal situación toda su posible expresividad. Dicho al revés: la forma en sí del objeto, que antes «desaparecía» en la función práctica de éste, se ve precisada a «reaparecer» en el preciso instante en que esa función cesa, porque mi atención, absorbida antes por la utilidad del útil, forzosamente ha de recaer, una vez aniquilada la utilidad, sobre lo único que queda y precisamente porque es lo único que queda, *la forma en cuanto tal,* que se manifestará entonces, si lo merece, como estética, y en consecuencia con otro sentido: la forma se dispone, desde ella misma, a arrojarnos emociones, esto es, significados, ya que toda emoción implica un significado. La forma se pone entonces, y sólo entonces, a significar *como tal forma.*

(Antes hablé, en mi ejemplificación preliminar, de una máquina de coser «antigua», en calidad de elemento puramente plástico. Pero, ¿por qué «*antigua?*» Como las máquinas de coser donde tienen utilidad es en las habitaciones, sólo se nos hace patente su enajenación de la practicidad de ese modo, ya que la antigüedad, por sí misma, si ésta se nos ofrece como evidente, pone a la máquina, sin más, fuera de uso, y apartada de toda posible función.)

El arte es, pues, en efecto, contemplación desinteresada de la forma, para que ésta, por sí misma, se ponga a significar. Y claro es que para que tal cosa suceda, hemos de anular, de una manera u otra, la practicidad que a tal forma sea inherente, pues, dado un mecanismo inexorable de nuestra mente que únicamente de manera parcial he podido describir en esta ocasión, sólo así la forma se hace estéticamente significativa. Esto requiere una especial actitud de libertad por parte del autor, y luego por parte del lector o espectador, quienes deben abandonar su maniática adscripción atencional a los fines pragmáticos, para concentrarse en lo que la forma sea como tal forma. Una vez liberados de la hipnótica atracción que sobre el hombre ejerce el mundo práctico, la forma empieza a decirnos, a susurrarnos su secreto. Y toda ella, y cada una de sus menores partículas, se disponen a resplandecer semánticamente, hasta que no queda ningún elemento formal que no nos entregue su posible elocuencia, antes muda a causa de nuestra fijación pragmática. Tratándose de poesía, la practicidad vitanda es, sin duda, el mundo de lo conceptual, en cuanto que el concepto se refiere como fin a un objeto. La practicidad es, pues, ese plano en el que el concepto asoma como verdadero o como falso. Kant, como es sabido, decía (desde otros supuestos y muy distintas argumentaciones) que la belleza es una finalidad sin fin. En poesía puede haber, en ese sentido, *aparentes* conceptos, pero no *auténticos* conceptos, ya que los conceptos que hay, aunque digan algo que responda a las exigencias de la objetividad, no están ahí, en el poema, con esa pretensión impertinente. He afirmado en mi *Teoría de la expresión poética* que en el poema nunca recibimos verdades, puesto que para recibir una verdad debemos antes preguntarnos, explícita o implícitamente, si aquello es, en efecto, verdad, y contestar de modo afirmativo. Pero he aquí que ante un poema (o *mutatis mutandis,* ante una obra de arte) nunca nos hacemos esa pregunta, sino esta otra: ¿es posible que esto que leo lo diga un hombre sin dar pruebas de deficiencia humana, esto es, lo diga un hombre de un modo que en mi libro citado he llamado «asentible»? Y como nuestra interrogación se refiere a posibilidades, verosimilitudes, al responder con un «sí» recibimos verosimilitudes, posibilidades, pero nunca verdades, aunque se trate de cosas que dichas fuera del poema tengan de hecho ese carácter. Son verdades pero no nos llegan como tales, porque no las hemos cuestionado en esa dirección. Los conceptos ya no son conceptos genuinos, puesto que se les arranca su decisiva raíz práctica, que es la veracidad, y flotan o resbalan entonces, desraizados, libres, en el mundo, tan otro, de la imaginación.

A lo dicho podría objetarse tal vez que un automóvil o un avión, o un dicho del coloquio familiar, pueden ser bellos sin dejar por eso de ser prácticos. No hay duda de que ello es, en cierto modo, así, pero debemos añadir, para aclarar nuestro paliativo, que esa belleza, aunque *está ahí* (en el caso de que lo esté), *está ahí dormida,* oculta, y no aparece más que en ese instante (que podemos repetir cuantas veces queramos, eso sí) en que el espectador u oyente contempla el objeto, o escucha la expresión, con entera suspensión de su practicidad. Como la practicidad es el velo que tapa e invisibiliza lo que el objeto, o ese decir, tienen de bellos, debemos poner entre paréntesis tal practicidad, si deseamos que la belleza escondida se nos revele. Y como esto lo podemos hacer en uno o varios sutiles «parpadeos» de nuestra práctica percepción, es fácil que tan vibrátiles y rapidísimos ensayos de desinterés contemplativos nos pasen inadvertidos, con la consecuencia de engañarnos pensando que, en sentido riguroso, algo puede ser, a la vez, bello y funcional.

Más complejo se torna el asunto, pero no menos evidente y claro, cuando para asentir a la obra de arte precisamos, justamente, de ese «parpadeo» y el «engaño» consiguiente que he dicho: tal es lo que sucede en la arquitectura. Una casa que no fuese habitable no sería asentible, en el sentido de mi recordada *Teoría,* y por tanto no sería (como tal casa) artística, por ser el asentimiento una ley estética. Pero eso no significa que lo funcional sea bello en cuanto a su función. Lo único que quiere decir es que hay artes que exigen, insisto, el «parpadeo» en cuestión y el «engaño» consiguiente de la funcionalidad bella para que podamos asentirlas. Y como ese «engaño» se hace universal, podemos contar con él. La arquitectura es una de estas realidades «parpadeantes» y «engañosas», lo que le permite figurar entre las bellas artes, sin exceptuarse de la ley que hemos venido describiendo como inexorable en cuanto procedente de un mecanismo psíquico que, en alguno de mis libros, pero no aquí, he procurado describir: ley a la que podríamos denominar «ley de la forma y de la función».

Se comprende que pensando así, no haya podido yo inscribirme en la larga lista de los poetas sociales, mis contemporáneos. ¿Cómo iba yo a creer que el verso debía «modificar el mundo», si la poesía, en mi criterio, no consiente siquiera retener, en su tejido verbal, la practicidad, mucho menos acuciante, que el hecho de ser verdadera una verdad lleva consigo? Dijimos, en efecto, que las verdades han de perder, en el poema, su pragmatismo, esto es, han de perder, justamente, la veracidad que las constituye, convirtiéndose en meras verosimilitudes para, al hacerse aprácticas, poder ingresar en el reino, puramente contemplativo, del arte.

No quiero con esto dar a entender que no sea perfectamente posible el tratamiento artístico de los temas sociales. Ese tratamiento será estéticamente válido, siempre que no enseñe la oreja la intención proselitista de un autor que didácticamente quiere aleccionarnos. El tema social, si desea ser artístico, debe aparecer, como contenido de la obra, en la misma forma de emoción desinteresada que los otros temas no sociales ostentan, por mucho que nos interese, en cuanto ciudadanos, tal cuestión. Pero dado el más que relativo fracaso de la poesía social en nuestro país, no parece que tal desinterés estético sea fácil de obtener. No es cosa mollar, en efecto, presentar de un modo no sectario o partidista, y apráctico, lo que tanto nos apasiona como «partido» precisamente en nuestras vidas y lo que es de suyo una pura praxis.

Tres opciones generacionales

Y si yo no he sido, en definitiva, poeta social, pese a un reducido puñado de poemas a España que existen en mi obra, amén de alguna otra pieza, ¿en qué ha podido consistir la fidelidad de ésta al tiempo histórico que le ha tocado en suerte? La poesía social era, sin duda, una de las posibilidades expresivas de mi generación, acaso la más difícil de realizar sin caer en el didactismo pragmático que impide, de raíz, en nuestra interpretación, la existencia de lo estético. Pero esa posibilidad no era la única posibilidad. Mi obra se constituyó al hilo de otra de las opciones literarias, históricamente, a la sazón, hacederas. Me refiero a lo que con un término no muy preciso, pero rápidamente comprensible, llamaríamos existencialidad, o, incluso, existencialismo.

Dentro de cada uno de los cuatro procesos de que hablé, el arte nace de lo que en cada momento se considera como la «verdadera realidad». Es la «verdadera realidad», y no otra cosa, lo que artistas, filósofos, etc., intentan expresar en sus obras. Pero he afirmado también en múltiples lugares de la presente obra que ese elemento al que llamamos «realidad verdadera» no es fijo, sino esencialmente mudadizo en las sucesivas edades, ya que se halla en relación con otro elemento de idéntica movilidad, más hundido aún: el grado de racionalidad con su consecuencia individualista que caracteriza a cada tiempo cultural, fruto, claro es, del acaecer histórico, por definición siempre cambiante. Pues bien: mi generación ha protagonizado una de las mutaciones más decisivas a este propósito. La generación anterior a la mía fue, en mi cuenta [1], la generación del 27, en la que hacía aún de «verdadera realidad» desde su origen hasta el momento de la posguerra no el «yo», como entre los románticos, pero sí lo intrasubjetivo como tal, el contenido de la conciencia. Fue la última generación, en este sentido, idealista. Tras ella, la realidad verdadera iba a recuperar, como ya expuse, tanto el «yo» como el «mundo»: se tratará del «yo-en-elmundo», «el hombre entre la gente», «el individuo en cuanto miembro de una sociedad», «la persona como situada». Fijémonos bien en esto: si la «verdadera realidad» es la que acabo de decir, es evidente que podrán derivarse de ella varios tipos de poesía, de las que sólo enumeraré las tres fundamentales (que admiten, claro está, combinaciones diversas entre sí): 1.º La poesía social y política de que hemos hablado, ya que, en tal consideración, el hombre aparece

---

[1] Esa cuenta pretende ir con un criterio de rigor, hasta donde éste quepa, al problema de las generaciones, desentendiéndose de apariencias y clasificaciones en que se confunde el concepto de «generación» y el concepto de «grupo». Si calculamos bien las fechas de nacimiento no cabe que Blas de Otero o José Hierro pertenezcan a una generación diferente de la que Rosales, Panero, etc. Ni, por supuesto, yo tampoco. Entre la generación del 27 y la formada por Claudio Rodríguez, Francisco Brines, Jaime Gil de Biedma, etc., sólo puede haber, intermedia, una generación, en la que van incluidos desde Leopoldo Panero, nacido en 1909, hasta mí, nacido en 1923, todos los poetas indicados. Consúltense fechas.

como eminentemente social. Pero cabrán también, sin duda, otras direcciones artísticas, pues, 2.º, el hombre en la circunstancia concreta es el hombre de todos los días, el hombre asimismo concreto. Se desarrollará en tal supuesto una literatura realista, que se ocupará de los problemas y sentimientos del hombre que nace, vive y muere en un determinado lugar del globo terráqueo, que tiene acaso mujer e hijos, que cree o no cree en Dios y que hace esto o lo otro. No olvidemos que la noción «hombre situado» implica la esencialidad de la circunstancia en la constitución de cada hombre: somos distintos *esencialmente* en cada época, puesto que la circunstancia que nos constituye varía. Lo histórico cobrará así máximo relieve. El tiempo, de ser sólo destructor, asomará ahora también como capaz de creación: los años en que vivo, con todo lo que ello implica, me hacen ser lo que concretamente soy. Si yo hubiese nacido en otra edad, yo no sería yo: sería distinto, tal vez hasta por completo. 3.º Se hace posible también una poesía existencial y hasta existencialista en sentido propio, en la que podrá imponerse o no, como predominante, una reflexión metafísica. Si la situación, mundo o circunstancia me conforman con esencialidad, es que yo no vengo hecho al mundo. Tendré que hacerme yo a mí mismo, a través de un proyecto de vida, forjar no sólo mi propio destino, sino, lo que es más grave, mi propia naturaleza, de la que entonces habré de responsabilizarme. Pero si vivir es responsabilizarse, toda vida será, desde su raíz, ética. Ahora bien: al lado de este nuevo eticismo que invadió la poesía de los últimos años, habrá de surgir la angustia, compañera de la libertad en que el hombre consiste, ya que consiste en ética elección de sí mismo frente a una circunstancia. Y como la angustia es un sentimiento inconfortable y pantanoso, se intentará desesperadamente salir, acaso sin éxito, de ella, hacia suelos de mayor firmeza, que pueden ser, sin duda, sociales, pero que podrán ser, asimismo, religiosos.

LA INTUICIÓN RADICAL DE MI POESÍA: LA VIDA COMO PRIMAVERA DE LA MUERTE, COMO LA «NADA SIENDO»

Como se ve, eran varias las direcciones poéticas hacederas en ese período en que yo hube de realizarme como escritor. Y conste que el examen que de ellas acabo de pergeñar, no ha sido, ni mucho menos, exhaustivo, pues mi pretensión se limitaba aquí a señalar que la fidelidad a un tiempo histórico tiene muchos nombres y tolera diversos caminos. Mi poesía eligió uno de ellos de entre el conjunto de las nociones que acabo de exponer. Por lo pronto, las percepciones de tiempo y angustia, unidas en mí a un intento, fallido (salvo en mi primer libro), de salvación religiosa. La angustia existencial, al ser de suyo inhabitable y fangosa, exige el arbitrio de sustentáculos más sólidos y resistentes. Los poetas sociales los hallaron en el sueño de la sociedad justa; otros poetas, y entre ellos yo, hemos buscado la seguridad en el sueño religioso. Mis primeros versos la hallaron. Pero muy pronto la fe se quebrantó y la seguridad fue imposible. El poeta que he sido hubo de habitar desde entonces en lo inhabitable. Hice de la angustia mi casa, y desde esa mansión cenagosa, clamé. Sin esperanza de Dios que me sustentara, el mundo se me apareció como «*la nada siendo*» [2]. He utilizado a propósito aquí esta fórmula, «*la nada siendo*», ya tópica y gastada en cierta jerga filosófica de los últimos decenios, pese a no ser la que con mayor exactitud capta la intuición depositada, como dije, en mis versos. Pues esa fórmula no expresa todo el valor, la positividad que mi poesía atribuye a ese «siendo» de las

[2] Mi poesía nace, pues, de la misma «realidad verdadera» de mi generación. La noción «yo concreto en una sociedad concreta» de la que se parte se convierte en una especialísima sensibilidad para el sentimiento del fluir del tiempo, ya que toda sociedad concreta y todo concreto yo se hallan situados en un ahora, en algo, pues, esencialmente precario y mudadizo. Y si las cosas son así fugaces, podrán ser vistas como «nada»: una «nada» que, sin embargo, «es», la «nada siendo», una «primavera de la muerte».

cosas, al ser de la realidad. He amado frenéticamente el mundo, sabiéndolo perecedero, y por eso es la frase «primavera de la muerte» (título de mi segundo libro y de ciertas *Poesías completas* mías), y no la «nada siendo», la que mejor puede incorporar la intuición que perdurablemente se halla al fondo de mi vida y no sólo de mi poesía. Muerte o nada sería el mundo, pero en tanto que es, que está ahí para nuestros ojos enamorados, para nuestro oído, para nuestro corazón y nuestra inteligencia, tiene un gran valor, un máximo valor. Es un cálido manantial, una fragancia irrenunciable, una suprema fuente de posibilidad, una luz, una primavera. Una primavera, claro está, patética. Admirable y angustiosa, delicada y terrible. Entre esos dos polos (valor y desvalor, ser y nada, muerte y primavera) discurre toda mi poesía, hecha de opuestos que no se excluyen. Cada libro desarrolla esta idea, o mejor dicho, este sentimiento, de modo distinto y con tonalidades y vibraciones diferentes. Y unas veces predomina el lado negativo de esa central impresión (lo que la vida tiene de mortal); y en otras ocasiones se acusa sobre todo el lado positivo (el reluciente «siendo», lo «primaveral» de la luminosa realidad); y aun en ciertos casos se presentan, en más compleja intuición, los dos haces contrapuestos, una luz, que sin dejar de ser luz con todas sus propiedades y valores, es, al mismo tiempo, aniquilación; o de otro modo, algo que consistiendo en suprema felicidad, consiste también en dolor, desazón y congoja. En este caso, la complejidad de la intuición radical queda más al aire y se percibe mejor: en la vida está ya la muerte (véase el poema titulado «Mientras en tu oficina respiras»); pero en la muerte, «en la ceniza», «hay un milagro» (véase el poema de ese título): en ella, en la ceniza, germina la nueva vida, y «una paloma vuela bajo el sol».

De todas formas, de los dos elementos («muerte» y «primavera», o en la otra fórmula, «nada» y «ser») sólo uno es el esencial: la muerte, la nada. Por eso he dicho que la vida me fue una «primavera de la muerte», una «nada siendo».

La noción de «primavera» y la noción «siendo» cumplen un mero oficio calificativo del sustantivo «muerte», del sustantivo «nada», en el que se apoyan. Por eso, la consideración «primaveral» de la vida, aunque casi siempre se canta (como luego diré) con total entrega y efusión y hasta con un característico entusiasmo, que a veces se hace trágico, puede quedar, en algún raro instante, ironizado:

Venid y escucharéis la melodía
que hace la nada en medio de la historia.

Lo sustancial es, pues, la nada, y ello conduce a una consideración secundaria: la esencialidad, a su vez, del dolor, en cuanto símbolo, representación, simulacro o avance, dentro de la vida humana en su momento «primaveral», de ese otro instante futuro, que es la muerte, del que toma, como a préstamo, la característica de sustantividad. Léanse bajo esta luz sendos pasajes de los poemas «Oda en la ceniza» y «Sola», y sobre todo, el poema entero que se titula «Monólogo hacia el destino», del libro *Las monedas contra la losa.*

El núcleo cosmovisionario (la idea de «primavera de la muerte») fue expresado por primera vez de un modo palmario en el poema «Cristo adolescente» de *Subida al amor:* Cristo, de niño, pasa, de la mano de su madre, por un bosque, donde, *en el instante de la primavera,* está creciendo el árbol de su cruz. Una visión semejante puede verse en el soneto «Fuerza primaveral», y con menos aproximación, en otros poemas míos, algunos de los cuales iremos mencionando a lo largo de estas páginas.

Pero lo que más importa no es eso, sino cosa de mayor calado y decisividad: el hecho de que tal idea, la contenida en las frases susodichas, «primavera de la muerte» o «la nada siendo», resulte en mi obra «*fundamental*», en el sentido de que se constituye como *fundamento* de ella, responsabilizándose unitariamente de toda su diversidad temática y de todo su sistema expresivo, por muy evolutivo que, en definitiva, haya podido éste resultar. Y es que, por supuesto, tal concepción del mundo, al ser compleja desde su raíz, hubo de obrar en mí complejamente también, tolerando expresiones en diversos niveles y desde diversas perspectivas, y siendo capaz de ir revelando poco a poco, y como gradualmente, las variadas posibilidades de enfoque de que se manifestó pronto susceptible.

Relaciones entre biografía e historia

Pero antes de entrar en ese problema, permítaseme decir algo personal en relación con el mencionado arranque de mi cosmovisión, es decir, en relación con la idea de «primavera de la muerte» o de «la nada siendo», que tanta importancia iba a tener en la génesis de toda mi obra. Tal vez esta consideración, aunque perteneciente a mi intimidad, pueda arrojar alguna luz sobre el arduo asunto de las relaciones entre lo biográfico y lo histórico en la concepción de las obras de arte. Recordemos: «la nada siendo». De esa noción, he dicho, en una versión especialmente inclinada a valorar el primaveral «siendo», ha nacido toda mi obra. Pero de esa misma noción, aunque en versiones diferentes, han nacido muchas obras, filosóficas, artísticas, etc., precisamente y no por casualidad, en el período histórico que me cupo en suerte vivir.

Ahora bien: ese germen temático y expresivo fue en mí resultado de la personalísima biografía que hube de protagonizar. No me refiero con esto a posibles traumas, etc., de que pude ser víctima en los primerísimos años de mi vida. Si tales traumas existieron no los conozco. Pero conozco, en cambio, el efecto en mí, probablemente en relación con esa ignorada zona de mi vida, de mi situación familiar entre 1933, fecha de la muerte de mi madre, y 1942, en que murió la vieja tía abuela bajo cuya vigilancia y cuidado hube de permanecer al quedar huérfano. El carácter de mi tía (y no, por supuesto, sus prendas morales) y el género de vida a que, a causa de su edad, me sometió me hicieron vivir entre esas fechas, o sea, entre mis diez y mis diecinueve años, en una angustia incesante, en una extraña sensación de agonía y no ser, que había de sellar la forma interior de mi persona, digámoslo así, definitivamente. La muerte de mi tía y mi traslado a Madrid, me permitieron súbitamente recuperar el mundo, asumir con avidez la gracia de la luz y de la realidad, recibir en mi seno más íntimo la sensación infinitamente bienhechora de existir en el mundo. Y como yo venía de la oscuridad y de la privación, el contraste me llevó a experimentar ese existir como un existir total, pleno, glorioso. Me hice de este modo existencialmente apto tal vez para entender, no desde la razón, sino desde la vida, lo que es el anodadamiento y la existencia, el ser y la nada, y, sobre todo, su mutua relación, su trágico parentesco, su esencial afinidad y misteriosa referencia. Y ocurría que por las mismas fechas, aproximadamente, esas preocupaciones proliferaban en el mundo. ¿Qué conexiones hay, pues, entre biografía e historia? Algunos momentos culturales se sienten sensibilizados, por razones históricas, para el tratamiento de ciertos temas, de ciertos sentimientos. Y ocurre que en ese trance sólo aquellos temperamentos que han pasado por experiencias muy determinadas y concretas, resultan hallarse preparados (por supuesto, con la diversas idoneidad que proporciona la distinta disposición que en cada caso se tenga) para formular y plasmar en una obra esas necesidades generales que la época como tal posee.

Si esta tesis no yerra, habría que suponer que quien es artista en cierto lapso temporal, gracias a ciertas circunstancias, podría muy bien no serlo en otro diferente. Hay quien está ligado a su momento histórico como el campesino de la época feudal a la gleba. Poetas, incluso grandes, lo serán gracias a su tiempo. Y al revés, gracias a su tiempo, quien pudo ser un poeta acaso importante en período distinto del suyo no lo fue en el que hubo de realizar su destino. La afinidad entre biografía e historia es decisiva, a mi juicio, en la manifestación o no de nuestras posibilidades creadoras. No se trata sólo de *nacer con talento* (si es que tal expresión tiene algún sentido); se trata de que el talento, pequeño o considerable, que se traiga al mundo pueda o no florecer en el clima espiritual en el que ha de desarrollarse (y aún habríamos de añadir esto otro: para ser un gran poeta es, además, preciso que la cosmovisión de la época en que vivimos permita la aparición de la gran poesía. Un ejemplo negativo: el racionalismo del período neoclásico, al aspirar a una poesía «racional», dificultaba gravemente la consecución de una poesía de primer orden).

Los dos enfoques esenciales de la noción *(Primavera de la muerte)*

Volvamos a lo dicho antes. El núcleo cosmovisionario que, encerrado en las fórmulas «primavera de la muerte» o «la nada siendo», centra y da sentido a toda mi poesía, admite varios enfoques posibles, de entre los que recojo dos como acaso los más importantes o esenciales: 1.º El cántico de la realidad (yo, tú, el mundo) en cuanto contemplada desde la nada o muerte en que esa realidad habrá de desvanecerse (tal es la vista fundamental que toma el libro *Noche del Sentido);* y 2.º, el cántico de esa misma realidad, pero mirada ahora en el instante actual en el que justamente tal realidad se produce en todo el despliegue de su posible gracia o seducción (tal es lo que *Invasión de la realidad,* sobre todo, nos hace conocer). Entre esas dos contrarias posibilidades, que dándose, respectivamente, con cierta pureza, según acabo de señalar, en los libros *Noche del sentido* e *Invasión de la realidad,* desbordan al mismo tiempo los estrictos límites de éstos, caben todos los matices intermedios, bastantes de los cuales se reflejaron, de hecho, en mi obra.

EL MUNDO EN CUANTO NADA O MUERTE *(Noche del sentido)*

Se produjo cronológicamente antes, como es de suponer, la posibilidad primera, y el mundo y cuanto el mundo contenía, asomó como fantasmal, como pura apariencia, como sueño. Francisco Brines, en un ensayo suyo sobre mi poesía [3], ha destacado la unidad con que a este propósito se mira la realidad en *Noche del sentido:* lo mismo el tema de España («patria», «vapor», «fantasma, sueño») o el tema de Dios («vano fantasma, semejante mío»), o su particularización humanizada en la persona de Cristo (léase el poema «Cristo en la tarde»), que temas de menos aparato y trascendencia. Cualquier realidad, sea la que sea (desde el amante hasta las campanas de un pueblo o el pueblo mismo), al ser escrutada por el ojo del poeta parece desteñirse y disminuirse, o incluso disolverse y como ontológicamente cesar. Se comprende no sólo la abundancia de palabras y adjetivos que expresan la escasez, parvedad o insuficiencia, lo que tiene de algún modo una existencia atenuada o menor [4] (leve, suave, delicado, dulce, puro, callado, pequeño; sombra, vapor, niebla, etc.), sino la forma misma poemática en que esos materiales se ofrecen. Así, se hacen muy frecuentes los finales misteriosos, inefables, en que el tejido verbal se adelgaza y como que se desdibuja o extingue («Amada, sostenme tú», «Recuerdo de infancia», «El apóstol», «El amante viejo», «Cristo en la tarde», «Cristo en la noche», «Decidme», «Amada lejana», «La puerta», etc.). O la referencia alusiva, el decir que es un puro toque en que todo queda insinuado y nada dicho. Hasta el soneto, que es de suyo un aparato rígido, propenso al silogismo enterizo y rotundo, accede a diluciones y atenuaciones, dis-

---

[3] Leído en la sesión de «Literatura viva» de la Fundación March del día 18 de diciembre de 1975 con el título de «Carlos Bousoño: una religiosidad de incrédulo».

[4] Así lo observó ya José Olivio Jiménez en su ensayo «Realidad y tiempo de la poesía de Carlos Bousoño», inserto en su libro *Cinco poetas del tiempo* (Madrid, *Ínsula,* 1964, pág. 357).

minuyéndose en manchas verbales, en balbuceos, mudeces, sugerencias:

> *Y tú, campo de amor... Y tú, levanta*
> *tus ojos ciegos. Mírame de frente.*
> *Yo no soy yo. Mi cuerpo ya me espanta.*
> *Mírame bien. No soy aquél. Enfrente*
> *está ya el mar. No soy, no soy... No canta*
> *nada. No soy. Amor, escucha. Tente...*

Y como la realidad comparece entre vacilaciones y dudas, la situación anímica del poeta es la de no saber [5]:

> *No sé, no sé, apenas lo comprendo.*
> *Escrito quede en el papel mi duda.*
> («Presunta vida»)
> *Toca leve mi mano y di que es esto*
> que no lo sé.
> («La confianza»)

cuyos símbolos serían la ceguera («Letanía del ciego»), o «la noche del sentido»: de ahí el poema de ese título, título que significativamente se extiende al total volumen, en que tal actitud se da de manera más continua, relevante y central. La consecuencia habrá de ser la petición de ayuda a la compañía humana en que el amor entonces consiste, o la plegaria por las cosas para las que se impetra existencia («Plegaria a Dios por la realidad»). Y, por supuesto, la conciencia de pequeñez con que el protagonista poemático se manifiesta de continuo, al saberse tan ontológicamente rebajado.

Y como la insustancialidad de la criatura humana y del entero universo se debe no sólo a su intrascendencia religiosa, sino, también y decididamente, a su precariedad, el

[5] José Olivio Jiménez, *op. cit.*, págs. 354-356.

tema del tiempo se impone. Pude escribir en cierta ocasión que «de todas las dimensiones de lo real he sido siempre especialmente sensible a una de ellas, la temporalidad». El verdadero protagonista de mi poesía, unas veces embozado y otras no, es, en efecto, el tiempo. Pues es el tiempo, en cuanto que actúa sobre el desdivinizado cosmos, el que viene precisamente a anular la realidad, a convertirla en una nada que paradójicamente es.

El mundo en cuanto siendo, en cuanto primavera *(Invasión de la realidad)*

Pero esa nada en que el mundo finalmente consiste, sólo lo consiste, en efecto, por definición, *finalmente.* Mientras lo tenemos delante, dijimos, el mundo vale, «a pesar de todo», por muchos dolores, desazones, oscuras premoniciones e interrogaciones que encierre o a que dé paso. Si visto desde un fúnebre futuro *(Noche del sentido)* el hoy aparece como nada, visto desde su mismo presente *(Invasión de la realidad)* surge el hoy como esplendorosa evidencia, que muestra ante todo su dureza, su consistencia, su auténtica gloria, bien que esta gloria sea momentánea. Y es que (no en consideración científica o abstractamente racional, pero sí en consideración *vital), la vida implica, de algún modo, vida perenne.* Las cosas cuando nos son, *nos son, en nuestra emoción, para siempre.* Esta emoción de perpetuidad que lo existente produce *en todo* hombre (y que es perfectamente compatible con el conocimiento de nuestro error al sentir permanente de ese modo lo que es, por esencia, fugaz) me fue especialmente intensa, sin duda por los motivos biográficos más arriba indicados. Y al intensificarse en mi ánimo de tan especial suerte la común experiencia que digo, la realidad actual, la realidad que está ahí operando insistentemente en nuestros sentidos, se me apareció, de alguna manera, con los atributos mismos de la divinidad: lo que simplemente consta fue visto en mis versos como persistente y hasta como perdurable y eterno, y ello con más fuerza aún cuando esa constancia de que hablo daba señales de ser relativamente duradera. Y puesto que las cosas me eran, en alguna región de mi espíritu y en cierta forma, divinas, nada más coherente que encomendarles la salvación de lo perecedero. En primer término mi propia entidad personal:

Salvadme, suaves vientos,
salvadme, frescos valles,
raíces de la vida,
luz que a diario renaces.
(«Invasión de la realidad»)

¡Manad y dadme ser, amor, presencia!
¡Manad, callada piedra, azul montaña,
súbita cresta del amor, hondura
de luz enorme! ¡Dadme ser, entraña
donde pueda beber la honda bravura:
realidad que subleva su maraña
total, contra la enorme noche oscura!
(«Las cosas»)

De esta manera, las realidades, y sobre todo, las que son menos fugaces que el hombre, se me manifestaron, en mi desesperación, como melancólicos sustitutivos del Dios inexistente: no deja de producirme algún asombro la cantidad y variedad con que tales verdaderos sucedáneos de la divinidad se me han impuesto como motivo de mis versos. Veamos algunos de ellos. En primer lugar, la cultura, que se va transmitiendo de generación en generación («Salvación de la vida»); pero además, las costumbres, también pertinaces y sostenidas en el tiempo («Repetición»); las estrellas («Firmamento humano», «Estrellas en la noche»); una montaña («A una montaña»); la poesía («Salvación en la palabra», «Formulación del poema») y la música («Salvación en la música»), que perennizan nuestros sentimientos; un espejo de otra época («A un espejo antiguo»); un milenario olivo («A un olivo milenario»). Hasta un modesto jarro («El jarro»), al que llegué a dedicar significativamente una verdadera oración («Oración ante el jarro»). O una puerta antigua de una casa de la Plaza Mayor de Madrid («La puerta»). O una simple piedra del camino, un humilde guijarro («El guijarro»), más resistente acaso que las obras de arte. Las cosas todas, en fin («Las cosas», «Humanos en el alba»), rebeldes a la extinción. Todo lo que dura, todo lo que es consistente y tiene solidez me ha producido pasmo, fascinación, reverencia que tengo que llamar, aunque ello pueda parecer raro, religiosa [6], pues lleva el sello de una auténtica veneración. Hice unos dioses tristes a mi imagen, algunos más ilusorios aún que los pedruscos del camino, pues, al menos, la perduración, aunque relativa, de éstos, no resulta dudosa. Me refiero, en primer término, a la juventud, a la que en dos poemas sometí a idéntico sistema interpretativo, concediéndole también perennidad, a conciencia del engaño, más evidente aquí que en los casos anteriores, en que en mi consideración patéticamente incurría. «El joven no envejece jamás», dije de modo explícito en uno de ellos (en el así titulado) e implícitamente en otro (en el titulado «Fila juvenil»). ¿Por qué? El supuesto que me guiaba era éste. De un lado, el joven, no sólo se cree inmortal, sino que se piensa, de alguna manera, para siempre inmutable; de otro, el joven no tiene huellas del tiempo en su rostro: parece, pues, que se halla fuera y como exento de su dominio. Mis dos poemas hacen realidad esa aparien-

---

[6] La religiosidad intrascendente con que mi poesía contempla los objetos de la realidad ha sido vista por varios críticos: José Olivio Jiménez (*op. cit.*, págs. 369-389, y especialmente, págs. 369-371, 386 y 389) y Francisco Brines, en el ensayo mencionado, desde otra perspectiva.

cia, casi como en un mito: el joven se manifiesta así como un verdadero semidiós[7].

Lo mismo sucede en otro poema («En el centro del alma»), donde vemos lucir otra divinizadora quimera, sólo que ahora se halla ésta referida a la propia alma del hombre, o mejor, al principio vital que la anima, sentido por el poeta, un instante, como inmortal: «el alma ha de morir, y es inmortal ahora», reza el lema que viene a esclarecer el sentido de esa composición. Como se ve, se basa aquí el autor en aquella falaz impresión que antes mencioné como común a todos los hombres: la de que la vida, aunque la sepamos fugaz, la experimentemos y vivamos como si no lo fuera. El que muere es, en todo caso, «el otro», y sólo rara vez, y como por relampagueante intuición y vislumbre, se nos revela de veras, esto es, vitalmente, la terrible verdad que bajo el tranquilizador embeleco se nos está incesantemente escondiendo. Esta universal alucinación es la que mi poesía, de hecho, pone en patencia y revelación, precisamente al incurrir en ella, con lo cual se introduce en la visión poemática una dimensión en cierto modo trágica, pues el poeta, y junto a él el lector, al mismo tiempo que adora en recogida actitud religiosa a las cosas todas del mundo, no pierde en ningún instante la plena conciencia del engaño o autoengaño en que su sentimiento consiste. Más que engañarse, el poeta quisiera hacerlo: cerrando los ojos un momento, se consuela al levantar en los aires un artilugio de ilusiones. Precisamente por eso, esta realmente extraña divinización de la

[7] El lector debe añadir, claro es, al significado de ambas composiciones, el otro plano, la realidad subyacente, donde el glorioso ensueño se deshace. Es curioso comparar esos dos poemas escritos en mi madurez humana con el poema del libro *Primavera de la muerte* que empieza con el verso «vosotros, hombres, pesais duros». En este último, el joven y el que se siente inmortal soy yo frente a los hombres maduros, vistos como perecederos. La visión de lo juvenil y de la madurez es la misma en los dos mencionados poemas de *Las monedas contra la losa,* pero el protagonismo poemático, ay, se modifica: el autor se sitúa ahora en el opuesto reino de los destinados a la muerte, y son otros los jóvenes inmortales.

realidad no es, de ninguna manera, una forma más de panteísmo, sino una actitud muy distinta, y hasta en cierto modo opuesta, probablemente, además, solitaria, aunque, como he dicho hace muy poco, se fundamente en experiencias psicológicas generales, hecho este último importante, pues es el que permite a tan singular actitud aspirar a la comunicación. Y como el temple fundamental del protagonista poemático consiste en un dramático y consciente autoengaño, nada más natural que llevar ese engaño y esa consciencia más lejos todavía, y contemplar como inmortal lo que se explicita perecedero: por ejemplo, las manos del propio autor, fantasmales y de «fingida nieve»:

> *con estas manos que yo llamo mías*
> *y que tú ves, calientes y reales*
> *acariciarte para que sonrías.*
> *Que tú ves duras como minerales.*
> *Quietas y condensadas energías*
> *hondas. Pesadas manos inmortales.*
>
> («Las manos»)

o la realidad corporal de la amada, a la que, cuando el poeta vaya a morir, se le desea una formidable e imposible resistencia al embate del tiempo:

> *Tenerte cerca entonces yo quisiera,*
> *tocarte sólo en un instante breve:*
> *saber que estás segura, erguida, entera.*
> *Como roble a quien viento no se atreve.*
> *Como de primavera, la bandera.*
> *Como la tarde y su vestido leve.*
>
> («Cuando yo vaya a morir»)

El engaño se declara también como tal cuando se quiere sentir como ayudadora y protectora a cualquier criatura, por mísera y débil que ésta pueda ser en la consideración misma del poeta:

Tú, mi compañero
triste de acontecer,
tú que como yo mismo ansías lo que ignoras y tienes lo que
acaso no sabes
dame la mano en la desolación...
....
Dame la mano para creer, puesto que tú no sabes.
(«Oda en la ceniza»)

Pero, sobre todo, cuando esa realidad, a la que el propio autor llama «minúscula», se la contempla en el trance mismo de su transfiguración, que es, exclusivamente, obra de la ardiente necesidad que el poeta siente del bienhechor cambio, encomendado aquí a la fantasía amorosa:

Ven a mí, realidad minúscula,
ven a mí, pequeña paloma...
....
Ven a mí. Respirar quiero el aire,
asfixiante recinto, mazmorra;
no me dejes, piedrita, eres trigo,
cucaracha sombría, eres corza.
Carcelita, eres campo, horizonte,
yo me muero, eres árbol, escoba,
escobita que barre mi celda,
tras tras tras, tras tras tras, tan graciosa.

Pero la lucidez con que se procede al religioso autoengaño puede quedar aún más al descubierto:

He aquí la fuerza que aspiró a ser cielo
y sólo es realidad.
(«Mi verdad»)

Has podado tu fantasía
donde suprema ardía una rosa.

Hoy te queda la realidad,
catedral de invertida bóveda,
en donde suena el hueco mundo
con profundidad silenciosa.
(«El mundo de cosas»)

«La realidad es un remplazo fallido del cielo divino», se viene a decir en el primer fragmento; la realidad «es una catedral», se afirma en el segundo, «pero catedral puesta cabeza abajo, en inversión patética, que ante todo nos muestra la oquedad en que el mundo sigue consistiendo ("en donde suena el hueco mundo"), pese a la religiosa trasmutación». (Por eso, el poema «Salvación en la palabra» llama a esta poesía «negra teología corrupta»: «dejad que la palabra haga su presa lóbrega..., hoce el destino, cual negra teología corrupta»). Si comparamos ahora lo que el fragmento de «El mundo de cosas» enuncia, con lo enunciado en «Oración ante el jarro», se nos patentiza una diferencia en el grado del autoengaño, pero sólo en cuanto al pormenor de la explicitación. En este último poema se llamaba también «templo», en congrua consideración, a un objeto de la realidad, en este caso, concretamente, a un jarro. Pero la denominación conservaba su dignidad, sin atributos degradadores; y aún se realzaba esa dignidad misma con una prolongación de la metáfora como tal, que al desarrollarse nos obligaba a visualizarla y a tomarla en serio en el plano de la emoción [8]:

Ante ti yo respiro.
Ante ti yo me postro y respiro,
y enmudezco y me quedo y respiro.

---

[8] Luego, en este mismo estudio se indica el porqué de esa «visualización» y lo que ella significa.

Sumido en tu acorde, grave templo de perfección,
providencia y cobijo y reposo,
yo me asiento con humildad en las gradas de tu majestuosa
apariencia,
me persuado de mi pequeñez...

Véase aquí, en efecto, como en tantos otros lugares, todo un vocabulario y una disposición, hasta gestual, de índole religiosa. Si el lector tiene ahora la curiosidad de leer el final de la «Oración» (intencionado título), que resultaría excesivo copiar aquí, comprobará, una vez más, hasta qué punto en esta poesía las cosas materiales han asumido trágicamente, en el corazón del poeta, el puesto mismo de Dios.

Propongo otra equiparación más amplia: la de esta concepción general de que hablamos, que atribuye un poder de ilusa salvación de la fugacidad humana a las cosas del mundo en «Invasión de la realidad» («salvadme, frescos valles») con la petición que el poeta hace en el penúltimo poema de *Noche del sentido* a un Dios (en el que, por otra parte, no se cree), para que éste otorgue ser y permanencia a las cosas mismas. Realizado el cotejo, salta inmediatamente, ante los ojos del lector y del crítico, la paradoja y contradicción que el emparejamiento mental de ambos hechos lleva consigo. Contradicción o paradoja que pone a la intemperie, una vez más, no sólo el esencial dramatismo de esta religiosidad intrascendente y cismundana, de esta «religiosidad de incrédulo» (como la llama Brines, en el mencionado ensayo), sino, justamente, la doble perspectiva de la que esta poesía, como he dicho, parte, y de la que ella misma se viene, en definitiva, a beneficiar. Y es que para poder resolver la paradoja, hemos forzosamente de caer en la cuenta de que los hechos contradictorios no lo son al pensarlos fruto de un par de direcciones o puntos de vista diferentes. El poeta habla desde uno de esos dos puntos de vista, cuando dice a las cosas que lo salven a él de la muerte, y desde el otro, cuando pide al Dios inexistente que salve de lo propio a esas mismas cosas, menesterosas, al parecer, ahora, de realidad cuanto antes rebosantes y dadivosas de ella, y hasta, de algún modo, en ese sentido, omnipotentes. En otros términos: el dramatismo poseído por esta religiosidad de puros objetos y realidades del Más Acá, religiosidad que uno de los dos enfoques engendra (el instalado principalmente en *Invasión de la realidad*), se produce por el hecho de que el poeta no pierde la memoria del otro enfoque, el fúnebre y desrealizador, fantasmalizador (instalado principalmente en *Noche del sentido*). Este segundo enfoque obra también en su ánimo, aunque por modo implícito y en un alejado término, desde el que ocasiona, sin embargo, el deterioro y corrosión del anómalo credo religioso que se profesa, convertido, de pronto, así, como he apuntado varias veces, en trágico o patético.

La recuperación del mundo tras la «Noche del sentido»

Al operar, pues, desde otra perspectiva en la contemplación del núcleo cosmovisionario «la nada siendo» o «primavera de la muerte» y poner el acento en el término positivo de la pareja, en el «siendo» o «primavera», *Invasión de la realidad* significa, de entrada, la recuperación del mundo, que *Noche del sentido* había humillado, de alguna manera, con el descrédito. Aparecen ahora las cosas, inciertas antes, neblinosas antes, como portadoras de significativa dureza y comprobable solidez; «la piedra, el cielo, el aire»; la hermosura del mundo. Léase a esta luz el soneto «Cosas», pero sobre todo los poemas «Invasión de la realidad» o «En un amanecer», composiciones estas dos últimas cuyo tema es justamente el reencuentro del mundo, tras la «noche del sentido». «En un amanecer» se inscribe en el libro, no por azar, como homenaje a San Juan de la Cruz, cuya aventura humana y poética es sabido que consistió (de otra manera mucho más elevada y luminosa, claro está, en todos los sentidos, pues el autor del *Cántico espiritual* no se gratificaba con insatisfactorios remedos), consistió, repito, en recuperar también el mundo, desde la privación de otra «noche», diferente, por supuesto, a la que ahora consideramos, pero hondamente afín a ella en el esencial detalle que de momento nos interesa. Véase que el extraño paralelismo y talante religioso de esta poesía se prolonga aún significativamente en esta coincidencia (de ningún modo buscada, pero, por supuesto, tampoco fruto del acaso) con la mística en general, y más concretamente con la mística de nuestro santo del siglo XVI. Tras la tiniebla, tras la miserable carencia y ceguedad, el gozo del universal amanecer, la asunción gloriosa de la luz («cáliz» llama a esa luz, significativamente, el poeta), la asunción de la realidad que triunfa al hacerse tangible, comprobable precisamente con los sentidos. Apunto a este propósito algunos títulos, además de los tres que acabo de mencionar: «La mañana», «Danza de la vida», «El conjuro», «Humanos en el alba (I y II)». En todas estas piezas, y aun en otras varias, se vuelve, no por casualidad, pero ahora desde otra sabiduría y encaramado en un tramo más alto de la experiencia, al tono glorioso y extático que había dado carácter, por motivos distintos (aunque quizá biográficamente coincidentes) a ciertos poemas de *Subida al amor* y de *Primavera de la muerte.* Ese tono tenía en *Subida al amor* la justificación de que el cántico se hacía desde la plena fe; en *Primavera de la muerte,* la tenía por tratarse de la expresión de la adolescencia como tal, del encuentro del adolescente con un mundo que por primera vez desplegaba ante su mirada la totalidad esencial de sus primicias y dádivas [9]. Ahora se trata de algo muy diferente, como acabamos de ver; pero el resultado emocional no difiere gran cosa, aunque se adivine, en el origen mismo del júbilo ac-

[9] Vicente Aleixandre hace muchos años, y Francisco Brines, de otro modo, en el ensayo varias veces citado en este estudio han subrayado, como peculiar, la voz adolescente que puede percibirse en ese segundo libro mío.

tual, un punto de dolor, un conocimiento de la padecida nadificación que antes no se hallaba presente ni aun en esa forma de supuesto.

Pero el encuentro con la realidad desde la experiencia de la «noche», habrá forzosamente de admitir una diversa graduación en la presencia misma con que tal experiencia se acusa. Dicho de otra manera: se cantará la actualidad vivaz y reconfortante de lo real con una distinta dosis de olvido de su futuro anonadamiento. Cuando el olvido es más completo («nadie se acuerda ya de la noche» — «En un amanecer») la realidad se aureolará con nimbos de gloria sin mácula, con mañaneras frescuras y primaverales resplandores («es la mañana entera, es la lucidez perfumada» — «En un amanecer»). El vocabulario adquirirá ligereza de alba, se enriquecerá de elementos que expresan lo alado, lo puro, lo leve:

y mueve
el árbol leve del espacio ahora.
Todo en el aire luminoso llueve,
gira, delira entre la luz sonora
y allí suspira entre el follaje leve.

(«La mañana»)

vocabulario que sólo formalmente viene a coincidir (pues ahora hay oposición en cuanto al sentido profundo) con las delgadeces fantasmales del libro anterior.

Pero en otras ocasiones, el olvido es únicamente parcial, y las cosas reales se manifestarán como devoradas y agujereadas por la certeza de la carcoma; a despecho de lo cual se las aceptará y aun amará, en virtud de que, pese a todo, su actualidad sigue siendo aún, precisamente en cuanto tal, consoladora y salvadora:

Con su tiniebla o su dulzura presa,
entrad, poniente oscuro, tarde rosa.

(«Entrad»)

Y os amo, rota piedra, amargo sueño,
carcomida verdad, trono arruinado.
Mi error ganado, mi perdido empeño.
(«Aquí tenéis»)

Ven a mí, realidad minúscula,
ven a mí, pequeña paloma.
....
Ven a mí llena de agujeros,
vestida de harapos, señora,
ven a mí destrozada o rodada,
luciente, guijarro o ajorca.
(«Ven a mí, realidad»)

De ahí nace el peculiar amor a lo roto, la ternura hacia lo deteriorado y escaso, que esta poesía manifiesta, visible ya en alguna de las citas anteriores, o en otras como ésta:

Pero tú, España mía, eres de rosa,
y yo te amo. Eres de violeta,
y te quiero. Tú, España, eres de cosa
rota, en el aire de una vida quieta.
Cómo no amarte. Cómo no quererte...
(«El barco»)

De todas maneras, esta ruina no es la de *Noche del sentido,* pues, aunque lastimoso, el mundo, en lo que tiene de presencia, vale:

Vale la pena el alentar, la vida.
Vale la pena el río con tu llanto.
Vale la pena la amistad mentida,

la luz mentida, el verdadero espanto,
la noche negra de la atroz partida.
y tu amargura, que me importa tanto...
(«A pesar de todo», III)

La hermosa vida que has vivido, vale.
El campo, el valle, lágrimas de lodo
que has podido llorar, la niebla oscura.
Todo vale si es, aunque palabras
fuese. Todo vale si gime.
Todo vale si duele
junto a tu carne un mundo de palabras.
(«El mundo: palabras»)

Vale el mundo, en efecto, pese a su carácter de «flatus vocis»; pese a sus posibles agujeros, inconvenientes, dolores, máculas. Y vale porque en este instante en que lo miro o en que lo vivo me está maravillosamente siendo; porque se me hace presente con *insistencia* (atendamos al vocablo) y carnalidad como un don. Comprendemos con esto, quizá, el sentido que parecen tener (como vieron ya, creo que certeramente, José Luis Cano y José Olivio Jiménez [10] hace bastantes años) las continuas rimas interiores de los 28 sonetos que el libro contiene. No hay en esa técnica alarde alguno de virtuosismo; por el contrario, se busca exclusivamente con ella el hallazgo de un sentido que, en el instante en que yo estaba escribiendo los poemas, no podía aún percibir sino oscuramente bajo especie de perentoriedad, de instancia en cierta manera ineludible, que, al cumplimentarse, me otorgaba una satisfacción íntima como de haber llevado a cabo simbólicamente la formulación de una recóndita significación necesaria. Y es que esa significación simbólica (ahora me parece verlo claro) existía. La insistencia que toda rima (y por tanto también la interior) supone no hace aquí sino decirnos (de una forma que precisamente por ser secreta se torna más eficaz al operar semánticamente desde nuestra emoción y sólo desde ella) no hace sino decirnos la insistencia en el ser que esa realidad, enteriza o ruinosa (eso da

---

[10] José Luis Cano, revista *Insula,* núm. 197, Madrid, abril 1963, página 9; José Olivio Jiménez, *op. cit.,* pág. 396.

igual) nos ofrece, *en cuanto que consta, una y otra vez,* con inesperada persistencia y tenacidad, ante nuestra inquisitiva mirada. Y debo añadir que al hacérsenos inteligibles de este modo las incesantes rimas internas de que hablo se nos hace asimismo tal vez simultáneamente inteligible la frecuencia en general de la rima consonante en *Invasión de la realidad* y por tanto la utilización del soneto, más favorecidos ambos, con significtiva diferencia, en este libro que en ningún otro de entre los míos, anteriores y posteriores. Pero ateniéndonos a las rimas interiores y dejando a un lado el significado similar que pueda muy probablemente tener el uso del consonante y del soneto en este volumen al que me refiero, he de decir que esa explicación que hemos dado para la rima interna se percibe con mayor acuidad y transparencia en el poema «Repetición»:

Seguid, canción, amor, seguid, maduro
cielo de tarde, atmósfera vivida,
noche estrellada, luna repetida,
mar que repite su oleaje oscuro.

Repetida embestida contra el muro
de la verdad. Seguid, sobrevivida
realidad, noche oscura, oscura vida.
Seguid el repetido amor seguro.

Seguid la repetida senda hollada,
amante, armada, repetida fuente,
viva simiente, cálida, arrojada

entre la noche repetidamente.
Con abundante mano acostumbrada,
seguid, caño de amor, vivaz corriente.

lo cual no quiere decir que no se dé con idéntica intensidad en los otros casos. En «Repetición» no hay duda: las oleadas repetitivas de que se habla en el poema («repetida embestida contra el muro») se corresponden, de un modo que busca ser expresivo, con las insistentes oleadas de las interiores consonancias («repetida embestida», etc.), así como con las reiteraciones de conceptos y palabras («seguid» se dice seis veces; la noción de repetición, siete; y aún otras ideas afines —sobrevivida realidad, maduro cielo de tarde, senda hollada, mano acostumbrada— vendrían a aumentar la cuantía del cómputo). En esta pieza se pone como al descubierto lo que en los demás casos se ofrece en ese modo embozado que debemos llamar de nuevo, con toda propiedad, simbólica. Pero, ¿por qué se da aquí a las claras lo que en otros sitios aparece encapotado y subrepticio? Como la solución de esta incógnita nos va a ser de utilidad posteriormente, no sobrará hacer en este punto un paréntesis aclaratorio.

Motivación general y particular de un procedimiento retórico

Es frecuente (lo hemos de ver después en ejemplos más palmarios aún) que un procedimiento utilizado a lo largo de un entero libro o de una parte considerable de él tenga (como les ocurre, en nuestra interpretación, a las rimas interiores de *Invasión de la realidad*) una motivación general, válida para todos los casos, y luego una motivación particular, que puede ser distinta (en el supuesto más extremoso) para cada uno de ellos. El resultado será entonces que la motivación particular habrá de encubrir y disimular la general, apartándola de nuestra consideración. Al hallar una causa (la particular) más inmediatamente evidente para el ejemplo que como críticos examinamos, tenderemos a atenernos a ella, cesando así en nuestra inquisición, con olvido tal vez de que los fenómenos generales han de tener razones de la misma amplitud, aunque puedan, además, poseer otra u otras de radio menor y hasta de radio puramente individual, que apoyen a la primera, reforzándola. Cuantas más justificaciones ostente un recurso estilístico, más fatal, irremediable y, en definitiva, expresivo se nos hará su presencia en un texto. «El conjuro», de *Invasión de la realidad,* empieza con estas palabras:

> *Eres la realidad, la rebeldía*
> *contra las sombras. Eres el portento,*
> *oh monte azul para mis ojos; viento*
> *que pasas lento por el alba fría...*

La rima interior (viento / que pasas lento...), ¿no hace aquí el efecto de un golpe, precisamente de viento, en la cara? Que ello sea así no obstaculiza que opere también en nosotros lo que antes dijimos, y esa rima nos esté expresando, desde un plano más alto y envolvente, la porfía en su propia entidad con que una realidad, el viento, continuamente se nos actualiza, como rehaciéndose. No es casualidad que sea ésa, justamente, la interpretación que de la realidad nos venga a dar esta poesía. Como la verdadera esencia de las cosas es la nada, su existencia actual, por pura y comprobable que pueda ser en el instante en que la miro, comparece, de hecho, en precario ante mí, y resulta fruto de algo como un milagro que innecesariamente habría de renovarse para que lo que es siga siendo:

> *Dejadme con las cosas*
> *también. Son realidades*
> *súbitas que se crean*
> *duras a cada instante.*
>
> («Invasión de la realidad.)

Compruébese idéntica concepción en otro poema, éste de *Las monedas contra la losa:*

He aquí, pues, el redondo guijarro,
su don fluvial, su incesante
ser que se reconstruye
continuamente, como el río o el mar.
(«El guijarro», II)

Pues bien: la rima interior de *Invasión de la realidad* expresa esa reconstrucción, ese trabajoso *volver a ser lo que antes era,* ese renacimiento incesante como de perpetua ave fénix con que la realidad logra el don de la continuidad, gracias a la cual aquélla nos consta. La lectura del poema entero «El guijarro», que parcialmente acabo de citar, creo que podría, a este respecto, resultar provechosa.

Volviendo a nuestro problema: cuando la explicación general de un procedimiento estilístico viene a coincidir exactamente con la particular de su uso en un momento dado (caso del soneto «Repetición») el sistema causal, al simplificarse, queda, en alguna medida, a la vista, y es de más fácil captación por el crítico. Más adelante, volveré sobre ciertas interrogaciones que esa doble causalidad (general y particular) de algunos artificios en una obra puede aún plantearnos.

Entusiasmo trágico: himno u oda de contenido patético

El hecho de contemplar los objetos del mundo desde dos perspectivas distintas, pero frecuentemente simultáneas, habrá de producir forzosamente una visión dúplice de ellos. De un lado, los objetos asomarán como primaverales, encendidos, embriagadores o al menos como hondamente valiosos y amables pues que son: hacia tal aspecto de las cosas irá todo el entusiasmo del poeta. De otro, las realidades, ya desde su seductora apariencia y actualidad, habrán de evocar en éste el fúnebre futuro que les espera: hacia tal aspecto de las cosas, irá todo el horror o toda la melancolía, conmiseración o patetismo (según los casos) de que el autor es capaz. Cuando, como digo, las dos visiones se juntan en una sola visión, el efecto sentimental suscitado por ella tendrá que poseer, por necesidad, una complejidad semejante a la de su causa. Tal es la explicación, me parece, del tono con que finaliza el soneto «Entrad» o el poema «El mundo de cosas» (partes V y VI). Lo que en esas piezas puede acaso sorprender es el insólito sentimiento con que nos llama su desembocadura, un entusiasmo que siendo entusiasmo *del todo* es *del todo,* al mismo tiempo, tragedia. Entusiasmo y amor al mundo, indudables, arrebatados; y al mismo tiempo, lucidez extrema acerca del horror en que últimamente consiste eso que nos entusiasma y enamora con tanta fuerza o tanto delicado frenesí.

Se comprende así (cosa que ya vio Brines en su trabajo) el aire, «levantado», dice este escritor, como de oda o himno que tienen muchos de mis poemas, especialmente los de *Las monedas contra la losa;* pero se comprende asimismo que el contenido de esa oda o de ese himno no pueda ser sino drama, tragedia o al menos elegía [11]. *Oda en la ceniza,* se tituló significativamente uno de mis últimos libros, rótulo que ya se anunciaba en una de las partes de mi segunda obra *Primavera de la muerte,* cuyo nombre era, justamente, «Odas elegíacas».

Entre el entusiasmo y la tragedia o la elegía, o con más frecuencia, desde esos supuestos, en extraña confraternización y simultaneidad, como he dicho, se desliza mi obra toda, desde *Subida al amor* hasta *Las monedas contra la losa,* en respuesta, repito, acaso fiel al carácter dual de mi visión del mundo.

---

[11] Véase José Olivio Jiménez: «Verdad, símbolo y paradoja en *Oda en la ceniza*», incluido en su libro *Diez años de poesía española, 1960-1970* (Madrid, *Ínsula,* 1972, pág. 272).

II

LA ÚLTIMA ETAPA DE MI POESÍA: *ODA EN LA CENIZA* Y *LAS MONEDAS CONTRA LA LOSA*

LA MUTACIÓN ESTILÍSTICA DE «ODA EN LA CENIZA» Y DE «LAS MONEDAS CONTRA LA LOSA»

Lo dicho nos hace entender súbitamente la necesidad interna que, a la sazón, mi estilo hubo de experimentar de una profunda transformación en su estructura. Una vez que el poeta hubo llegado, en *Invasión de la realidad,* al reconocimiento del mundo y de sus contenidos como hondo valor y aun como encendida y coloreada dádiva, como hermosura de incesante e impensada recomposición y por tanto de incesante sorpresa y maravilla (frente a la cual se imponía el entusiasmo, aunque trágico o patético, según dijimos, a causa del otro plano socavador, que no se nos ocultaba); una vez alcanzada esta cota de esplendideces, nada más natural que ir, en los nuevos libros, hacia un estilo renovado que reflejase las peculiaridades de brillantez y sorpresa halladas, de este modo, en la realidad que se procuraba cantar.

La honradez me lleva a declarar de entrada que nada de esto fue consciente en mí ni en el comienzo ni en el final de la redacción de los libros *Oda en la ceniza* y *Las monedas contra la losa,* que fueron frutos inmediatos de la remoción estilística de que hablo. Al contrario. La gran transformación poemática que en mí se produjo me cogió, por completo, desprevenido. Yo era un tipo de poeta, y de pronto me convertí en otro tipo totalmente distinto, y hasta, en cierto modo, opuesto al primero. Mi caso, claro está, anda lejos de ser único. Existen bastantes escritores, y también pintores, etc., especialmente en el siglo XX, en los que tal hecho de transfiguración se ha producido, en grado máximo. No es el hecho en sí, por tanto, del cambio, lo que me mueve a interrogarlo, sino las circunstancias y modos de su aparición. Y es que normalmente, cuando una modificación de esa naturaleza esencial se ha presentado en un estilo, se debe a que la visión del mundo que le subyace ha sufrido una modificación equivalente. Tal, por ejemplo, lo que les pasó (salvando todas las distancias) a Juan Ramón Jiménez y a Valle-Inclán. En mi poesía, se ha dado, al revés, una notable mutación, sin que se haya modificado paralelamente el esquema de mi visión del mundo, que persevera en lo esencial inalterable. Por tanto, el hecho de la transformación estilística y de estructura estética pide una explicación.

De la metamorfosis no cabe dudar. Aparecía yo en mis cuatro libros iniciales como un poeta estrófico, en quien predominaba el verso tradicional (consonante o asonante), de estructura por lo general relativamente sencilla; la actitud del protagonista poemático se definía como pensativa y emocional: pero el pensamiento en cuestión era lineal y claro, y lo mismo le pasaba a la emoción, cuya complejidad, cuando existía, no pasaba de la unión de contrarios que antes indiqué. La palabra no buscaba nunca o casi nunca la brillantez, la sorpresa lingüística o sintáctica e imaginativa. Me podía caracterizar acaso la emoción, pues era eso lo que yo pretendía conseguir. En suma: mi estilo lo formaba, al menos en mi pretensión estética, la unión de un tema radicalmente humano y un sentimiento que se deseaba verdadero. El esplendor del lenguaje quedaba fuera, en conclusión, de mis pretensiones fundamentales.

¿Qué pasó con este esquema al llegar *Oda en la ceniza* y sobre todo *Las monedas contra la losa?* Lo que pasó fue esto: un buen día (tenía yo entonces unos cuarenta años) me encontré súbitamente y sin buscarlo escribiendo de otra manera. En este caso, lo que sucesivamente me venía a la pluma, se hallaba estilísticamente remoto de cuanto yo hasta entonces había realizado en poesía. Puedo decir con toda verdad que mi nuevo estilo me sorprendió. Lo que de él me resultaba más inesperado era la complejidad extrema de las expresiones y de las significaciones, su incesante cruce y entrecruce, y la continua sorpresa verbal y de representación en que consistían, tan ajeno todo ello a mi anterior manera literaria. Nada de esto había entrado de antemano en mis cálculos: todo me era imprevisto. Y no sólo se me modificaba la entidad poemática, sino incluso mi manera de llegar a ella. Hasta entonces, los poemas me habían nacido, en la mayoría de los casos, como fruto de una determinada emoción encarnada en un ritmo, un ritmo sin palabras aún, vacío de significaciones. De pronto, ahora, el poema se originaba de otro modo: aparecía el verso movido en mí desde una noción capaz, en algún sentido, de producir sorpresa, una noción a veces especialmente paradójica, que podía ser una simple idea, pero que las más de las veces consistía en una metáfora o en un símbolo. Y no un símbolo, metáfora o idea paradójicos o sorprendentes cualesquiera: para seducirme e inducirme a escribir, era preciso que esas expresiones ostentasen capacidad de estallido, de desarrollo, de proliferación.

La causa general estética del nuevo estilo

Ahora bien: estas proclividades expresivas, que en el instante de la creación poemática se me imponían de un modo tan ciego, las puedo ver ahora, desde la perspectiva que da la distancia y la reflexión acerca de lo ya escrito, como un excelente ejemplo de nuestra anterior tesis, en que quisimos encararnos con las causas generales y particulares de una determinada tendencia estilística. Las paradojas, sobre todo de *Oda en la ceniza,* y lo mismo los no menos paradójicos desarrollos de las imágenes, especialmente resaltantes en el estilo de *Las monedas contra la losa,* tenían, a cada aparición suya, o poco menos, una motivación cambiante, que desconcertaba o podía desconcertar al crítico. Su radio cabía que fuese mayor o menor (a veces, el alcance que tenía ese radio era realmente mínimo); lo realmente importante es que nunca resultaba tan grande que cubriese la totalidad de los casos. Pero forzosamente habrían de existir, más allá de esas causas particulares (nunca o casi nunca difíciles de dilucidar y que sólo explicaban el ejemplo concreto que se enfrentaba en cada instante) otra causa decididamente genérica, inmóvil y siempre la misma, por tanto, que diese cuenta cumplida del conjunto como tal, esto es, de la tendencia estilística completa que movía al escritor hacia la actividad creadora como un misterioso llamamiento, como tentación o vocación irresistibles. Pongamos primero un ejemplo de estas explicaciones parciales y encarémonos después con lo que, a mi juicio, constituye su explicación tal vez más hacia la raíz, y más profunda y abarcadora.

No hay duda de que lo paradójico de ciertas expresiones en *Oda en la ceniza* nacía, con frecuencia, del hecho de ver el mundo sumido en la esencial contradicción que sabemos (el ser que es nada, o la nada que es ser): como la noción «la nada siendo» o «primavera de la muerte» constituye de suyo una formidable paradoja, habían de surgir de ella, como consecuencia, numerosas contradicciones del mismo carácter:

Somos
aciago resplandor insumiso, noche
florecida, oh miseria
inmortal.

(«En este mundo fugaz»)

una trompeta dispara
su luz, su entusiasmo sonoro
en el estiércol.

(«Más allá de esta rosa»)

Del brazo se pasean el regocijo y la desesperación,
y todo sale a luz y todo es como si no hubiese empezado.

Una montaña empieza en el pico más alto,
sube hacia sus laderas y arriba está el valle.
Sécate en medio del agua fría de octubre,
Lorenzo, sumérgete en la nada pletórica.

(«El baile»)

Pero la explicación de las paradojas no siempre consiste en su referencia inmediata al núcleo cosmovisionario como tal. A veces la explicación posee una extensión aún más reducida, pues sólo satisface a uno o dos, o pocos ejemplos más. Así, describir la puerta del cielo como:

la puerta que no gira
ni se abre ni cierra

(«Oda en la ceniza)

al cielo mismo como un:

estallido de veneración

(Id.)

o al propio Dios, de este modo:

calcinante
idealidad sagrada que no arde ni quema
en la deslumbradora invisibilidad

(Id.)

responde, sin duda, a la contradicción racional que la Divinidad y todo lo que le atañe conlleva por el mero hecho de su existencia más allá de la naturaleza y de la lógica [12].

La versatilidad causal que las paradojas ofrecen podría reforzarse con la versatilidad de la misma índole que mues-

[12] Un análisis muy detallado y fino de esas causas particulares de la paradoja en mi poesía puede leerse en el ensayo de José Jiménez: «Verdad, símbolo y paradoja en *Oda en la ceniza*», de su anterior libro citado *Diez años de poesía española, 1960-1970,* págs. 243-280.

tran los desarrollos imaginativos (me refiero al desarrollo «independiente» del plano E en las metáforas A = E o en los símbolos), visible de modo especialmente claro en el libro *Las monedas contra la losa.* No voy a ocuparme ahora de ese sistema expresivo que luego estudiaremos con más calma. Lo único que quiero decir es que también aquí resulta imposible reducir a unidad su cambiante motivación, si lo que buscamos es la causa inmediata de la expresividad (suponiendo que la tenga) de cada caso concreto de ese orden que podamos encarar. Pero daremos tal vez con la recóndita explicación anhelada desde el preciso instante en que nuestra pregunta tantee otros derroteros. En vez de interrogarnos acerca de lo que *está* inmediatamente *expresando* la palabra, sintagma o frase que nos preocupe, debemos inquirir *el efecto* que el texto en cuestión nos produzca. Y entonces, *todos* los procedimientos utilizados en *Oda en la ceniza* y en *Las monedas contra la losa* quedan, de pronto, unificados: lo mismo las paradojas y los símbolos del primero de esos dos libros (recursos estudiados con tanta penetración por José Olivio Jiménez en el trabajo sobre mi poesía mencionado antes en nota) que los desarrollos «independientes» metafóricos y simbólicos del segundo de ellos (aunque también exista en el primero), amén de otros artificios, usados, asimismo, sistemáticamente en ambas obras (superposiciones temporales y espaciales, por ejemplo); todos esos procedimientos tienen en común, como ya se indicó, esto: *la sorpresa expresiva.* Las paradojas, los desarrollos «independientes» de la imagen y las susodichas superposiciones lo que buscan es, ante todo, sacar de sus casillas al lector, sobresaltarlo, sacudirlo de arriba a abajo, soliviantarlo, sorprenderlo, maravillarlo (caso de que la pretensión estética se hubiese cumplido en algún momento y en la medida en que lo hubiere hecho). Cuando yo me sentaba a escribir, buscaba instintivamente, o bien paradojas, o bien metáforas o símbolos, y aun superposiciones temporales y espaciales, que, dentro de mis apetencias emocionales y estéticas, esto es, que dentro de mi cosmovisión, fuesen capaces de prolongarse, alargarse infinitamente o estallar como un cohete, deshecho súbitamente en impensados juegos de luz, que, de pronto, transforman su esencial dibujo, dando lugar a otro sistema lumínico, más inesperado todavía. Lo que yo buscaba era, pues, aquellas ideas o expresiones susceptibles de proporcionar al lector un incesante deslumbramiento semejante al que yo sentía frente al mundo, que, gloriosamente, en aquel mismo instante, en vez de nadificarse, como sería de esperar, sorprendentemente se rehacía, desplegando su seducción frente a mí. Y del mismo modo que ese mundo esplendoroso y rehecho encerraba la muerte, el estilo, si por un lado debía imitar, en lo hacedero y por mí alcanzable, el esplendor mismo y continua sorpresa con la que el mundo, a cada paso, inesperadamente me fascinaba, por otro debía poner ese esplendor y sorpresa (si al fin conseguidos en alguna proporción, aunque fuese incompleta y escasa) al servicio de la honda tragedia encarada. Mi estilo como tal aspiraba no sólo a *cantar,* sino a ser, de ese modo, aunque ignoro con qué éxito, una «primavera de la muerte»; o de otro modo: mi estilo aspiraba a constituirse en *símbolo* de esta última concepción.

Ahora todo parece más claro: cuando al escribir gustamos de un determinado recurso estilístico o de una constelación de tales recursos es porque, ignorándolo, en principio, el propio autor, esos procedimientos están, en su conjunto, expresándole de una manera simbólica, y por tanto, de manera oscura para su razón (pues todo símbolo es comprensible únicamente de forma emotiva) algo que necesita decir a causa de una cosmovisión hondamente arraigada en el seno de su profundidad existencial. Pero claro está que entonces lo que ese escritor va diciendo, además de ostentar esa justificación lejana e imperceptible, ha de hallarse justificado de una manera más inmediata y apreciable: el tema mismo, o el significado a cuyo servicio el recurso predilecto se pone, deben dar cuenta del dicho desde alguna razón que actúa entonces con aquella «particularidad» que antes mencioné. Visto desde el autor, diríamos que éste ha buscado intuitivamente el tema, de entre el acervo de los posibles dentro de su cosmovisión, para poder respaldar y dar respetabilidad y asentimiento, de forma directa y perceptible, al recurso en cuestión que tanto le seduce y tanto le significa. Por eso empecé diciendo que el impulso que en la nueva etapa, y especialmente, durante la redacción de *Las monedas contra la losa,* me incitaba a escribir, era el hallazgo de un determinado tipo de metáforas, de naturaleza elástica y explosiva, esto es, inclinada de suyo a convertirse en una verdadera caja de sorpresas, muy parecida al mundo.

Causa psicológica del nuevo estilo

Con todo esto no he explicado sino la causa estética de la mutación estilística, no el «estímulo» psicológico que me la hizo posible. Y es que si estos últimos libros míos representasen un desarrollo de mi poesía en el sentido de la intensidad, ello se debería probablemente a que, al fin, las dos actividades fundamentales de mi psique, que de algún modo andaban hasta la fecha como separadas y ajenas una de la otra (me refiero a mi tendencia emotiva y a la racional y analítica) rescindieron su hiato y saldaron su resquebrajadura. Por un lado, yo había sido el autor de la *Teoría de la expresión poética* y de ciertos libros de crítica literaria; por otro, un poeta que lo fiaba todo, o casi todo, a la emoción con que un pensamiento lineal se enunciaba. ¿A qué se debía este divorcio de mis dos mitades anímicas? Luego lo habremos de examinar. Lo indudable es que sólo hacia los cuarenta años mi tendencia analítica se juntó definitivamente a mi capacidad emotiva, y el encuentro o soldadura de una mitad y otra de mi ser produjo como resultado un nuevo estilo en el que un lector curioso podría reconocer, en el poeta que escribía sus versos con intención puramente poética, al teórico y crítico que forjaba sus tesis racionales con intención puramente doctrinal. No se trata, por supuesto, de que yo, de pronto, me haya puesto a hacer una «poesía de profesor», si es que tal engendro existe en el mundo. Se me concederá, supongo, que haber cultivado la crítica y el análisis del fenómeno poético habrá de servir, cuando menos, para, precisamente, no caer en el grosero error de confundir dos tareas tan entre sí diversas y otras como son el arte y la ciencia. Lo que insinúo no es, pues, tamaña aberración, sino el hecho, perfectamente ortodoxo y hasta conveniente, de que el poeta que escribe versos que se desean exclusivamente poéticos *sea el mismo hombre* que como científico emite teorías que se desean exclusivamente verdaderas y válidas como tales. Pues bien: esa unidad, en cuanto realidad perceptible, no se dio en mí, creo, hasta la madurez ya aludida de mi edad, en que comenzó el tercer ciclo de mi producción, constituido por los libros *Oda en la ceniza* y *Las monedas contra la losa*[13]. Como científico me ha caracterizado tal vez la tendencia al análisis minucioso de las realidades sometidas a estudio, descompuestas por mí, no sé con qué éxito, hasta sus mínimas partículas, a cuya consideración detenida sólo a continuación procedía; o en otro sentido, la tendencia a remontarme, tampoco sé si con algún acierto, de causa en causa, hasta la que me parecía ser la más remota y originaria. En los dos casos, se trata de *una tendencia hacia lo exhaustivo,* un deseo de percepción meticulosa que no deje la menor porciúncula de realidad sin examen y consideración. Y a lo que iba: esta misma mente acuciada por estas mismas exigencias analíticas es la que actúa, me parece, en la redacción de los dos libros poéticos

---

[13] El primer ciclo sería la poesía «adolescente» de mis libros *Subida al amor* y *Primavera de la muerte,* que representan una fase de iniciación, aunque sin duda se vea en ellos dibujada ya, en sus líneas fundamentales, la visión del mundo, que luego tendrá más amplio desarrollo. El ciclo segundo lo representarían *Noche del sentido* e *Invasión de la realidad.*

mencionados. Sólo que ahora lo que se analiza de ese modo acuciante y escrupuloso o completo no es un objeto real, sino una entidad imaginaria, fantástica, puramente metafórica. En cuanto surge en esos poemas una imagen o un símbolo, se les intentan extraer todas sus posibilidades. El plano irreal de las dicciones figuradas es objeto de largos y complicados desarrollos en los que el poeta procura explorar y obtener la totalidad (de ser ello hacedero), de sus implicaciones semánticas. O es, al revés, una realidad y no una irrealidad, la sometida a análisis: en este caso, la minucia analítica consiste en asaetearlo con incesantes símbolos, cada uno de los cuales nos dice algo, a su manera irracional, del objeto. En suma: hay, en estos versos, una mente analítica en la que podemos acaso reconocer al hombre que también, en otras horas de su vida, hace o pretende hacer ciencia. Pero el análisis usa ahora medios y persigue fines *sólo poéticos*. O se indagan, con minuciosa racionalidad aparente, símbolos, irrealidades; o se indagan minuciosamente realidades imaginarias, pero por medios irracionales, simbólicos, en cuyo caso el autor procede por acumulación: al mirar cualquier objeto real, como acabo de sugerir, el poeta lo examina en cada una de sus porciones a través de un símbolo diferente, de modo que una sola realidad es objeto de toda una muchedumbre o cortejo de esa clase de figuras, que en su conjunto nos lo ofrecen analizado y descompuesto en sus menudos átomos. En los dos casos (análisis racional de las irrealidades y análisis irracional de las realidades), el poeta no suelta su presa, sometida a morosa investigación, hasta que la ha visto pulverizada en sus diversos elementos constitutivos. Correspondientemente, los poemas, que, claro está, no suelen ser breves, se organizan alrededor de unas pocas oraciones de gran extensión, y a veces de una sola oración que ocupa la pieza entera. Naturalmente, en una poética analítica como ésta se había de imponer, sobre el verso tradicional antes generalmente usado, la ancha amplitud de un versículo que, en su más libre manifestación, pudiese albergar la interminable minuciosidad del análisis.

Lo antes dicho nos lleva como de la mano a otra semejanza entre el teórico y el poeta. He afirmado que la técnica de *Las monedas contra la losa* consiste fundamentalmente en los dos aspectos contrarios de una misma tendencia: o se investiga con lento escrúpulo la totalidad de los elementos que forman una realidad, y entonces se amontonan los símbolos; o se investiga con idéntico esmero la totalidad de los ingredientes que forman una irrealidad simbólica, en cuyo caso el poeta utiliza un lenguaje de apariencia lógica, racional; el discurso toma entonces un aire doctrinal y ensayístico. Pero nótese que, como aquí la lógica está al servicio de la irrealidad, el resultado de la dicción racional será hacer aún más irracional la significación, del mismo modo que mi embuste sería mayor si encima de mentir diese detalles sumamente concretos del hecho que estoy con mi patraña falseando.

Con esto, el parecido entre el poeta y el teórico se acentúa: el estilo de corte doctrinal es el mismo en los dos casos. Pero la teoría en uno de ellos busca la verdad, y en el otro, es una pura metáfora, que intenta expresar, precisamente de modo irracional, significaciones no verdaderas y sólo verosímiles. Completemos y aclaremos nuestro pensamiento: al decir «sólo verosímiles» no se pretende afirmar que no puedan esas significaciones coincidir con la objetividad. Si lo verosímil tiene además la gracia de esa coincidencia, miel sobre hojuelas, pero no porque importe en sí misma, sino sólo porque en tal supuesto, su verosimilitud (su verosimilitud precisamente y no otra cosa) se hace más plena. Y es que en el poema (según dijimos ya), aunque algo sea objetivamente verdadero, no aparece como verdadero, sino sólo como verosímil, esto es, como algo que un hombre puede sostener sin dar pruebas de deficiencia humana.

Y aún anotaríamos un paralelismo más entre el poeta y el teórico, paralelismo que se deduce por sí mismo de lo dicho hasta aquí. Me refiero a cierta tendencia, relacionada, claro está, con la otra analítica, a titular los poemas con expresiones que significativamente parecerían, en principio, más propias de un libro de ensayos que de un libro de poesía. He aquí algunos de ellos: «Análisis del sufrimiento»; «Investigación del tormento»; «Investigación de mi adentramiento en la edad»; «Dilucidación de una muerte». El hecho no precisa de comentarios.

Y ahora pasemos a nuestra pregunta inicial. ¿Cómo hubo de producirse en mí esta considerable transformación estilística sin que se modificase paralelamente y al propio tiempo el esquema esencial de mi visión del mundo? Las anteriores reflexiones nos proporcionan un dato: si mi último estilo refleja con mayor fidelidad que antes al hombre que soy, se sigue que con anterioridad algún obstáculo parece que habría de estar entorpeciendo, en cierta proporción, la expresión idónea de mi ser. Una de las causas tal vez sea la extraña lentitud, que he podido comprobar muchas veces, de mi desarrollo espiritual, que se ha complacido en demorarse perezosamente en sus diversas etapas, como si cada una de ellas hubiese de ser definitiva. Al lado de ésta, y completándola acaso, podríamos hallar otra causa distinta: la discrepancia entre una innata tendencia mía al vuelo de la imaginación y el realismo envolvente en la literatura de los años de la posguerra, que obraba en mí, no como una coerción externa, sino desde dentro, y por tanto, con más eficacia, sujetando con mano firme y reteniendo la expansión de ciertas posibilidades expresivas de mi personalidad. El poeta vive su tiempo con fidelidad, que no nos obliga nunca a hacer lo que no queremos, sino que nos obliga precisamente *a querer* ciertas cosas, acaso opuestas a nuestras inclinaciones más naturales o espontáneas, las cuales quedan así como refrenadas, latentes. Un nuevo tiempo, con otras imposiciones íntimas, libera la personalidad sofocada, que entonces se expresa, en el caso mejor, que no sé si es el mío, con una plenitud más cumplida. Y lo que de este modo se expresa es justamente aquello que antes no podía hallar expresión, y justamente porque no había podido hallarla. Era algo que dentro de mí estaba sin decir y urgido por la necesidad de ser dicho. De ahí que la visión del mundo, que antes no había alcanzado todas sus consecuencias estilísticas, y por tanto, todas sus consecuencias semánticas (las correspondientes a ese nuevo estilo), permaneciese en lo esencial inalterable, aunque ahora viniera a sonar en un registro nuevo, más fiel, en nuestra hipótesis, a las cualidades que, en cuanto hombre, me son con más radicalidad inherentes, además de serlo, según dije antes, al vivo meollo cosmovisionario («primavera de la muerte») que yo trataba de expresar desde el comienzo mismo de mi carrera de escritor.

ANÁLISIS LÓGICO DE LAS IRREALIDADES: LA TÉCNICA DE «ENSAYO CIENTÍFICO» COMO METÁFORA O SÍMBOLO

Todo lo anterior ha sido dicho en un plano puramente abstracto que hemos de corregir debidamente ahora, yéndonos a ejemplificaciones concretas que comprueben, y sobre todo, amplíen nuestros asertos, hasta otorgarles sus justas proporciones. Ilustremos, en primer lugar, la técnica que hemos denominado «análisis lógico de las irrealidades». He ahí el poema «Investigación del tormento». Convendría que el lector, si ello le hubiere de complacer, lo examinase detenidamente por sí mismo, antes de proceder nosotros al reconocimiento de sus estructuras. Se inicia la composición con una afirmación que podría pertenecer a un libro de filosofía o de psicología:

> *Toda emoción se origina y se hunde en la realidad,*
> *arraiga como un árbol en ella, y de ella vive y se nutre,*
> *la representa y pone como un actor en el escenario, o un hábil diplomático en el salón del trono.*

Hasta aquí lo que se dice es, en lo esencial, cierto a todas luces, pues, en efecto, las emociones y los sentimientos interpretan siempre la realidad: mi miedo en la selva interpreta la selva como peligrosa; mi simpatía por Pedro interpreta a Pedro como poseedor de buenas cualidades; etc. Toda emoción es, en este sentido, una teoría. Pero nótese bien: si es una teoría, lo es *en este sentido que digo y sólo en él, no en todos los sentidos,* que es lo que el poema va a proponernos (como veremos) a continuación. Si pretendemos, en la apariencia de la literalidad, que la identificación

emoción = teoría

sea (como el poema va a pretender, repito) abarcadora y total, entraremos en el reino poético de la metáfora, usando este último término en su más rigurosa acepción. Y, en efecto, cuando en una metáfora «normal», el poeta dice, por ejemplo, que el «cabello» «es oro», lo que hace es generalizar irrealmente, y llevar hacia el todo, algo que es verdadero sólo para la parte: el cabello rubio coincide verdaderamente con el oro en ser de color dorado, pero no en el resto de sus cualidades. Llamar, pues, «teoría» a las «emociones» y hacer como si esa identificación fuese, no la verdad parcial que es, sino una verdad absoluta y total, constituye un acto estrictamente metafórico, poemático. Pues bien: en esto consiste la técnica que vamos a estudiar aquí como propia, por lo pronto, del poema «Investigación del tormento», pero que se da también, con característica frecuencia y de muy diversos modos, en mi poesía a partir de «Análisis del sufrimiento» (del libro *Oda en la ceniza*) que fue, cronológicamente, el primer poema de la serie que con él se abre. Aquí intenté, de hecho, una fórmula expresiva de la que no he logrado encontrar claros antecedentes. La diferencia que las metáforas insertas en esa fórmula ostentan con respecto a las otras metáforas (con respecto a las metáforas que acabamos de llamar «normales»), radica exclusivamente en que el dicho irreal, como comprobaremos pronto en «Investigación del tormento», no responde a la mera percepción de un dato de la experiencia (que el cabello y el oro sean, por ejemplo, amarillos), sino que resulta *de la elaboración mental* y hasta, si podemos decirlo así, científica, *de ese dato,* lograda a través de una reflexión de ese mismo orden. Añadamos entre paréntesis que lo propio que vamos a ver en «Investigación del tormento» sucedía en el mencionado poema «Análisis del sufrimiento». En este último, el dato científico, concretamente psicológico, del que se arrancaba, estribaba en decir que:

El cruel es un investigador de la vida

y su «exageración» «metafórica» o poética, venía a ser el hecho de llamar, como consecuencia, al «cruel», «amante de la sabiduría», aludir a su «filosófica labor», a su «meditación espantosa», etc.

Estos comienzos poemáticos en que el poeta arroja o dispara sobre el lector, como acometiéndole, una afirmación puramente doctrinal, sirven, no sólo para sentar la base de la especialísima «metáfora» en que el poema consiste, sino también para establecer, ya desde su raíz, el tono, como de ensayo o tratado, con que la entera composición va a ser enunciada. El desarrollo posterior, metafórico ya, del dicho ensayístico previo no destruye el acento aparentemente docto de que hablo, pues «desarrollar» el dicho consiste en tomarlo *como en serio* y sacar consecuencias *lógicas* de él. Claro está que esta lógica sólo lo es por modo puramente ilusorio. Como ya indiqué, cuanto más lógico semeja ser el aserto, más irracional resulta de hecho la significación de éste (irracionalidad que, por supuesto, difiere hondamente tanto de la superrealista como de toda la tradición contemporánea iniciada por Baudelaire). Lo que importa, sin embargo, es la impresión de logicidad a que esa técnica nos lleva, no sólo en su inicio doctrinal, sino, como digo, en el desarrollo metafórico de éste, pues tal logicismo aparente actúa como de contrapunto, a veces (pero no siempre, ni muchos menos) irónico, con respecto a las irracionales significaciones. Pues repito que el despliegue «metafórico» de la «científica» propuesta inicial lo primero que realiza es introducir el absurdo en la reflexión, llevar a ésta por alucinados corredores o países de ensueño o de humor (según los casos), que nos expresan algo, por modo rigurosamente poemático, muy distinto de su literalidad estricta, que posee en lo externo, según dijimos, aire fingidamente doctrinal. Veámoslo en «Investigación del tormento». El poeta ha afirmado, tal como recordé más arriba, que las emociones interpretan la realidad, que la representan en nuestra conciencia. Ahora bien: este mondo y escueto aserto, «científico» hasta aquí, se convierte en «metafórico», y, por tanto, en literalmente descabellado o «poético» en el instante mismo en que las ecuaciones:

emoción = teoría

y

emoción = representación de la realidad en la conciencia

son tomadas por el poeta con la extensión universal que poseen las ecuaciones realmente científicas (por ejemplo, la igualdad matemática $2+3=5$), de manera que a más cientificismo aparente, más delirio poemático se produce. Al entender la identidad «emoción = representación de la realidad en la conciencia» como universalmente válida y desarrollar en consecuencia esa validez, el poeta se verá llevado a comparar a tales emociones con los «diplomáticos», puesto que representan a la realidad en esa conciencia nuestra, y luego a aludir a las «medallas», los «entorchados» y las «cruces» que tales personajes, y, por tanto, las emociones mismas, pueden ostentar. He aquí un buen ejemplo de lo que en este trabajo (y en otros escritos míos) venimos denominando «desarrollos independientes» del plano imaginario E, tan característicos, en su extremosidad, de *Las monedas contra la losa* y también, pero con diversa frecuencia, de *Oda en la ceniza.* En este caso concreto, y aun en varios más, la técnica de que hablamos conlleva un cierto grado de ironía, pero en otros muchos, no. ¿Qué significa entonces esta burla, cuando se da, y, por consiguiente, el procedimiento mismo en cuanto a su uso en este sentido? Me atrevería a suponerlo como un desprecio que de la razón como tal hace el poeta, un rebajamiento desdeñoso del razonamiento discursivo, razonamiento que en un mundo, de suyo irracional y disparatado, no puede ser sino, a su vez, disparate y sinrazón. Enfrentamos, pues, aquí una de esas motivaciones parciales o «particulares» con que los procedimientos retóricos nos suelen asaltar, pues ya sabemos que la explicación última del recurso en cuestión es muy otra. Pero sigamos. El poema vuelve a la idea de que toda emoción es interpretación, teoría, y la equipara, en consecuencia, con la razón, a la que el poema comparativamente tiene en poco por su mayor lentitud interpretativa, defecto evidente de que aquélla, tan ágil, carece. Esto es, de nuevo, verdad, en un cierto plano; pero el poema, siguiendo la pauta que sabemos, convierte esta verdad en poesía al absolutizarla y «metaforizarla» en el sentido que más arriba hemos explicado. Compruébelo el lector por sí mismo, pues aquí hemos de ir de vuelo.

La composición llega ahora a una nueva fase. Puesto que emocionarnos es teorizar, veamos, viene a decir el poema, lo que sucede en un ejemplo concreto, especialmente interesante, de emoción: la que sentimos al ser atormentados. Como se ve, el paralelismo entre poema y tratado llega hasta el pormenor de tomar un ejemplo ilustrativo tras la exposición doctrinal. Si toda emoción es ciencia, afirma el texto poemático, la del tormento será una ciencia «en llamas»; será «proposición», sí, pero «diferida» (pues el dolor hace que el tiempo pase en nuestra psique con gran parsimonia); será la suya una «teoría», pero una teoría «minuciosa, ordenada, que examina lentísima, con esmero y escrúpulo exagerados cada porción de realidad adquirida», etc., etc. No puedo copiar, claro está, todo lo que el poema va aquí enunciando, pero pido al lector curioso de ello que procure ver en el texto cómo el poeta extrae con meticulosa exigencia las deducciones lógicas de la identificación establecida entre dolor y teoría. Estas deducciones serían válidas por completo en el terreno puramente especulativo si la ecuación de la que se parte fuese enteramente verdadera. Al no serlo, el aspecto científico, tal como dijimos, permanece, pero el resultado no es ya un ensayo, sino un poema, porque lo que se analiza, aunque aparentemente se tome como si fuese en sí mismo cierto, sólo tiene vigencia a nivel metafórico o simbólico: el enunciado poemático expresa, en efecto, entonces, de ese modo, no su literalidad «doctrinal», sino (*de forma, además, irracional*) la significación, tan diferente, que antes sugerí: la agoniosa lentitud con que los minutos parecen pasar en el ánimo de la persona que está sufriendo un gran dolor[14].

IMPLICACIÓN DEL ASERTO DOCTRINAL EN EL QUE LA METÁFORA SE ENGENDRA

Tomemos ahora otro ejemplo de lo mismo, pero en una variación acaso de algún interés que consiste en que el poeta ha sustituido en ella la aserción ensayística o puramente reflexiva del inicio poemático por su consecuencia metafórica. En este caso, al revés de lo que sucedía en el caso anterior, la metáfora entra directamente en el flujo poemático sin procedencias discursivas, pero no porque éstas no existan, sino porque se han hecho más discretas, disimulándose al refugiarse y como comprimirse en el título, ayudado acaso éste

---

[14] Quien desee examinar un diverso ejemplo de idéntica técnica, lea el poema «Salvación en la música», de *Las monedas contra la losa.*

en tal misión, si ello fuere preciso, por algún lema o alguna cita que amplíen suficientemente su sentido. El resultado de esta técnica de implicitaciones será, sin embargo, con frecuencia, el mismo que veíamos cuando los asertos doctos o ensayísticos se explicitaban en el inicio poemático. También aquí la metáfora conseguida por tan insólita traza diferirá de las usuales en la tradición poética, al no engrendarse en la experiencia inmediata de la realidad, sino en la elaboración intelectual de tal experiencia, con las consecuencias de sorpresa de que ya hemos hablado; pero, además, el desarrollo de esa metáfora proporcionará, como siempre, un cariz analítico a la entera composición. *Las monedas contra la losa* se abre con el poema «Decurso de la vida» (atendamos al título) cuyo lema luego diré. Escuchemos su comienzo:

¿Desde dónde nos hablas, prorrumpes hacia ti, pronuncias
tu relación secreta, tu oscuro
relato hacia la sombra? ¿Desde dónde
narras tu ser hacia la oscuridad (...)?

¿Qué es este relato pronunciado por el protagonista poemático? El poema lo aclara de inmediato:

narras tu ser hacia la oscuridad.

El relato es, pues, la narración de su propio ser que todo hombre realiza por el mero hecho de vivir. En efecto: «cuando morimos dejamos una historia, nuestra biografía. ¿Quién ha narrado esa historia, sino nosotros mismos, al ir viviéndola?». He ahí el «lema» (puesto, como todos ellos, *a posteriori* del poema, para mejor intelección de éste por parte del lector), el lema que viene a condensar la elaboración mental de la experiencia a la que acabo de referirme como pie de este tipo de metáforas. El poema, siguiendo el sistema expresivo que tanto caracteriza a este libro, parece tomar ahora «en serio» (de modo semejante a lo que veíamos en «Investigación del tormento») la ecuación, verdadera sólo parcialmente,

vida humana = narración

que acaba de realizar, y desarrolla en seguida minuciosamente esta última idea, la de «narración», la de «relato». La vida que vamos viviendo es, en sí misma, un «decir»; pero como la vida no tiene sentido, o lo tiene sólo a medias, en esbozo o insinuación confusos, ese decir será un decir «penoso», una «ignominia verbal», una palabra que se nos escapa, que no podemos controlar ni enunciar por completo, y que en cuanto fatigosamente al fin la llegamos a pronunciar, le ocurre «palidecer y anublarse» «en la intemperie suave de toda privación», etc. Todo el poema es un concienzudo y trabajoso análisis de nuestro esfuerzo por llegar a silabear plenamente el huidizo vocablo, que, de pronto, «da marcha atrás (...) hacia su origen puro / velozmente, hasta un cero semántico», que, claro está, no puede ser sino la muerte. Y sólo allí, sólo en ese cero semántico o muerte, o mejor dicho, más allá de él, en el pleno reino de la «no significación», ese vocablo, que es nuestra historia, nuestra biografía, se realiza «colérica»: se simboliza, pues, así que la vida, al llegar a su término fúnebre, es cuando nos dice al fin, bochornosamente y con rabia, su secreto, su verdadero sentido, que es, justamente, carecer de él [15].

Implicación del aserto doctrinal en un conjunto metafórico híbrido de intelectualismo y no intelectualismo

Creo que nos conviene considerar ahora en el poema «El río de las horas» un nuevo caso de la técnica examina-

[15] Otro excelente ejemplo del recurso sería el poema de *Oda en la ceniza* titulado «En el centro del alma», comentado más atrás en estas mismas páginas.

da en el epígrafe anterior, en el que ésta se ofrece con una curiosa modificación que incrementa sensiblemente el efecto de sorpresa que el procedimiento en general pretende. Como no puedo copiar esa composición íntegra, me aventuraría a sugerir al lector que la busque en el lugar correspondiente de mi libro, y la tenga presente luego en su ánimo, a lo largo del comentario que vamos a realizar.

Dada la importancia que en este sistema expresivo detentan los títulos y los lemas, percatémonos bien del rótulo que encabeza la mencionada pieza: «El río de las horas» («Tiempo en las cosas».) El poema comienza hablando de un «río». El lector sabe ya, por el título, de qué río se trata: es, en efecto, el río «de las horas», el río del tiempo. Hasta aquí la metáfora no da señales de novedad. Llamar «río» al tiempo pertenece al reino de la observación cotidiana, sin mediación de elaboración reflexiva alguna. En este caso, la elaboración no interviene, en efecto, en la formación de la metáfora como tal, que es lo que hasta ahora veíamos, pero sí en la formación de su desarrollo, para lograr el cual el poeta ha echado mano de otra metáfora que queda implícita, una metáfora de apoyo, ésta, sí, «intelectual» (llamémosla de ese modo, cuidando sólo de no malentender el calificativo). Esta segunda metáfora que viene en auxilio de la primera sería la identidad «tiempo = cosas», nacida de la consideración («intelectual», como digo) de que el tiempo no es nunca percibido abstractamente por nosotros, sino de manera concreta en las realidades, en los objetos y en nosotros mismos, que son los que y somos los que envejecemos y mudamos. El tiempo está, pues, en las cosas, es de algún modo, en ese sentido, las cosas mismas, o finge serlo, tal como el lema nos sugería y como aún más nos sugerirá la cita, muy significativa y aclaratoria, que a ese lema acompaña:

> *El tiempo está en las cosas, en mis dedos,*
> *en esa mesa de nogal...*

El tiempo simulará, pues, ser mis dedos, y simulará también ser, por ejemplo, una mesa, o, como dice, no la cita sino el poema, un armario, etc. En este caso, el desarrollo metafórico lo que despliega y ensancha es el conjunto formado por las dos metáforas «tiempo = río» y «tiempo = cosas», o sea, «tiempo = ríos y cosas», conjunto considerado así como un todo híbrido (ya que, «híbridamente», la primera metáfora resulta no intelectual, al contrario de la segunda), un todo en perfecta soldadura y combinación. Veamos. La cualidad propia del «río» es el flujo, el movimiento; la cualidad propia del armario es el reposo. Como el «tiempo» es un «río» tanto como un «armario», nos las habremos aquí con una criatura, el «tiempo», que gozará de las cualidades, lógicamente inconciliables, de moverse y de no moverse. En cuanto río, se moverá; en cuanto armario, permanecerá inmóvil:

> *avanza silencioso, imperceptible*
> *entre mis dedos simulando su forma*
> *precisamente cual si fuese dedos,*
> *con astucia, disfrazado de armario,*
> avanza *por la habitación,*
> *avanza* inmóvil *como un ataúd*...

He ahí la sorpresa, que la fusión metafórica, al desplegarse, lleva consigo, tal como empecé por decir; sorpresa renovada después a cada instante en la pretensión poemática, y que al ser, en este caso particular, una sorpresa de índole especialmente delirante, elimina, de entrada, todo aire docto, al análisis de la doble metáfora «tiempo = río + cosas», a que el poema, como en los demás casos, se entrega. El cientificismo, útil poemáticamente en muchos momentos, hubiese sido aquí, a todas luces, improcedente [16].

---

[16] Otro ejemplo, aunque algo distinto del mismo procedimiento estudiado en el texto, podría ser el poema «Investigación de mi adentramiento en la edad».

Un ejemplo de análisis irracional o simbólico de las realidades: técnica acumulativa

Pasemos ahora a la ejemplificación de la otra posibilidad: que el análisis no se aplique a una irrealidad metafórica o simbólica, sino, al revés, a una realidad. En tal caso, se impondrá una táctica de amontonamiento: al traducir con un símbolo distinto cada parcela, igualmente distinta, por mínima que sea, del objeto real contemplado, el resultado, hemos dicho ya, forzosamente habrá de hacerse acumulativo: el objeto real quedará descompuesto en una verdadera multitud de símbolos que, en conjunto, lo representan. Elijamos como ejemplo el poema «Era un poco de ruido». Se habla de una criatura humana, pero soñada en una perfección tan fuera de lo común que resulta en cierto modo redentora y como prometedora de una vaga salvación. Es, en fin, uno de tantos dioses del Más Acá que en mi poesía pululan; pero entendido ahora en su versión más luminosa, lejos del patetismo trágico que otras veces acompaña a esta clase de figuras. Pues bien: esa realidad única (la criatura que digo) queda vista no en una sola de sus actitudes o cualidades, sino en una muchedumbre de ellas, cada una de las cuales se expresa a través de un símbolo diferente. Sólo pondré un breve ejemplo, de entre los innumerables que el poema nos brinda. Se habla de un cuerpo, el de esa criatura, en cuanto expresión de su alma, y se dice de él:

un cuerpo espléndido, metido en oros, o en lluvias, o en
atardeceres o en colinas,
pero sobre todo en matutinas pronunciaciones,
en picudas revueltas.

Esa alma que el cuerpo está revelando, se nos viene a decir, tiene en ciertos momentos belleza y resplandor como de oro («metido en oros»); pero otras veces nos da la impresión de una como misteriosa tristeza superior (metido en «lluvias»), o bien de una bella languidez lenta (metido en «atardeceres»), o de una gran pureza e inocencia (metido «en colinas»); pero sentimos, sobre todo, ante él, sigue diciendo el poema, la fuerza indomeñable de lo juvenilmente afirmativo (metido en «matutinas pronunciaciones») y hasta de lo agudamente revolucionario (metido en «picudas revueltas»). La pulverización analítica que vemos en tan corto fragmento extiéndalo el lector a la totalidad del poema, pues todo él se halla construido de esa guisa: no es, en su conjunto, otra cosa que un pormenorizado análisis. Y como se trata de reflejar todas las posibilidades de la realidad sometida a investigación, aparecen con gran frecuencia (y hablo ahora no sólo de este poema, sino del libro en general) nexos que indican, de hecho o implícitamente, disyunción («o», «o bien», o «quizás», etc.), y hasta esa forma extrema de disyunción, que es la oposición completa («o al revés»). El volumen abunda en estas partículas y otras semejantes, que le prestan un semblante especial, percibido por el lector, creo, en seguida [17]. Léase, por ejemplo, a este propósito, poemas como «La feria», o «Juan de la Cruz», «Sola», «Investigación de mi adentramiento en la edad», «Salvación en la música», «Desde todos los puntos y recodos...», etc.

Análisis como contemplación

Hemos encontrado hasta ahora dos posibilidades de análisis. Según la primera de ellas, era el plano irreal de un símbolo o metáfora el sometido a minuciosas indagaciones: la sensación propiamente analítica se engendraba, justamente, frente a este caso. Según la otra posibilidad, era el objeto

[17] José Olivio Jiménez notó ya esa peculiaridad estilística en un ensayo suyo acerca de *Las monedas contra la losa,* publicado en *Plural* (México), número 46, julio de 1975, aunque la interpreta desde otro punto de vista.

real el así indagado. Pero apresurémonos a decir que este nuevo tipo de análisis al no realizarse en la patencia poemática misma, sino exclusivamente en el instante previo a la creación, allá en la mente del poeta, no era percibido de modo inmediato como efectivo análisis por el lector, que sólo tenía ojos para su consecuencia sintagmática: la acumulación de símbolos. En suma: aunque las dos actividades sean, en realidad y de un modo unitario, analíticas, sólo la primera pone tal hecho en relieve y manifestación, de modo que, a nivel de puras apariencias, podemos hablar de dos cosas diferentes: análisis y acumulaciones.

Desciendo a estos detalles, porque se nos harán útiles ahora para poder entender el nuevo marco en el que va a actuar el gusto por el análisis. Hasta el presente instante, el análisis era protagonizado por el poeta. Pero cabía un diverso uso de él: que en vez de ser el poeta *el sujeto* de tal actividad, fuese tan sólo *su contemplador*. Para el poeta, en efecto, el análisis devendría entonces mero espectáculo, desde su categoría dinámica previa. Y aquí es donde aparece la conveniencia de nuestras especificaciones anteriores.

Pues lo que el autor se dispone en este momento a contemplar resulta poseer una exacta correspondencia con la dúplice realidad a que se dirigían nuestras distinciones preliminares. Y así el objeto a tal propósito de la percepción realizada por el narrador poemático es, precisamente, una de estas dos cosas: o bien análisis propiamente dichos, o bien, acumulaciones, amontonamientos, profusiones.

Empecemos por los análisis. Se trata, recordemos, no de que, como antes, el poeta *analice,* sino de que el poeta *perciba* el análisis que otra criatura lleva a cabo. En el poema «Pedro ladrador» es un animal de esa especie el encargado de tan minuciosa faena:

Al Norte, al Sur, al Este y al Oeste
ladras; pequeño ladrador de diminutas

invisibilidades, tercas delicias en el jardín amigo,
alguna sombra de un pájaro que pasa, alguna brizna
leve de hierba. Registras con meticuloso ladrido
la pormenorizada realidad de las cosas, dulces trivialidades
que tú conoces y amas...

o es el gran dolor el que, al poner en ritmo lentísimo la impresión psicológica del paso del tiempo, puede aparecer como demorada «indagación en la insignificación de la vida», como revelador de minucias. El dolor del tormento es una teoría:

minuciosa, ordenada,
que examina lentísima, con esmero y escrúpulo
exagerados,
cada porción de realidad
adquirida...
....
Y es así como el dolor del tormento resulta ser detallada
revelación
de invisibilidades...
El dolor del tormento es entonces indagación en la insignificación de la vida.

Mas el análisis que en *Las monedas contra la losa* llevaba a la *proliferación* y *prolongación* del plano irreal metafórico o simbólico admitía contemplación también, no sólo en calidad de acto ejecutado por alguien ajeno al poeta (un perro o el dolor), sino también en calidad, a su vez, de *proliferación* o *prolongación* en cuanto tales de una realidad determinada. Así, la piel sobrante del cuerpo cargado de años queda interpretada en «Investigación de mi adentramiento en la edad» como fruto, digamos, de una desmesurada fecundidad celular, un exceso de celo, un crecimiento superfluo más allá de toda medida:

Es el estruendo
de estío, el ruido de una procreación
multitudinaria, el alzamiento de una melodía
analizada infinitamente al revés por un músico experimentado en desórdenes,
y todo crece como un laberinto complicándose en la interminable planicie
desierta, que nunca termina de hacerse, y prosigue, no obstante, monótonamente, extendiéndose informe, a medio estar, a medio caminar
por el extraviado dolor.

En «La cuestión» acontece algo similar: Dios, en ese poema, queda visto «como una copa de aparición»,

como una enorme copa de manifestación que creciese,
como una ola que siguiese encrespándose más allá de los límites de su plenitud,
más allá de los horizontes de su posibilidad,
y siguiese creciendo después...

Pero no sólo los análisis, también las acumulaciones, según dijimos, pueden ser «contempladas». En «Salvación en la música», al referirse el poeta a las distintas situaciones expresadas en una composición de esa clase expone, como una de ellas, la presencia del protagonista:

en una selva, donde el desorden no es caos, sino revelación de una hondura que precisa la declaración de un tumulto, abundancia de lianas que descienden perezosamente y con profusión calculada del árbol de la goma,
o del boabad o de la poderosísima ceiba.

El resultado de todo lo dicho es que si la cita del poema «Investigación de mi adentramiento en la edad» podría, aunque con cierta borrosidad, ser equivocadamente tomada como aproximada descripción de la técnica analítica de mis versos, la cita de «Salvación en la música» podría, a su vez, entenderse, incurriendo, por supuesto, en igual error, como descripción metafórica de la técnica acumulativa de ellos. Se trata únicamente, claro está, de meras coincidencias, pero, según resulta, creo, de las anteriores reflexiones, tales coincidencias andan lejos de ser fortuitas.

PARTICULARIZACIÓN Y CONCRECIÓN: «CASUISMO SIMBÓLICO»

Hay, pues, en el autor una tendencia analítica que opera en todos los niveles y direcciones posibles. Pues no hemos agotado aún el examen de sus diversas actividades; antes al contrario, hemos dejado sin consideración la más importante de todas: la vocación de particularismo y concrección que sella, muy centralmente, esta poética.

¿Y en qué sentido deriva también de un «análisis» este gusto por lo concreto? La respuesta es sencilla: lo mismo que el llamamiento analítico, experimentado por el autor, hace a éste despedazar los todos y contemplarlos únicamente en sus ingredientes constitutivos, le habrá de arrastrar, con idéntico ímpetu, a no ver lo general sino en sus particularizaciones, trátese de realidades o de símbolos. Rehúye el poeta, en consecuencia, las abstracciones, y se refugia en alguno, algunos y hasta en muchos de los casos particulares que tales abstracciones encubren, un poco al modo de los primitivos, y, en general, de los hombres de la Edad Media, que, de otra manera y por motivos muy diferentes, tendían, asimismo, a representar las ideas universales, poniendo en su lugar los «enxemplos» o los «casos» en que aquéllas podían descomponerse. Y ello en las más diversas esferas de la cultura, desde la religión y la moral, hasta el amor, la legislación y la política, pasando por cuantos contenidos puedan imaginarse, protocolo y etiqueta incluidos. La mirada del narrador poemático, en los dos libros que ahora nos ocupan, siente, como la del hombre medieval, horror a cuanto no puede verse y tocarse, y propende, como él, en consecuencia, a proponerse particularizaciones e incurrir, a su especialísimo modo, en un peculiar casuismo. Domina el aquí y el ahora, lo que habita en un tiempo y en un espacio dados. Esta poesía, cuya raíz recibe bastantes veces su savia, según dijimos, de una consideración intelectual («origen frecuente de las metáforas en una elaboración reflexiva de la experiencia») reduce su intelectualismo a bien poca cosa, pues, en todo lo demás, actúa, según se nos va poniendo de manifiesto, en dirección opuesta, repugnando las generalizaciones de modo tan absorbente y exclusivo que creo ha de llamar la atención de los lectores. Tomemos un primer ejemplo: el poeta busca, sin duda, referirse a «el hombre»: el hombre (obsérvese bien) genérico. ¿Qué hará para lograrlo? Siguiendo la norma a que acabo de aludir, no mencionará explícitamente en el texto a ese hombre genérico, precisamente por lo que tiene de abstracto, sino que lo verá representado en uno sólo de ellos, un hombre particular, que hace esto o lo otro, aquí y ahora. Y como ese hombre concreto, situado en un instante y en un sitio, no agota el término universal al que en realidad quiere el poeta referirse, habrá éste de multiplicar (como, nótese bien, hacía medievalmente el Arcipreste de Talavera en su *Corbacho* con muy distinta intención) las circunstancias en que lo viene a contemplar, para que el lector se percate de la pretensión universalista del enunciado poemático:

Mientras en tu oficina respiras, bostezas, te abandonas, o
dictas en tu clase una lección
ante extraños alumnos que fijamente te contemplan, con
sueño aún en la temprana hora:
mientras hablas, mientras gesticulas en el café, o inmóvil
te concentras en la meditación
de tu escritorio, o echado en el hondo diván

repasas lentamente recuerdos de tu vida; mientras quieto te abismas en la visión de la llanura interminable, o mientras escribes una lenta palabra y te recreas en su dulce sonido, en su amorosa realidad,
caes, estás cayendo...

(«Mientras en tu oficina»).

En este ejemplo se trata de un término real, pero no ocurrirá cosa distinta cuando se trate de un término irreal: simbólico, metafórico y hasta superpositivo (superposición temporal o espacial). El mecanismo analítico entrará igualmente en juego y la generalización se disminuirá en particularización, en concreción. Vea el lector, si a bien lo tiene, el resto del poema cuya primera estrofa hemos copiado. En él, el elemento simbólico es tan concreto y «casuístico» como el real al que representa. El poeta, como lo que desea es darnos, junto a la realidad humana de que habla, la fúnebre proyección metafísica que ya en ella se encierra («primavera de la muerte»), expresará simbólicamente esa proyección por medio de una verdadera superposición espaciotemporal: el protagonista poemático que «en su oficina», etcétera, hace tal o cual cosa, está «cayendo hacia atrás en una quebrada del monte»; «herido en la boca, en las manos, el pecho», sangra «por un oído», etc. Es decir: en vez de enunciar sin más la idea universal de «caída», describe el autor minuciosamente ésta en su *concreción* (los detalles citados son únicamente algunos de los que el poema menciona); la describe, pues, con una pormenorización casi fotográfica, que, paradójicamente, habría que llamar «naturalista» o «realista», si ello no trajese alguna desorientación o malentendido. Pues este supuesto «realismo» tiene mucho de sospechoso y fuera de la vía ordinaria: téngase en cuenta que lo realizado aquí por el poeta no es un símbolo de disemia heterogénea, un símbolo «de realidad» (que es realista por definición), sino justamente, una «visión» («atribución de cualidades *imposibles* a los objetos»), o sea, un modo de símbolo que (también por definición) resulta de suyo, e irremisiblemente, *irreal*. Se trata, por tanto, de un simbolismo *irreal* al que le acontece la curiosa y singular aventura de darnos una impresión *realista*. Pues bien: este *irrealismo* «realista» de tan paradójica y, por supuesto, de tan insólita traza, lejos de ser excepción, es regla en todos o casi todos los poemas de mis dos últimos libros. Los símbolos o metáforas (no siempre son símbolos) *irreales* que en ellos se dan, tienen, pues, como fundamental característica, la de no parecerlo, ya que el poeta les ha extirpado de raíz su nota más decisivamente inherente, que es la formulación abstracta.

Pongamos algunos ejemplos. «Investigación de mi adentramiento en la edad» pretende simbolizar, como más arriba indiqué, entre otras cosas, lo que de flojo y sobrante hay en el cuerpo del viejo: su piel, como desocupada y excesiva, parece fruto de la actividad, demasiado proliferante, de unas cédulas en ejercicio paroxístico. ¿Cómo representará el poeta este dinamismo corpóreo? Así:

Y se da el caso que es justo en este momento cuando cada
cosa rivaliza en actividad, cuando comienza la carrera,
el salto de vallas,

etcétera. El autor ha pretendido expresar aquí la supuesta velocidad del crecimiento de la piel a través del símbolo de una carrera deportiva muy concreta; pero esto parece no bastarle: aún individualiza más el contenido de ese símbolo, especificando a continuación la clase de carrera a que se alude: el «salto de vallas». La afición casuística al «enxemplo», y, dentro de él, a apurar nuevamente, si cabe, en un último afinamiento, la especificación de la idea general, se percibe por doquier en el libro. «Salvación en la música», por ejemplo, nos habla, según sabemos ya, de cómo las obras musicales hacen que, momentáneamente, nos identifiquemos con cada situación humana expresada en ellas. Como es norma en esta poesía, tal generalización habrá de pulverizarse en algunas de sus numerosas particularizaciones, cuatro en el siguiente fragmento: al oír un concierto

nos sorprendemos extrañamente inmóviles mientras nos agitamos y damos la mano a una antigua amistad
a la que jamás conociéramos;
o corremos con desesperación hacia la persona que amamos desde hace mucho, tras mucho acontecer y penar, en insomnios acongojantes, sobre arena baldía.

Corremos hacia la persona que amamos de ese modo
bien que nunca supimos su rostro, ni nuestro corazón se conmovió ante su ser.

Estamos en un jardín donde todas las rosas resultan significativas,
o en una selva, donde el desorden no es caos, sino revelación de una hondura que precisa la declaración de un tumulto, abundancia de lianas que descienden perezosamente y con profusión calculada del árbol de la goma,
o del baobad o de la poderosísima ceiba.

Y lo mismo que en el caso de la «carrera» y el «salto de vallas, también aquí, en el penúltimo largo versículo y en el último, la idea general metafórica (música = identificación) especificada ya en una situación («estamos en una selva») se lleva a máximo realismo con la referencia concreta al árbol de la goma» «o» al «baobad» «o» a la «poderosísima ceiba».

«Precio de la verdad» de *Oda en la ceniza* se refiere, en un pasaje, al amor mercenario:

Comprar por precio una reminiscencia de luz,
un encanto de amanecer, tras la colina, hacia el río.

Esa luz, ese encanto de amanecer, etc., representan, simbólicamente, lo que debería ser el alma en el instante del amor, y, por tanto, lo que desearíamos que fuese el alma, toda alma, en tal instante, hasta la de aquellas personas cuya entrega, sin embargo, se solicita, y acaso se concierta, «por precio». Lo que aquí interesa a nuestro propósito es volver a comprobar la gradual especificación, a que el poema, siguiendo su tendencia más profunda, se dedica. Llamar «luz» o «reminiscencia de luz» al amor responde al uso abstracto que es inherente a la tradición simbólica. Pero el poema no se satisface con tal uso. Inmediatamente, ese término, «luz», de enunciado genérico, se especifica en «encanto de amanecer»; y, por si esto no fuese suficiente, se llega en seguida a la intención individualizadora que supone, no ya situar el «amanecer» «tras» *una* «colina» y hacia» *un* «río», sino, más aún, situarlo «tras *la* colina, hacia *el* río», es decir, «tras esa colina y hacia ese río que tú y yo conocemos muy bien [18]. Tal es precisamente, el sentido que en mis dos libros últimos, posee, si no me engaño, el empleo del artículo determinado en casos en que, como aquí, se utilizaría, normalmente, el indeterminado. Y en efecto, se trata de aproximarse lo más posible a la completa determinación.

La tendencia es radical y coercitiva: un poco antes del fragmento copiado, se puede leer en el mismo poema:

Yo me pregunto si es preciso el camino polvoriento de la
duda tenaz, el desaliento súbito
en la llanura estéril, bajo el sol de justicia,

---

[18] En este caso, la progresiva concreción del simbolismo inicial tiene además la ventaja (y ello es muy frecuente) de que los nuevos símbolos, además de determinar al primero, le añaden matices semánticos poéticamente interesantes. Aquí, «encanto de amanecer» y luego «colina» expresan «inocencia»; «río», «frescor». No es, pues, lo mismo decir sólo «reminiscencia de luz» que decir además lo que el poeta agrega a ese sintagma.

la ruina de toda esperanza, el raído harapo del miedo, la desazón invencible a mitad del sendero que conduce al torreón derruido.

«*la* llanura», *el* «torreón» («al torreón»), etc., en vez de «en *una* llanura estéril», «*un* torreón»: estamos frente al mismo sistema de concreciones. Y por todas partes que mirásemos, habríamos de encontrar lo propio.

Causas del casuismo o particularismo simbólico

Ahora bien: ¿cuál es el sentido estético de esta proclividad de tan irrestañable flujo a lo largo de dos volúmenes poemáticos? Los símbolos y metáforas irreales, por el mero hecho de abreviarse en una situación o un dato de concreción suma, adquieren, tal como sugeríamos antes, un aspecto realista, que pese a ser engañoso, nos obliga a tomar su irrealidad, aunque sólo a nivel emotivo, «*en serio*», es decir, a tomarla, *a ese nivel* (y sólo a ese nivel), sin el descrédito que la razón arroja sobre todo aserto que le es incompatible. Expresado con claridad: la razón desacredita (por supuesto, en la conciencia) la literalidad del dicho, a causa de su absurdo; pero el preconsciente, *engañado por la apariencia de realidad que tal dicho posee,* no lo desacredita. Y el resultado de esta afirmación preconsciente del dicho lo percibimos en la emoción, en la que tal afirmación se implica. Nuestra emoción nos dice entonces que lo irreal es real. Y al *sentir* lo irreal como si fuese real, puesto que lo parece, lo irreal forzosamente habrá de adquirir la visualidad o relieve que a lo real siempre acompaña, pues ese relieve o visualidad no es otra cosa que fe en la existencia de eso que tenemos delante. El aserto irreal al visualizarse en este sentido, al revestirse de fe y acusarse con fuerza ante nuestros ojos, podrá, por definición, cumplir mucho más intensamente su cometido: se hará, así, en principio (caso de que no medie un fallo artístico) de un valor poético más elevado. Volviendo a enunciar lo mismo en un giro diverso: lo irreal, al recibir plasticidad y seriedad *sorprende* más y, por tanto, nos entregará su significado con una plenitud mayor [19].

He aquí, pues, que hemos llegado a determinar que la finalidad de este recurso es también, como en los otros casos, la consecución de la sorpresa. La sorpresa: ése es el norte al que toda mi poesía última, desde todos sus rasgos de estilo, parece apuntar, y ello por las razones estéticas y cosmovisionarias que se nos han hecho, o parecen habérsenos hecho, notorias.

Enlace con la tradición inmediata realista

Llegamos con esto a un punto de especial interés: el de mis débitos literarios. Mi débito, por lo pronto, con la época inmediatamente anterior a aquella en que irrumpió la última fase de mi poesía; y mi débito, asimismo, aunque de otra manera, con el período irracionalista previo a esa época: me refiero al período que, iniciado por Baudelaire, se viene a cerrar con el superrealismo.

---

[19] Las expresiones, al ser más sorprendentes cuando se visualizan, se separarán más del estereotipo lingüístico; pero esa separación es justamente la primera de las dos leyes poemáticas estipuladas en mi *Teoría de la expresión poética,* y ello supone que esa sorpresa mayor que la visualización proporciona habrá de hacer más poético al dicho, si la segunda ley, el asentimiento, funciona en condiciones de igualdad en todos los casos. Aclaremos en seguida que esto no implica, claro está, la imposibilidad de otros tipos de poesía, distintos de la lograda por medio de la sorpresa, ya que, entre otras cosas, el cumplimiento de la primera ley (desviación del hábito lingüístico) puede realizarse sin que el lector tenga conciencia de ello, y por tanto sin posibilidad de asombro (por ejemplo, al usar, digamos, símbolos «de realidad»). Lo que quiero expresar es, pues, que si el poeta elige la sorpresa como medio de poetización, la cuantía de la descarga estética será directamente proporcional a la cuantía de la sorpresa, como se hace fácilmente comprensible, siempre que el asentimiento, vuelvo a decir, no varíe.

Mencionábamos antes ciertos nexos y sintagmas de disyunción («o», «o bien», «o quizás», «o al revés», etc.) de que el libro *Las monedas contra la losa* es particularmente rico. Nótese que se trata de nexos visiblemente especulativos, a los que habrían de ser agregados ciertos giros, de cariz también marcadamente prosísticos, aunque de otra índole, que en tal obra pululan:

despreciables, he dicho, pero debí tal vez decir accidentales,
ya que *pertenecen*
al mundo serio de la historia, y pues que *verdadero, sin realidad.*

(«Sola»)

...algo duro, repito, *o bien tenso...*

(«La feria»)

sospechoso, repito, *de algo como fosforescencias retardadas*

(«Elucidación de una muerte»)

más allá, en fin, *del insignificante envejecer...*

(«Salvación en la música»)

como una piedra, digo, *o una estatua...*

(«El joven no envejece jamás»)

Sin duda no se le escapará al lector la relación en que todo este paquete o conglomerado de expresiones acusadamente lógicas y como propias de la prosa didáctica se halla con respecto a la engañosa impresión, que muchos de estos poemas pretenden dar, de lo que llamábamos «cientificismo». Contribuyen, en efecto, a sumirnos en esa atmósfera, como reflexiva, de ensayo, que antes expliqué. Ahora bien: todo ello, nexos y giros prosísticos, y también, y sobre todo, el «casuismo» o «realismo» aparente de las irrealidades, y más aún, el aire mismo de meditación discursiva en que el aparato expresivo como tal, en su conjunto, descansa, hubiese sido imposible, sin el extremoso realismo de la poesía de posguerra, del que, cosa curiosa, pero nada misteriosa, mi poesía se había apartado antes en cuanto a tal extremosidad (no en cuanto al realismo en sí, pues mis versos, desde *Subida al amor* hasta *Invasión de la realidad,* incurrieron, sin duda, a su modo, en él). Lo que hacen ahora mis dos últimos libros (y especialmente el último) con la tradición inmediata a que aludo es tomar estos elementos de ella de tan llamativo realismo (que, como digo, habían sido ajenos a mi inspiración esencial anterior); desconectarlos de su sentido propio, y así, sacados del quicio o sistema realista en que estaban; desarticulados y ya puestos en otro sistema o quicio, servirse de ellos para el logro de una finalidad diametralmente opuesta: una finalidad precisamente irracional. (Añado a lo dicho en este capítulo de influjos, una nueva fuente evidentísima: mi propia prosa teórica, de la que pueden verse claras huellas, muy explicables, en el verso de *Las monedas contra la losa.)*

Enlace con la tradición mediata irracional

Irracionalismo, pues. Éste es, justamente, el sitio por el que mi poesía última vino a enlazar, inesperadamente (mirando como a través del realismo y logicismo de la posguerra y, por tanto, como resultado de hegeliana síntesis) con la otra tradición, mediata ésta: la que desde Baudelaire corre, más caudalosamente cada vez, hasta el superrealismo. Sólo que, como ya dije, al obtenerse ahora la irracionalidad expresiva por medio de módulos de apariencia lógica, tampoco esta tradición segunda permanece indemne y la misma: la tradición irracional previa queda en *Oda en la ceniza* y en *Las monedas contra la losa* acogida tanto como transformada. Veamos la dosis que de ambas opuestas actividades pueden ser apreciadas en el nuevo producto.

Por lo pronto, mi poesía última utiliza, en cantidades considerables, los procedimientos simbólicos, tan característicamente propios del magno período antecedente. Mis libros previos usaban también, por supuesto, los símbolos, pero siempre con gran moderación, pues apenas hay en tales libros otra cosa que aquella simbología que es de suyo imperceptible como tal, la simbología realista o de disemia heterogénea, si exceptúo un grupo de poemas de *Invasión de la realidad*, donde abunda ya el simbolismo irreal, perfectamente visible y hasta escandalosamente visible. No por azar, esos poemas fueron los últimos, cronológicamente hablando, que, por entonces, escribí: «El agujero», «Estas palabras», «Confesión de un hijo de este siglo», «Resumen», y algún otro. Por cierto: asoma la irracionalidad de ese tipo irreal, justamente cuando el libro, en sus dos partes finales, se pone a cantar «la gran ausencia», la ausencia divina, que introduce en el mundo el absurdo. No me parece que ello sea casual: el irracionalismo en mi poesía (el irracionalismo menor de *Invasión de la realidad;* pero también el mayor de *Oda en la ceniza* y el de *Las monedas contra la losa)* se constituye, a mi entender, como una manera de formular el desconcierto y sinrazón de un universo en donde Dios ha desaparecido. Apuntemos esto: esa formulación sería simbólica en segundo grado: se trata de un simbolismo que, además de enunciar, de manera inmediata, el significado que en cada caso le corresponda, enuncia, en su conjunto, de manera mediata (como tal simbolismo, pues) la contemplación de un mundo insensato.

Pero continuemos. Pertenece, además, a la tradición irracionalista de que hablo, el uso de los «desarrollos independientes» o «no alegóricos» del plano en las metáforas A = B de que mi obra se sirvió (aunque en otro grado de mucha más profusión y complejidad) para sus complicados métodos de análisis. Según sabemos ya (lo vimos en Claudio Rodríguez), este artificio consiste en hacer referencia, dentro de las composiciones poemáticas, a las cualidades del plano evocado B que no tienen correspondencia en A. Así ocurre, para poner un ejemplar de gran atrevimiento, cuando el poeta ruso Vladimir Maiakovski decía:

Yo me haré pantalones negros con el terciopelo de mi voz.

Aquí la metáfora es una identidad, «voz = terciopelo», basada en el único parecido existente entre ambos elementos: la suavidad. La técnica de que hablo consiste, justamente, en tomar en consideración poemática a las otras cualidades del plano B, «terciopelo» (ser una tela y además de color negro) que no pueden hallar traducción metafórica de carácte lógico (es decir, consciente) en el plano real A: en «voz» («Yo me haré pantalones negros»). Ni la voz tiene color, ni es de tela, ni hay siquiera en aquélla, en «voz», ninguna cualidad, perceptible por medio de la razón, que pudiere ser vista como correlativa de esos dos atributos del terciopelo. Lo contrario de estos ensanchamientos imaginativos «independientes» con respecto a A, realizados en el plano B, serían los ensanchamientos de la misma clase, pero «dependientes» ahora de A, que han sido denominados «alegorías». Las imágenes tradicionales, las anteriores a Baudelaire, se desarrollaban, en efecto, alegóricamente. Cuando un poeta (en este sentido, tradicional) desplegaba las notas del plano metafórico B, se veía obligado a desplegar, simultáneamente, otras tantas notas del término real A que fuesen la exacta traducción, matemática y miembro a miembro, de cada una de aquéllas. Esto es lo que hace, por ejemplo, Góngora, cuando escribe:

Sobre trastes de guijas
cuerdas mueve de plata
Pisuerga, hecho cítara doliente,
y en robustas clavijas
de álamos los ata
hasta Simancas que le da su puente.

Al descomponer la imagen «cítara» en cuatro de sus componentes (trastes, b_1, cuerdas, b_2, clavijas, b_3, y puente del instrumento, b_4), el autor ha de descomponer en la misma cuantía y proporción el plano real A, río Pisuerga (guijas, a_1 corriente fluvial, a_2, álamos, a_3, y puente de Simancas, a_4), de forma que cada uno de los términos obtenidos sea la versión precisa en la esfera A, «río», de uno de los elementos de la esfera B, «cítara». Y así, los «trastes» son las «guijas»; las plateadas «cuerdas» son las «aguas del río en su transcurso»; las «clavijas» son los «álamos» y el «puente del instrumento» es el «puente de Simancas». Se persigue con esto que el análisis de B no destruya la semejanza objetiva de los dos elementos puestos en comparación: la semejanza entre A, «río», y B, «cítara». Las imágenes contemporáneas pueden, como gran novedad, desdeñar esta estrategia alegórica de correspondencias lógicas, y colocarse en situación de franquía para entregarse a la amplia libertad que supone el desarrollo de B sin compromisos con A, justamente porque el parecido entre A y B no les importa: el intrasubjetivismo contemporáneo hace que el poeta sólo se halle interesado en la semejanza *emocional* entre los dos miembros de la ecuación metafórica.

¿Qué ventajas se siguen del método contemporáneo, que hemos ejemplificado en Maiakovski, y que la poesía de tal sazón española empieza a usar sistemáticamente desde Juan Ramón Jiménez (antes de él, en Machado o en Rubén Darío, apenas si pueden rastrearse algunos raros conatos) y luego, con más fuerza, en el «grupo» del 27? Las ventajas que el procedimiento ostenta son las derivadas precisamente del fenómeno que hemos denominado «visualización», nacido aquí por otro motivo que el que actuaba en el caso del irrealismo «realista» antes investigado. Al producirse en B («terciopelo») notas b_1, b_2, etc. («tela» y «negrura» en el caso ejemplificado) que no tienen traducción en A («voz»), y justamente porque no la tienen, forzosamente habrán de ser contempladas en sí mismas, ya que el lector no puede pasar desde ellas («tela», «negrura»: «pantalones negros») hacia un significado lógico que aquí, por definición, no existe. Las notas irreales alcanzan con esto su máxima potencia plástica, porque sólo ellas (las implicadas, por ejemplo en la frase «pantalones negros») se hacen visibles. Dicho en otro registro: siguiendo la ley «de la forma y de la función» que en este mismo estudio hemos intentado formular, nuestra percepción queda entonces como fascinada y demorada en la consideración de su objeto («pantalones negros»), que cobra así su máxima esplendidez visual.

Se hace con esto, supongo, comprensible el interés que a mi poesía hubo de despertar esta distinta técnica de visualizaciones de la irrealidad, que, como apuntábamos más arriba, conduce directamente, en todo caso, a la consecución de la sorpresa, que es precisamente el alfa y el omega en que quiere asentarse el nervio intencional de mi obra última. Sólo era necesario, para su adopción irremediable, intensificar aún más esa sorpresa, inherente al recurso como tal. Pero para intensificar un efecto basta con intensificar su causa: la técnica de los desarrollos imaginativos había, pues, de recibir un nuevo impulso. Tal es la primera nota con la que mi poesía hubo de engrosar la tradición libertaria a que acabamos de referirnos. Y así, los despliegues imaginativos independientes tienen en mis intentos poemáticos una feracidad de índole tan ardorosa y proliferante que establece un verdadero cambio de naturaleza con respecto a esa tradición, en la que, sin duda, me formé. Las imágenes o símbolos utilizados se convierten así en una complicadísima maraña, que se alarga, se repliega, se cruza y se vuelve a cruzar consigo misma, en una forma tropical y como de selva inextricable. Y es precisamente esta complejidad o densidad (complejidad o densidad que debería serlo también, y ante todo, claro está, de las significaciones, aunque ignoro hasta qué punto ello se cumple, de hecho, en mis versos) lo que otorga a la propuesta metafórica ese peculiar aspecto, de reflexión o análisis, que le hemos hallado.

No es preciso aludir ya a las otras dos modificaciones que mi poesía introdujo en la técnica de los «desarrollos independientes» o «no alegóricos», por haber sido tema tratado antes con la debida extensión. Sólo rápidamente, por tanto, habré de recordar que tales cambios consisten, de un lado, en el intelectualismo de origen con que se muestran esas imágenes o símbolos que van a ser desarrollados, y, por supuesto, de otro, el casuismo antiintelectual (visualizador también, aunque de otro modo, repito) que el desarrollo mismo nos ofrece.

Antecedentes de la técnica analítica como tal

El método analítico surge, pues, como consecuencia de llevar a su remoto extremo posible, un procedimiento (el desarrollo independiente del plano metafórico B) que ya existía en la tradición simbólica de la poesía contemporánea, aunque sin darnos en ella la impresión investigadora y acuciante que conocemos. Pero esa impresión que digo, ¿tiene como tal antecedentes? ¿Los tiene la técnica analítica en sí misma considerada?

Atrás dejé dicho que no he podido hallar precedencias claras de ese sistema de expresión, en el sentido en que éste se usa a partir de *Oda en la ceniza.* Pues los análisis que la literatura, hasta donde mi lectura alcance, ha venido ofreciendo (Proust, Salinas, etc.) fueron siempre, creo, obra de un narrador-autor que miraba y despedazaba, no un objeto irreal, sino un objeto supuestamente *real,* sin sustituir, claro está, sus desmenuzadas partículas por los correspondientes símbolos. Nada parece haber así en el acervo tradicional que quepa aproximar con provecho a los dos esquemas expresivos que en este prólogo hemos considerado: el de las acumulaciones simbólicas como forma de análisis y el de descomposición y minuciosa investigación de los términos irreales, con su aire ensayístico correspondiente.

Sorpresa y símbolos

Dado que todos los procedimientos estilísticos que tienen uso en mis dos últimas obras llevan como uno de sus fines primordiales, el logro de lo inesperado, es natural que las metáforas o símbolos manejados por el poeta aspiren a poseer también ese carácter, y ello, no sólo en cuanto a sus prolongaciones y concreciones, sino también por lo que toca a su más íntima fibra.

Y si destaco ahora esta naturaleza presuntamente sorprendente de tales figuras retóricas, en cuanto consideradas en sí misma, es, justamente, porque los símbolos, al ser extraídos normalmente del acervo común de la experiencia humana, suelen ser repetitivos de suyo, aunque esta observación que acabo de sentar pueda parecer más bien rara. Si el lector se toma la molestia de examinar los símbolos de los poetas del siglo XX, hallará que, en su última contextura, responden, con frecuencia, en efecto, a un grupo, relativamente limitado, de esquemas posibles, de los que, al parecer, es difícil salir (y está bien, por supuesto, que ello sea así, pues pertenece a la índole misma de las cosas). Mi poesía, claro está, ha utilizado también bastantes veces estos esquemas genéricos, puesto que sería imposible lo contrario. Pero se ha interesado con especial empeño (yo no sé con qué dosis de fracaso posible) en la utilización de aquella otra simbología que no sólo se configura con novedad por su modo de empleo dentro de un contexto, sino que lo hace, o pretende hacerlo, desde su raíz, al intentar que sea nueva también la propia materia de que está hecha: tal es el sentido, justamente, de la operación intelectualista que, en considerable proporción, prepara el nacimiento a esta especie de figuras.

Pero incluso los símbolos que se originan de otro modo pueden intentar la novedad. Véase, por ejemplo, la expresión simbólica que halla el mundo de la muerte, como contrario del de la vida, en la segunda parte del poema «Más allá de esta rosa»; alguien, que soy yo mismo en el Más

Allá, está ejecutando ya en ese otro mundo cuanto yo ejecuto ahora en éste, pero ocurre que la ejecución allende la frontera fúnebre se lleva por modo rigurosamente opuesto al de su modelo de aquende, anulando así el sentido que los actos del lado de acá hubieren podido tener:

y escribe mis palabras al revés y las borra.

O bien, examínese la simbolización del cielo divino en el poema «Oda en la ceniza» como:

estallido de veneración

O la de Dios mismo, visto como un Centro de todo que fuese «una copa de aparición»; o la de su divina omnipotencia como el crecimiento interminable de esa «copa»:

Centro donde nada se agita,
donde todo se absorbe como el amor y se detiene en sí
mismo,
no al borde de sí mismo, sino acabado y lleno,
rebosante como una copa de aparición,
como una enorme copa de manifestación que creciese,
como una ola que siguiese encrespándose más allá de los
límites de su plenitud,
más allá de los horizontes de su posibilidad,
y siguiese creciendo después, allende los días...
(«La cuestión»)

Dentro de esta pauta, se formulará la dificultad de que exista un Cielo salvador, y por tanto de que podamos salvarnos, valiéndose para ello de la célebre metáfora evangélica del «ojo de la aguja», pero usada ahora con el otro extraño significado irracional que digo [20].

---

[20] Véase lo que a propósito de este símbolo en mi poesía dice José Olivio Jiménez en su citado ensayo «Verdad, símbolo y paradoja

¿El ojo de la aguja espera siempre
el ahilamiento prodigioso
de la terrible ola embrutecida
del sufrimiento atroz (...)?

O se hablará simbólicamente de la solidaridad entre los hombres frente al sufrimiento y la muerte, haciendo que cada acto de uno de ellos repercuta y acabe de cumplirse en el otro:

... el salón empieza a girar
rápidamente, qué es esto, y empieza a girar la mesa, un músico se arranca una ceja, un ojo,
le falta un brazo a Carmen, a Amparo la uña,
un pie a Rodrigo, cojea, vacila Pedro,
se encoge Lorenzo, arde Juan, se arroja al río entre llamas Alfonso,
Antonio grita, el techo se derrumba sobre nosotros, el primer violín, lleno de cal, se declara a la viola,
que gime debajo de la mesa, derribada por una columna...
(«La barahúnda»)
Etc.

No hay duda: se busca, desde todos los sitios posibles y por todos los medios, que el estilo sea también, según dijimos antes, una «primavera de la muerte», esto es, un «símbolo» de esa central noción.

Final

Termino ya. Hemos realizado un largo recorrido, intentando hallar la intención y sentido secretos que han podido presidir la evolución de un estilo y su misma configuración

---

en *Oda en la ceniza*»; *Diez años de poesía española, 1960-1970,* página 268.

en cada instante, sin prejuzgar en ningún caso la calidad del producto, porque no era eso lo que se pretendía revisar. Aquella intención y aquel sentido no sólo se ocultan por naturaleza a los ojos del lector, sino también, y acaso especialmente, a los ojos del autor, del mismo modo que la razón de los síntomas de una neurosis se esconde con tenacidad a la conciencia de quien la padece. Descubrir (si es que al fin lo he logrado) el significado, tercamente rebelde a la intelección, de mi poesía, me ha costado (lo confieso) un esfuerzo tan considerable, que lo único asombroso de mis posibles averiguaciones ha sido comprobar lo poco que yo sabía acerca de mí mismo. Una cosa es vivir y otra filosofar. La poesía cae, en esta contraposición, del lado de la vida, y tiene, por tanto, su mismo carácter enigmático. No es ésa, sin duda, la menor de sus gracias.

LA POESIA DE GUILLERMO CARNERO

Se me piden unas páginas para estudiar la obra poética de Guillermo Carnero. Pero ocurre que conocer a un autor cualquiera exige conocer previamente la época en la que ese autor se halla instalado, cosa particularmente comprometida cuando se trata de la época actual, por la consabida razón de la falta de perspectiva. Si a esto añadimos la estrechez de espacio de que dispongo para realizar todo ello, fácil será comprender que mi trabajo se presenta, en principio, como arduo. Disculpe, pues, el lector la forzosa abreviatura a que habré de someter mis palabras.

La generación de Carnero

Empiezo por consignar unos cuantos datos. Guillermo Carnero nació en 1947, y pertenece, pues, a la generación que ha sido denominada, con nombre importado de Italia, de «los novísimos». Por motivos que pronto diré, pienso que el verdadero apelativo de este grupo (cuyos miembros nacen entre 1939 y 1953) sería «generación marginada» *respecto a la razón racionalista.* O si se prefiere una etiqueta cronológica, habría que hablar de la «generación del mayo francés» o «de 1968». La primera denominación («generación marginada») se pretende definitoria, pues alude a la nota más importante y abarcadora del grupo. La denominación segunda nos envía a la historia: al conocido hecho revolucionario con que esta generación se inició.

La verdadera «realidad»

¿Cuál es, pues, el sentido de este lapso en el que Carnero va a desarrollar su obra? Hemos dicho que para saber el sentido de cualquier estilo literario hay que determinar «la verdadera realidad» de tal estilo dentro del «proceso» decisivo en que aquél se da. Determinemos, pues, la «realidad verdadera» que afecta a la generación de nuestro poeta. Ya sabemos lo que ha ocurrido en las dos generaciones anteriores a él: en la primera de ellas (la de los nacidos entre 1909 y 1923) se acentuaría, en cuanto «realidad verdadera», el elemento «sociedad» en el conjunto «sociedad-yo» de que antes hablé, mientras en la generación segunda se haría lo opuesto: se otorgaría énfasis al «yo» y se mantendría en un discreto segundo término el ingrediente «sociedad».

Hemos llegado con esto a la tercera generación de posguerra, la de Gimferrer, Carnero, Villena, Colinas, Juan Luis Panero, Leopoldo María Panero, Taléns, Siles, Amparo Amorós, M. Sarrión, etc. ¿Cuál es ahora la noción primordial a que estamos aludiendo? Determinarla exige hacer aquí un paréntesis que, aunque abreviado al máximo, habrá de tener, irremediablemente, algún desarrollo.

«Racionalismo» y «racionalidad», o el todo y las partes

Remontémonos, por lo pronto, al período neoclásico en que imperaba, como «verdadera realidad», la razón racionalista, la razón abstracta, físico matemática, la razón centralizadora, igualitaria, utilitarista y excluyente que venía pujando desde el Renacimiento. No olvidemos que individualismo es «conciencia de mí», pero «en cuanto hombre». «Conciencia», luego razón. Individualismo es racionalidad dirigida hacia el individuo que yo soy, y la primera manifestación, en sentido cronológico, de esta «racionalidad» en la historia europea fue el «racionalismo» de que hablamos, el que lleva al arrasamiento de la diversidad en nombre de la ordenación totalizante, que ya en el Renacimiento empieza a cumplirse. Desaparece poco a poco, en efecto, a la sazón, aquella complacencia frente a lo discrepante que caracterizaba a la Edad Media: fueros de las ciudades, privilegios de la nobleza, digresiones de la literatura, casuísmo en la moral, desorden urbanístico, dispersión del punto de vista en las artes plásticas. Ampliemos este último punto. El cuadro, por ejemplo, de los primitivos, no se ofrecía en cuanto mirado él, como conjunto unitario que un espectador escruta: cada objeto representado asomaba en el lienzo por sí y ante sí, cósmicamente diríamos, sin sufrir de algún modo modificación unificadora apreciable procedente de la subjetividad. El punto de vista parecía, por tanto, *engañosamente* múltiple: cada realidad semejaba tener el suyo. De ahí la sensación de desconcertante minucia con que el arte primitivo se manifiesta. Se ve que el interés en el individuo, escaso aún, no ostentaba suficiente poder para imponerse como subjetivismo unificador.

El Renacimiento va a cambiar en algún importante pormenor la situación descrita. Leonardo imprime al cuadro una estructura procedente de la razón y, *por tanto, de las facultades del sujeto que mira:* las figuras se disponen en composición triangular. Con distintas variantes, la composición racionalista de parejo tenor (de Leonardo, pero también de Rafael) perdura a lo largo del siglo XVI, y entra en el XVII. Es en Velázquez donde surge por primera vez la mirada verdaderamente subjetiva. Los objetos se ordenan en unidad, que ya no es artificial y exterior como antes, sino interna: es la unidad conferida por la mirada misma del espectador, con su foco atencional remoto y su campo de vaga desatención[1]. El mundo pictórico velazqueño se convierte, como dice Ortega, en puramente visual, sin auténtica presencia del volumen, fantasmalizándose. En Velázquez está ya en brote el impresionismo del siglo XIX: sólo faltaba, para su logro completo, acentuar aún más ese subjetivismo que empieza a triunfar en Velázquez como, de otro modo, en Descartes, pero que hallará su total desarrollo dentro ya del período contemporáneo.

Este centralismo racionalista, insinuado en el Renacimiento para el arte, pero también para la literatura (desaparición de las digresiones medievales) y para la política (en España a partir de los Reyes Católicos) y para todos los elementos de la cultura, culmina en el absolutismo de Luis XIV («El Estado soy yo»), que no difiere gran cosa del absolutismo de otra índole que hemos apreciado en Velázquez («el cuadro soy yo, o aparece en cuanto mirado por mí de la manera en que mi psique percibe las cosas desde un foco atencional y un campo de desatención fantasmalizante»). Y luego se acrecienta y se extiende a lo largo del siglo XVIII. Como nadie ignora, es el momento en que reinan con mayor imperio las reglas abstractas y generales de la exigente y autoritaria preceptiva neoclásica. Se impone todo desde arriba: incluso el «buen gusto» (por ejemplo, en el teatro) o (no sin paradoja) las costumbres indumentarias: ordenanzas sobre capas y sombreros, bien conocidas de todos. El siglo XVIII elimina de las cosas cuanto no se encamine a la totalidad en que éstas se insertan. Se trata de la dictadura de la razón abstractiva, totalizante y homogeneizadora. De cada hombre interesa, como se ha dicho muchas veces, lo que le une a todos los demás, no lo que le separa de ellos. Importa, pues, la naturaleza humana universal, y se desestima la discrepan-

[1] José Ortega y Gasset: «Sobre el punto de vista en las artes», en *Obras Completas,* IV, Madrid, Ed. Revista de Occidente, 1951, páginas 443-457, especialmente págs. 452-453.

cia en que consiste la mayor porción del individuo. Discúlpese tan innecesario recordatorio.

La primera protesta frente a la cercenadora actitud descrita sobreviene, como también es sabido, con la irrupción del Romanticismo. Su individualismo, más elevado, lleva consigo un comienzo de comprensión de la singularidad, de lo que difiere y ostenta carácter: se pone de moda el color local e interesa la conducta insólita. Y como la razón racionalista fracasa frente al conocimiento de lo concreto que ahora se pretende, quedará hasta cierto punto desechada para esos menesteres a favor de ciertas formas de conocimiento irracional: el sentimiento (Rousseau, Fichte, Herder), la endopatía (Herder) o la fe (Fichte, Herder, De Maistre): la fe, esto es, la masa de opiniones recibidas sin examen, indispensables siempre al hombre [2].

El repudio de las abstractas reglas de la Preceptiva es sólo un capítulo del desdén romántico por las generalizaciones, válidas para un aspecto de la realidad, pero sólo para uno, y ni siquiera para el más interesante, que, como he dicho, es en ese período el de la realidad concreta. «Nadie en el mundo percibe tanto como yo la invalidez de las caracterizaciones generales», dirá Herder [3]; no hay que renunciar

---

[2] «Todo conocimiento presupone algo más alto, como su fundamento (...). Es la fe.» Los hombres «que han visto la luz del mundo (...) sin ser conscientes de ello, captan toda la realidad que está ahí para ellos, meramente por la fe» (J. G. Fichte: *El destino del hombre, 1800*).

«¿Acaso no existen en toda vida humana una edad en que no aprendemos nada por la fría y parca razón mientras que lo aprendemos todo por inclinación, por educación y autoridad (...), por prejuicios?» (J. G. Herder: *Filosofía de la Historia para la educación de la Humanidad, 1774.*)

«El hombre para guiarse no necesita problemas, sino creencias. Su cuna debe ser rodeada de dogmas y cuando su razón se despierta es menester que halle todas sus opiniones establecidas, al menos en lo relativo a su conducta. Nada hay tan importante para él como los prejuicios. Y no tomemos esta palabra en mal sentido (J. de Maistre: *Estudio sobre la soberanía, 1794-1796*).

[3] J. G. Herder: *Filosofía de la historia para la educación de la Humanidad, 1774.*

«a la riqueza que crea la diversidad» que «las leyes y ordenanzas generales» (de tipo abstracto y racional) destruyen, dirá Moser [4].

Sin embargo, el Romanticismo, que empieza a entender al individuo, sigue viéndolo como dependiente de la sociedad. «Nada humano existe fuera del Estado», afirma Müller [5]; «sólo en el Estado tiene el hombre existencia racioanl», sostendrá Hegel [6]; «consiste la vida racional en que la persona se olvide de sí misma en la especie», piensa Fichte [7]. Toda realización individual ha de insertarse en el seno de la sociedad o la tradición. Precisamente porque el Romanticismo ve al hombre como miembro de una determinada sociedad, sin la cual no es en cierto modo dable, resulta tan dramática la colisión del individuo y el grupo, colisión que la inflación del yo en esta época trajo también consigo. Si la sociedad no importara, la marginación romántica (la del pirata, el corsario, el cosaco, el don Juan, el mendigo, la prostituta) se hallaría exenta de patetismo. La soledad sólo puede hacerse trágica y adquirir dimensiones emocionales de grandeza, como sucede en el Romanticismo, cuando la compañía y la integración en el grupo se estiman suficientemente.

Si el Romanticismo significa la primera embestida contra la radical incomprensión del individuo que es propia de la razón racionalista, el Superrealismo significa (dejando a un lado otros jalones) [8] la embestida segunda. Pero, además, ahora el malestar de la situación social y ciudadana, fruto indudable del utilitarismo de tal tipo de razón, empieza a

---

[4] J. Moser: *Sämtliche Werke,* II, 20, n. 2, 1772.

[5] A. Müller: *Elementos de política, 1808-1809.*

[6] Hegel: *Filosofía de la Historia Universal, 1822-1831.*

[7] J. G. Fichte: *Los caracteres de la edad contemporánea, 1805* (véase traducción española, Madrid, Biblioteca de la Revista de Occidente, 1976, pág. 45).

[8] Claro está que antes del superrealismo, los simbolistas, Bergson en Francia, Unamuno en España, etc., supusieron importantísimas cotas en el mismo camino.

cundir. Frente al racionalismo, el Superrealismo exalta los frutos del inconsciente, la escritura automática o los hechos parapsicológicos, que los representantes de esta escuela empiezan a sentir como respetables; se insinúa la protesta contra los modos habituales de tratamiento médico de los dementes, y sobre todo se denuncian los convencionalismos sociales y en especial los eróticos. Se recupera o empieza a recuperarse el cuerpo, incluso en cuanto a sus manifestaciones heterodoxas. En el Superrealismo hallan, pues, raíz numerosos fenómenos, que habrán de encontrar hoy, en la generación de Carnero, amplio desarrollo: el ecologismo, la protesta contra la técnica y el mecanicismo utilizados de modo erróneo y deshumanizado, el erotismo, la antipsiquiatría, la parapsicología. Pero, como acabo de sugerir, nada de ello se opone a la razón, sino que se halla a su servicio. Aunque no racionalismo, sí racionalidad. Se busca, detrás de la razón racionalista, una razón «con rostro humano», y, por tanto, superior a la otra. Diríamos, si se nos sigue disculpando el tópico, que también el Superrealismo «es un humanismo».

En el período siguiente, el proceso no se detiene, aunque adquiera un diverso carácter: lo que preocupa es un tipo de conocimiento hasta esa fecha fracasado: conocimiento no puramente emocional y de fe o intuitivo como el romántico (o como el propio de la «intuición» bergsoniana), del hombre concreto y de la concreta actuación en que a cada instante éste se halla. Para ello, en Ortega y Gasset y en los pensadores existencialistas (Sartre, Heidegger) se exalta según recordábamos hace poco, la importancia de la situación, circunstancia o mundo. El gran valor que adquiere en esa filosofía el aquí y el ahora, siempre individualizadores, se expresa también, sobre todo tras la guerra, dijimos, en una poesía o una literatura existenciales o sociales. El centro de la atención es, pues, ahora el hombre de carne y hueso, que, aunque sumergido en el grupo y ocupado en problemas colectivos, vive y actúa en un determinado lugar y en un determinado tiempo histórico, irreductibles ambos. La razón que opera en todo esto ya no podrá ser la razón abstracta, la razón racionalista, incapaz de conocer lo particular. Ortega tal vez se nos ofrezca como el filósofo que mejor haya sabido resolver la cuestión planteada al respecto por las nuevas nociones, al descubrir un nuevo tipo de razón que, siéndolo del todo, es capaz de hacerse cargo y dar cuenta también de las realidades únicas e individuales: la razón vital, la razón histórica o narrativa. Pero este tipo de razón que Ortega propugna es, en el fondo, el mismo que utilizan intuitivamente y a su modo los neorrealistas del cine italiano y los escritores comprometidos de la preguerra (poetas de los años treinta en Inglaterra; Alberti en España), los de la guerra (Miguel Hernández, Vallejo) y los de la posguerra (empezando por Sartre y acabando por tantos autores de España, Italia o América, por ejemplo, Neruda). Pero, además, Cernuda o Aleixandre, y luego la segunda generación de posguerra (lo hemos examinado antes en Brines) hacen lo mismo. Impera por todas partes una literatura que busca comprender al hombre singular, viéndole actuar en una determinada situación o mundo. Y como el hombre, en efecto, actúa, para averiguar algo sobre él, habrá que *contar* esa actividad, habrá que recurrir a la *narración.* No sólo, pues, es narrativa la razón manejada por un pensador como Ortega. Lo es asimismo, significativamente, *sin dejar por eso de ser lírica,* la poesía a la que me acabo de referir.

Pero esa fuga frente a las graves deficiencias y males de la razón racionalista no impedía los estragos de ésta en el seno de la sociedad. El encuentro con la razón narrativa, vital o histórica, sólo podía operar, dada su índole, minoritariamente, en el reducido coto de poetas, escritores y pensadores. El enorme cuerpo restante de la sociedad se mantenía ajeno a tales signos de salvación, y no sabía sino de las terribles y progresivas lacras que el racionalismo crecientemente industrial de la sociedad de consumo, con su utilitarismo a ultranza, insaciable y malsano, producía. No es preciso a estas alturas describirlas con parsimonia, pues la prensa diaria se encarga de hacerlo todas las mañanas. Caigamos por un instante en el lugar común, sin embargo, dando paso a la consabida lista de nuestros infortunios: contaminación del medio ambiente, escasez de materias primas, problemas energéticos, estallido demográfico, pobreza y explotación de los países subdesarrollados, etc. Y otra cosa no menos importante, aunque sí menos espectacular: el creciente avasallamiento del individuo por el centralismo también creciente del poder del Estado, cada vez más complejo y más necesitado de una asfixiante burocracia y, lo que es peor, de una proliferación incesante de regulaciones por momentos más estranguladoras de la pura individualidad del hombre. No me extiendo tampoco sobre este punto, pues en reciente libro lo ha hecho muy bien Fernando Savater [9]. Desde nuestros Reyes Católicos hasta hoy, sin una sola pausa, los Estados de los diversos países occidentales han ido dando cumplimiento, en sucesivas etapas, a su secreto ideal, que no es sino éste: «todo el poder para el Todo», para decirlo en la feliz frase del mencionado autor.

Pero estos malestares, por graves que sean, no impiden el aumento del individualismo, el cual, en nuestra definición (y solo en ella), se relaciona con la «conciencia que el hombre tiene de sí mismos», esto es, con el crecimiento de la racionalidad que los sinsabores descritos no han podido, claro está, menoscabar. Los viajes espaciales, los computadores cada vez más perfectos, los artilugios de toda índole de que hoy disponemos, e incluso la concienciación en que nos hallamos respecto de los peligros y alienaciones que nos acechan, alientan todavía más nuestro individualismo en el sentido que hemos dado al término, aunque, por supuesto, si el horizonte verdaderamente se cerrara, si definitivamente no pudiéramos resolver los problemas que hoy nos agobian, entonces, sí, *a la larga y como consecuencia,* el

---

[9] Fernando Savater. *Panfleto contra el Todo,* Barcelona, Dopesa. 1978, especialmente, págs. 23-26.

individualismo descendería, como ocurrió en la Roma posterior a Diocleciano y como varias veces, separadas por muchos siglos, se puso de manifiesto en la larga historia de Egipto. Pues debo decir que el individualismo vive en función de las realidades tangibles y comprobables, no de los sueños. Ni las esperanzas ni los temores influyen para nada en ese sentimiento. El individualismo precisa de la insobornable objetividad, pues se trata de un fenómeno social. Sabemos que el hombre puede ir a la Luna porque ha ido. De cosas así se nutre la radical emoción de que hablamos.

Y justamente es este individualismo el que, por ser tan alto ya, convierte en insoportable la presión abstractamente utilitaria y centralizante, pero destructora de hecho precisamente de lo individual del individuo, con que el racionalismo del poder del Todo nos sojuzga. La parte se sabe más que nunca individuo y protesta. No admite su continua disminución, su incesante merma para servir con más eficacia en el engranaje de la máquina social. No quiere ser tan sólo la admirable pieza de un aparato admirable. Desea poderosamente (individualismo) vivir también con aquellas de sus porciones que, si no favorecen la existencia del rebaño, producen a la persona un intransferible e indeclinable deleite [10]. No está probado, por ejemplo, que mi placer erótico, aunque acaso sea socialmente improductivo, carezca de un positivo valor. Lo tiene, y grande, aunque sólo a nivel individual. El individualismo de los jóvenes de hoy se manifiesta, pues *como crisis intensísima de la razón racionalista,* y, conse-

---

[10] Esto da cuenta del erotismo actual (y del auge de la droga) e incluso de algunas de las costumbres indumentarias de nuestro tiempo, tendentes a resaltar, incluso en las personas del sexo masculino, los valores del cuerpo: trajes ajustados, auge, hace años, de la minifalda, desnudismo. Claro está que el desnudismo se relaciona también con la vuelta a la Naturaleza (de la que son asimismo muestras el hippismo y el ecologismo) como reacción a los excesos de un tecnicismo deshumanizador (cuya causa, tal como quedó insinuado, sería el utilitarismo de la razón racionalista: el concepto de utilidad fue, como se sabe, uno de los más típicos del racionalismo dieciochesco).

cuentemente, como marginación *respecto de ella* (nótese bien: la marginación de que hablo es, en lo radical, *marginación por lo que toca a un tipo de razón muy concreto que es el racionalismo, no por lo que toca a la racionalidad;* por el contrario, tal marginación busca favorecer y potenciar ésta). Igual que los románticos comprendieron que cada poema tenía unas necesidades suyas, intransferibles, inexpresables en una formulación general, en una «regla», los hombres de hoy empiezan a sospechar, con parecido acierto, que las necesidades de cada individuo no deben ser coartadas desde arriba. Si los artistas de hacia 1800, justamente por el alto grado de su interés individualista, o sea, de su interés en el individuo, se marginaron de la preceptiva, los jóvenes de hoy, *por el mismo motivo, aunque en un grado más alto aún,* pretenden marginarse de toda generalización, de toda obstaculizadora imposición abstracta: el proceso de protesta contra ese tipo de razón, iniciado por el individualismo romántico, llega ahora a una primera culminación, que, indudablemente, habrá de proseguir en el futuro.

La «verdadera realidad» en la generación de 1968: la marginación respecto a la razón racionalista

Pero entendamos bien la palabra «marginación» que acabo de escribir, pues en mi opinión, da nombre suficientemente preciso a lo que la generación de Carnero, a causa de la crisis hondísima de la razón racionalista *y como manifestación o rostro de ella,* siente como «realidad verdadera», cuyos estímulos materiales he intentado describir en el anterior parágrafo. ¿De qué se marginan o piensan que deberían marginarse los jóvenes de hoy [11], y también los menos jóve-

[11] Ya sabemos que en un sistema nada es forzoso, excepto el foco central, el grado de individualismo, y su causa, el grado de racionalidad.

nes, que experimentan, sin embargo, el mundo al unísono de ellos? La marginación se refiere, claro está, ya lo he dicho, a la razón racionalista, abstracta, centralizadora, desatenta a lo individual, utilitarista. Y, por tanto, *también,* como posibilidad *que en algunos autores se actualiza y en otros no,* a sus hacederas encarnaciones. Depende ya de cada autor la elección de tales hostilidades y repelencias: éstas consistirán, repito, en la razón racionalista como tal (caso de Carnero) o bien, directamente, en aquellas instituciones en que la razón racionalista se encarna: matrimonio, familia, universidad, lenguaje y, en general, todo lo que suene a convención [12]. Dentro de esto, el máximo enemigo es el Estado centralizador [13], pero tampoco complacerán a los más extremo-

---

[12] Quedan repudiados todos los convencionalismos. En primer lugar, los del trato más o menos ceremonioso; pero también los de las costumbres indumentarias: propagación de vestimentas informales. Pasa lo mismo con los convencionalismos del lenguaje. Nada de eufemismos: al pan, pan, y al vino, vino. Léase la Prensa (especialmente, cómo no, la española) o léase la literatura de Francisco Nieva, que, aunque de otra edad, participa de la cosmovisión juvenil. La desconfianza, por otra parte, sobre todo, hace algunos años (últimamente la tendencia ha remitido), hacia las instituciones universitarias implica la desconfianza hacia los maestros.

Ahora bien, esto último trae consigo la posibilidad (bastante mayor que en otras épocas) de la suficiencia, y hasta de la pedantería en el joven, las cuales, desgraciadamente, no siempre han sido evitadas por éste. Retirar el asentimiento al profesor (o al «senior»; por ejemplo, al padre) en cuanto encarnación de lo institucional, equivale a suponer que quien está en lo cierto es siempre el muchacho. «Las personas de más de treinta años —se ha dicho— son poco de fiar.» Adoración consiguiente de lo juvenil como tal, con lo que se refuerza mucho en esta época la propensión de ese mismo tipo, que venía creciendo desde el Romanticismo. En efecto, la concepción progresista, nacida con la Revolución Industrial o un poco antes, había situado el paraíso en el futuro, del que los jóvenes son evidente promesa. La estructura de la sociedad de consumo y los manifiestos progresos de la técnica conducen a lo mismo: todo producto nuevo es necesariamente mejor que aquel al que viene a sustituir. Síntoma de la reverencia actual al joven: por primera vez en la historia, la moda procede, no de las clases pudientes, sino del mocerío.

[13] El descrédito del Estado (ya que el Estado centralizador es por ahora el único Estado a la vista) explica (aunque de ningún

sos los partidos políticos que, en definitiva, vigorizan a ese Estado (incluso los de la oposición), cuyo propósito no es la destrucción del poder del Estado, sino la posesión de ese poder, al que, por tanto, han de desear amplia salud y larga prosperidad [14]. Y, por supuesto, habrán de marginarse asimismo, como hacen, por ejemplo, los «hippies», del utilitarismo y la avidez creciente de nuestra insaciable sociedad. Y como todo ello, insisto, es una sola cosa con el imperio todopoderoso de la razón racionalista, los anteriores repudios se nos aparecen como meros capítulos o partes de la verdadera marginación, la que se halla referida a ese tipo de razón y sus materializaciones concretas, que son las ya dichas, pero que no siempre, insisto, se sienten como tales. Unos autores las repudiarán y otros no, según que su personal modo de ser las experimente o no como expresión de esa razón racionalista que es el verdadero, aunque en ocasiones oculto antihéroe de esta nueva cosmovisión. De cualquier modo que sea, el racionalismo y su peculiar forma de conocimiento habrá de cuestionarse. Las partes arremeterán contra el Todo, y esto se ve especialmente en la esfera política y en la social. Es, en ese terreno, la hora de las minorías, que asoman como «poderes»: «poder negro», «poder gay»,

---

modo justifica) el terrorismo y, en general, la violencia, tan extendidos hoy. Pues ambos fenómenos sólo podrían darse en un instante histórico en que empieza a sentirse que todo Estado es, en muchos sentidos, violento. El atractivo creciente que desde hace pocos años tiene el anarquismo (moral y a veces político) para representantes muy significativos de nuestra hora es otra de las consecuencias posibles de ese mismo descrédito.

Hay aún otra razón, creo, para la violencia de nuestra sociedad actual, razón con la que tal vez se hallarán de acuerdo los psicoanalistas: la sensación de frustración que el hombre del momento presente (más individualista que nunca, no lo olvidemos, pero imposibilitado de ejercer la individualidad que siente en sí a causa de los excesos del Estado omnipotente) ha de experimentar (pues sabido es que la violencia se engendra en la frustración). Ambas motivaciones se complementan: la persona frustrada por el Estado percibe mejor que nadie lo que el Estado tiene de violento.

[14] Savater, *op. cit.*, pág. 28.

poder de las «corrientes» o sectores en los partidos políticos, poder de los países colonizados (descolonización), objetores de conciencia, presos sociales, feminismo; poder, asimismo, regional: regiones, «países» o «nacionalidades» que quieren recuperar su autonomía, esto es, su cercenada individualidad (todo se hace en nombre del alto grado de individualismo de la sociedad, no lo olvidemos), su ser íntegro, antes parcialmente perdido o acallado. Hasta la Iglesia busca, a través del Sínodo de los Obispos, la descentralización, la cual, en formas distintas, por todas partes se siente como deseable, sin exceptuar a los Estados Unidos [15].

Se ha descubierto que, junto a la utilidad social o estatal, existe la «calidad de la vida», que es siempre la de cada uno de nosotros. Se trata sólo de marcar al utilitarismo, un límite, una frontera: el del respeto a las necesidades verdaderas del hombre. Lo que triunfa en estas nuevas nociones no es, por tanto (insisto de nuevo) una actitud meramente destructiva de tipo antirracional: si se va contra la razón instrumental o racionalista es en nombre de una razón más alta, la cual sólo admite la utilidad social en la medida en que cada hombre pueda seguir siéndolo en sentido pleno. Y este interés en recobrar la plenitud ontológica de lo que, siendo «parte», es primero «individuo», con unas urgencias suyas, irreductibles a las del conjunto, se habrá necesariamente de acompañar, y se acompaña, claro es, de la virtud de la tolerancia para admitir y querer en los otros, asimismo, el cumplimiento de su propia peculiaridad o destino. Si se desea el respeto para la propia divergencia, hay que empezar por respetar y ser solidario de la divergencia ajena. Esto explica un fenómeno curiosísimo, que puede percibirse en más de un poeta de la hora presente (e incluso en quien menos se esperaría): el constituido por el hecho de que, no

---

[15] El propósito no es repudiar la noción de totalidad (eso sería volver a la Edad Media), sino evitar sus excesos. Claro está que esa totalidad, que podría muy bien ser la nación, podría serlo también la supernación (Mercado Común, etc.).

siendo los poetas de que hablo homosexuales en forma alguna, lo finjan a la hora de la protagonización poemática. No se trata, por supuesto, a mi juicio, de una hipocresía revesada, fruto exclusivo del esnobismo, sino de un acto solidario, o, si se quiere, de un «desafío» a los cercenantes intereses de la inhumana totalidad. Es una protesta idéntica a la tan frecuente en la hora actual del mozo rubio y acaso anglosajón que dispone sus cabellos según la moda «afro». Lo dicho quizá explique el gusto que muchos jóvenes siguen sintiendo (aparte sus grandes valores) por la poesía de Luis Cernuda en cuanto «autor de hoy», en la que reconocen una «disidencia» de índole homosexual, aunque ellos, personalmente, no la compartan. En este poeta admiran, ante todo, si lo interpretamos bien, la denuncia de la hipocresía social, la marginación, la rebeldía frente al Sistema. Si su estética les puede acaso ser, en cierto modo, ajena, su ética y su posición frente al mundo les es profundamente afín.

El primer libro de Guillermo Carnero: sentido del neoesteticismo de «Dibujo de la muerte»

Con esto nos hemos puesto en situación, creo, de empezar a comprender el sentido de la poesía de esta generación en España, así como de una amplia zona de la poesía hispanoamericana, de la cual ha sido Octavio Paz, y antes Wallace Stevens, cabezas visibles; o de su novela; pero también se aclara, pienso, todo un sector de la poesía, el teatro y la novela de idéntico signo en el resto del mundo occidental. Por lo pronto, se nos pone acaso en evidencia el porqué del esteticismo (llamémoslo así) con que esta generación se inició (Gimferrer, Carnero), y que aún perdura; en alguno de sus miembros (Luis Antonio de Villena), plenamente; parcialmente, bajo forma de metapoesía, en otros, según habremos de mostrar. Se trata, en mi opinión, de la intensa conciencia de crisis que, según dijimos, afecta hoy a la razón racionalista o instrumental en cuanto aplicada no a las ciencias de la naturaleza sino al hombre. Lo cual repercute en el modo que tienen estos autores (léanse, en España, digamos, a los citados Gimferrer y Carnero, pero también a otros —Jenaro Taléns, Siles, Amparo Amorós, etc., por ejemplo— fuera de España al adelantadísimo Wallace Stevens, T. S. Eliot y a Octavio Paz y su larga estela) de concebir el lenguaje, el poema y la posibilidad de que a su través pueda o no conocerse la realidad. A partir de *El sueño de Escipión,* todas las piezas del poeta que aquí estudiamos (y algo semejante podríamos decir, *mutatis mutandis,* de los otros autores mencionados o aludidos) manifiestan de un modo u otro y responden a las siguientes ideas:

1.ª Incapacidad de la razón racionalista para conocer la realidad concreta, que de este modo se nos escapa, en una razón histórica, añadamos nosotros, en que nuestro gran individualismo hace que nos interesemos más que nunca por lo individualizado, por lo concreto, lo cual convierte en decisivamente grave el hecho en cuestión.

2.ª *Insuficiencia consiguiente del lenguaje* para ese mismo menester.

3.ª El poema, por tanto, no intentará expresar la incognoscible realidad, sino que, en principio, sólo pretenderá ser cifra de nuestra experiencia de ella. Pero tal pretensión fracasa siempre, no sólo por las mencionadas deficiencias de la razón y del lenguaje, sino también por las flaquezas y limitaciones *de ese otro lenguaje* que es precisamente nuestra memoria: todo es, en definitiva, cuestión lingüística, desconfianza frente al lenguaje. Ateniéndonos ahora al de la memoria, no hay duda de que recordamos, en efecto, muy fragmentaria e imperfectamente las cosas, añadiéndoles no pocos ingredientes que la desfiguran, con lo que el pasado se vuelve irrecuperable. Pero ocurre, además,

4.ª que cuando poetizamos incurrimos en una nueva falacia, que consiste en disponer nuestros recuerdos y modificaciones según ese otro «lenguaje» que son las necesidades, conveniencias y convenciones de todo cariz (tradiciones literarias, etc.) del poema mismo para que éste lo sea, es decir, para que éste resulte poético o más poético. La vida origina el impulso de que parte la obra, pero la obra como tal procede de aquélla «por vía de violencia» (como dice Carnero al principio de la parte II del poema «El sueño de Escipión», que cierra el libro del mismo título): asegura «la existencia de un orden» («Chagrin d'amour, principe d' oeuvre d'art»), más no el acceso a la realidad.

5.ª Consecuencia de todo lo dicho será que el poema ostente un contenido irreductible y propio: la realidad dada en el lenguaje sólo en él existe. Las palabras nos remiten a un mundo que no es el de la experiencia, sino que el propio hecho poemático se ha encargado de construir. Dicho en forma distinta: el poema inventa su referente, del cual se constituye entonces en mero reflejo. Ahora bien, si ello es así; si el mundo y su experiencia, en cuanto incognoscibles por la razón y por el lenguaje, no pueden ofrecerse como objeto de nuestros afanes estéticos; si éste consiste en mera «ficción»; si «el poema es una hipótesis» sobre la realidad (como afirma «El sueño de Escipión»), fácilmente se colegirá que ahora para Carnero, y para quienes comparten sus mismas ideas, *la ficción, como tal, del arte* se convierta en tema del arte, *el cual no pretenderá ya darnos una ilusión de realidad,* sino de *ficción de arte.* Ello explica, creo, los dos aspectos fundamentales de esta obra: 1.º, que la poesía de nuestro autor, a partir de *El Sueño de Escipión,* se haga *metapoesía* y no tenga como tema sino el poema como tal, las operaciones creadoras, el sentido del arte, sus relaciones con la realidad, etc.; y 2.º, explica también el esteticismo y culturalismo (permítaseme usar tales expresiones) de *Dibujo de la Muerte,* de que en seguida me ocuparé. La exculpación a que acabo de recurrir en el paréntesis recién abierto ha sido necesaria para dejar constancia de que este «esteticismo» o «neoesteticismo» de los jóvenes y de Carnero nada tiene que ver ni con el esteticismo romántico ni con él, muy distinto, de los parnasianos y modernistas. Salgo al paso con esto del error tan frecuente entre ciertos críticos de la nueva poesía, que han creído ver algo similar al Modernismo finisecular en las actitudes culturalistas de ésta, a base de ciertas evidentes coincidencias formales. El esteticismo de los poetas jóvenes dista tanto del de Gautier, Wilde o De Quincey como el realismo existencialista o paraexistencialista de la segunda posguerra podía distar del realismo positivista de Zola. Tal es lo que, por lo pronto, sería interesante demostrar, aunque ello nos ocupe alguna página de este estudio.

Pero para hacerlo es preciso que antes me refiera a una importantísima cuestión que enlaza el enunciado del punto 5.º con todas mis consideraciones sobre el modo de ser de nuestra época, en cuyo seno halla sentido la obra de los poetas jóvenes y de Carnero.

La metapoesía como desenmascaramiento y rechazo del carácter represivo y deshumanizador del poder

He dicho, en efecto, por un lado, que Carnero elabora, desde *Dibujo de la Muerte* (y explícitamente desde *El Sueño de Escipión*) una visión o teoría del problema de la creación y del lenguaje en función de la incapacidad de éste para reflejar la realidad experiencial de la que parte la construcción poemática. Pero, por otro lado, hemos definido la conciencia colectiva de la joven generación como una crítica y negación de las pretensiones uniformadoras con que opera el Poder social respecto del conjunto humano en el que se encuentra inmerso todo individuo y, por tanto, también el poeta, quienes han de vivir, sin embargo, como algo intransferible y propio, su vida única. Deseo poner en evidencia ahora que ambas cosas son una misma cosa. Pues el lenguaje, en su sentido estrecho (el idioma con el que hablamos y escribimos), y en su sentido amplio (el código gestual, el complejo psíquico de aceptación y repudio de ciertos comportamientos y valores), se halla, en alta proporción, gracias a su control monopolístico de los medios de comunicación, dominado y aherrojado por el Poder social, mediante una imposición que resulta tanto más autoritaria cuanto más inconsciente e imperceptible nos sea. Es claro, pues, que desde este punto de vista *toda crítica a la potencia deformadora de la realidad y la experiencia que posee el lenguaje en cuanto código dominado y manipulado por el Poder social,* se convierte de suyo en una manifestación, no sólo de insolidaridad, sino de *franca rebeldía contra ese Poder deshumanizador.* Rebeldía que, mostrándose para el caso del poeta, en el terreno vital que a éste es propio, es decir, en el uso del lenguaje, no deja de ser concomitante y afín a la rebeldía que hemos detectado en otras zonas del cuerpo social, que son además también, en sentido amplio, «lenguajes», y para mayor semejanza, lenguajes reprimidos asimismo por el Poder social: no hay duda, por ejemplo, de la rebeldía que se ha iniciado hoy, según ya dije, contra el lenguaje de las normas restrictoras del cuerpo y del placer, en la medida en que el Poder social codifica determinadas respuestas positivas (matrimonios, heterosexualidad, procreación). Y no hay duda tampoco de la actual rebeldía contra otros «lenguajes»; por ejemplo, contra el lenguaje político, en la medida en que el Poder establece falsas y maniqueas alternativas, en orden a fines colectivos igualmente sofísticos; alternativas conducentes todas, en su apriorístico y calculado tautologismo, a la conservación, precisamente, de ese Poder de que hablamos.

Quiero decir con esto que *el planteamiento de la poesía como metalenguaje lleva implícita una voluntad de rechazo de los mecanismos uniformadores, deshumanizadores y represores del Poder social,* ya que el sometimiento y esclavización del lenguaje por ese Poder (en cuanto que el tal Poder detenta y transmite, mediante el terrorismo blanco de su impalpable pero eficaz influjo, tal como lo he descrito hace un instante, la acuñación de los valores, represiones y permisividades de una colectividad), esa esclavización *viene a ser la forma más sutil* (y, por tanto, más difícil de neutralizar) *de sujeción, inhibición y destrucción de lo individual.* El Poder social actúa entonces con siniestra mansedumbre e invisibilidad. No reprime por la fuerza los deseos que, desde su particular e interesado punto de vista, aparecen como reprobables; al revés, se solapa, como tal Poder social, por debajo de la conciencia de cada uno de nosotros, para instalar en ella, clandestinamente, la horrenda jurisdicción superyoica, que, pese a su carácter foráneo, aparece como perfectamente personal y, por tanto, dotada de máxima capacidad de convicción. El castigo y la censura surgen como autocastigo y autocensura, haciéndose, en consecuencia, inasequibles e inalterables respecto a nosotros, pues se colocan más allá de toda crítica por nuestra parte. De este modo, los impulsos y los instintos quedan filtrados a través de un cedazo, por el que sólo pasan los materiales que obedecen la ley del *statu quo,* o bien aquellos otros que, suponiendo una liberación aparente, pueden ser desactivados por el Poder de su carga explosiva, convirtiéndose de tal forma en mecanismos de compensación lúdica (como las medievales Fiestas de Locos que al auspiciar una satisfacción marginal y superficial no destruyen, sino que apuntalan aquello contra lo que parecen dirigirse).

En *Dibujo de la Muerte* (desde su primera edición en 1967) están presentes y manifiestas todas estas perspectivas. El poema «Castilla» plantea la imposibilidad de la existencia dentro del «lenguaje del cuerpo» codificado, y no es casualidad que este poema se abra con una cita del *Quijote* alusiva al episodio de la Carreta de las Cortes de la Muerte, cita que entiendo como una referencia (con la connotación de crítica social que comportaban confusamente las Danzas de la Muerte medievales) a la imposición de normas tipificadas de ser y comportarse por efecto de la norma social. El yo del poema, que cabalga «descuartizando telas y andamiajes y máscaras» (símbolos de la represión y la ocultación de lo primigenio) observa finalmente que su mismo gesto de negación equivale a ir levantando otros «muros y andamiajes y telas y máscaras», ya que no se puede atentar contra el Poder represor mediante un código que aquél ha puesto en uso precisamente para disponer de un mecanismo de conservación basado en el funcionamiento automático. El poema «El movimiento continuo» se refiere claramente a esa imposibilidad de rebelión desde dentro, propia de los lenguajes establecidos por el Poder: huyendo de la mascarada colectiva, el «nosotros» del poema (notemos la connotación colectiva) sólo tropieza con otro sistema de elementos enmascadores, más sofisticados, sí, pero cuya inoperancia se evidencia al resolverse en un tiovivo que, girando sobre sí mismo, pone de relieve la inutilidad de su movimiento. El interior lujoso en «Primer día de verano en Wragby Hall» funciona igualmente como simbolizador del enmascaramiento de la realidad tanto como la elegancia de gestos e indumentaria en «Brummel», el vals en «Les charmes de la Vie», el baile en «Watteau en Nogent-sur-Marne»... En «Capricho en Aranjuez» estamos ante una renunciación con función catártica («poblada soledad, raso amarillo / *a cambio de mi vida*»), lo mismo que en «Sagrado Corazón y Santos, por Iacopo Guarana». No es azar tampoco que el libro termine, en su segunda edición (1971), con el poema «El embarco para Cyterea», donde la «triste nave» simboliza la codificación del lenguaje del Placer.

Y no quiero terminar este parágrafo sin referirme a la confirmación de algo apuntado hace algunas páginas: cómo la conciencia crítica que Carnero manifiesta en este su primer libro, acorde con el espíritu de su generación, se evidencia en lo que yo allí llamaba solidaridad con todas las formas de marginación, aunque el poeta no las encarne vitalmente. Estoy hablando del poema «Muerte en Venecia», escrito muchos años antes de que la popular película de Visconti popularizase esta novelita de Thomas Mann. Lo primero que choca en el poema de Carnero es que el protagonista se llame, no Gustav von Aschenbach, como en *Muerte en Venecia,* sino Detlev Spinell, que es el protagonista de otra novela de Mann, *Tristán.* Insertando en el contexto de *Muerte en Venecia* (personaje homosexual) la figura del protagonista de *Tristán* (personaje heterosexual), se han fundido en una sola las dos frustraciones, obra de un mismo sistema represivo.

El esteticismo romántico y el esteticismo parnasiano y modernista

Pasemos con esto al comentario, antes prometido, sobre el esteticismo de Carnero y de su generación y su diferencia con los otros esteticismos que históricamente precedieron a aquél en las literaturas europeas. Empiezo por decir que, entre los románticos, el esteticismo respondía a la divinización del yo, y se definía exclusivamente en la oposición a las tendencias imitativas y de servicio social (moralismo, didactismo) de todo el arte precedente. En Hegel y en Schelling, el yo es «semidiós en acto y pleno Dios en potencia». Y como lo es, resultará de algún modo todopoderoso y podrá crear lo que no existe en la naturaleza, idea que, insinuada en Shaftesbury y en Herder («el artista ha devenido un Dios creador»), adquiere ya plenitud teórica en Philipp Moritz: si hay imitación de la naturaleza, esa imitación tiene como sujeto no a la obra, sino al artista; pero lo que éste imita no son los productos; lo imitado es la actividad creadora misma de la naturaleza, que sabe inventar lo que no existía previamente [16]. El esteticismo romántico consistirá, pues, en libertad frente a toda normativa e incluso frente a todo modelo. El arte no precisa, en consecuencia, estar al servicio de la verdad práctica (verdad moral o verdad intelectual), pues el concepto de «creación» sustituye al de «imitación».

---

[16] Véase Tzvetan Todorov: *Théories du symbole,* París, Ed. du Seuil, 1977, pág. 185.

Añadamos que la ciencia de la época (que también participa de las cosmovisiones, según dijimos más arriba) entra igualmente en este creativismo. Por vez primera, la geometría de un Lobatchevski (y no es ejemplo solitario) supone una creación ajena al mundo real. Tampoco aquí se reproduce la realidad; no hay *mímesis,* sino *poiesis.* El esteticismo posterior (el parnasiano, el modernista, el de Wilde), aparte de acentuar mucho (cualitativamente), en el sentido que pronto diré, las tendencias «creativas» que habían sido propias del Romanticismo, se manifiesta de otro modo: como antipatía a la vida y a la naturaleza. Sólo el arte y lo artístico tienen auténtico valor. Oigamos algunas conocidas frases muy significativas de la época: «¿Vivir? Eso dejémoslo para nuestros criados» (Villiers de l'Isle); «La naturaleza imita al arte» (Wilde). ¿A qué se debe esto? Ya no se tratará de la divinización del yo, como en el Romanticismo. Al revés, el yo empírico ahora desaparece, pues la «verdadera realidad» en esta nueva época consiste, según dijimos, en otra cosa: en la impresión. ¿Y qué relación tiene este imperio de la impresión con el esteticismo? La relación es que se desdeñará, a favor de aquélla, el mundo. Ahora bien: los estetas viven la tendencia general a toda la época reductoramente: donde, por ejemplo, los impresionistas dirían, simplemente, «impresión», dirán ellos «impresión estética», o sea, «arte». Con esto desembocamos en lo ya dicho: la naturaleza, la vida, no importarán; la impresión estética, el arte, sí. La vida únicamente logrará hacerse interesante cuando se relacione, de un modo u otro, con la actividad estética. De ahí que el arte tome, muchas veces como tema por estas fechas, no a la vida, sino al arte mismo. Se harán, por ejemplo, poemas a cuadros: así Manuel Machado en su libro *Museo.* O se citarán o mencionarán otras obras de arte dentro de cada una de ellas. Tal culturalismo explica también las actitudes «nobles», estatuarias, de los personajes del primer Valle-Inclán, que parecen sacados no de la observación, sino de alguna obra plástica, que queda, de este modo vago y connotativo, evocada. Y aun el acercamiento entre vida y cultura puede ser, en las *Sonatas,* más explícito: «aquellas tres princesas me recordaban un cuadro de Botticelli». De igual modo, en la novela de Proust, Marcel sólo se sentía fascinado por un paisaje cuando lo sabía pintado por su pintor favorito, Elstir. El dandy finisecular revela, de otra parte, su esteticismo resistiéndose a vivir una vida espontánea: ha de convertirse ésta, al ser vivida, si quiere mostrarse en la plenitud de su dignidad, en una verdadera obra literaria, para lo cual se hace preciso que el sujeto invente primero un personaje y logre luego encarnarlo incesante y cotidianamente con perfección. La propia biografía requerirá, pues, «genio». Tal es como se hace preciso entender la célebre frase wildeana, «puse mi talento en mis libros y mi genio en mi vida». A Baudelaire le interesaba asimismo cuanto se oponía a la naturaleza: lesbianismo, droga o ciudad, mejor si esta última se privaba de toda forma viva o vegetal: «Réve parisien» [17]. Y como el individualismo de esta época llevaba a concebir la Belleza, anhelada por el esteta, como singularidad o rareza, se odiará cuanto signifique vulgo o vulgaridad. «Un vulgo errante, municipal y espeso», dirá despectivamente Rubén Darío [18]. Por eso el esteticismo tomó, ante todo, forma de aristocratismo. Se ponen de moda en la literatura de la época personajes de sangre azul, animales insignes (cisnes, pavos reales), piedras o maderas preciosas. Y, claro está, se valorará el sentimiento propio de la nobleza, el orgullo, tan presente en todas estas obras. Por lo demás, al repudiarse

---

[17] *Le sommeil est plein de miracles!*
Par un caprice singulier,
J'avais banni de ces spectacles
le végétal irregulier.
Et, peintre fier de mon génie,
je savourais dans mon tableau
l'énivrante monotonie
du métal, du marbre et de l'eau
....
Non d'arbres, mais de colonnades. (Versos 5-12 y 21.)

[18] Rubén Darío: «Soneto autumnal al Marqués de Bradomín»,

la naturaleza y la vida, el creativismo, de ser en la época romántica mero repudio de la «imitación», va a ir ahora más lejos que nunca: empieza a darse en la poesía la utilización de *irrealidades* (aunque simbólicas; pero en los símbolos de irrealidad el significado no asoma en la conciencia más que en forma emotiva, de forma que en estos casos lo único que aparece en la lucidez del lector es la irrealidad como tal). Abierta así la posibilidad del uso estético de irrealidades, sin aparente significación, asomarán pronto los colores supuestamente gratuitos del Fauvismo, y luego surgirán el Cubismo, el Expresionismo y la pintura abstracta. La ciencia y la técnica, como resulta ya para nosotros esperable, seguirán idénticos derroteros, y harán cosas similares o paralelas, al moverse con frecuencia, igualmente, de modo ya imparable hasta hoy, de espaldas a lo natural. Se ha creado, en efecto, una geometría no euclidiana, un espacio de *n* dimensiones; se han sintetizado sustancias químicas que previamente no existían en el mundo (los cuatro «transuranos», el tecnecio, etc.), y se han fabricado materias artificiales (por ejemplo, los plásticos).

El esteticismo juvenil sería, pues, el tercero que le ha sobrevenido a la cultura occidental, y, según ya vimos, es tan distinto a los otros dos como éstos entre sí. Pues si el contenido de la poesía es, para Carnero y la nueva generación, no la realidad y ni siquiera su experiencia, sino la ficción en cuanto ficción (aunque ésta, por supuesto, se relacione con la vida), el interés del poeta no irá ahora hacia las dos primeras cosas, sino hacia la tercera, la ficción, o sea, el *arte, lo artístico como tales*. En cada caso (en el caso romántico, en el parnasiano y modernista, en el de la generación de 1968), el impulso genérico del esteticismo difiere (e incluso el modo de ser considerado ese mundo estético que se evoca, según pronto veremos). Permítaseme repetirlo: uno, el esteticismo romántico, resulta de la divinización del yo; otro, el esteticismo parnasiano y modernista, del imperio de la impresión; el último, el de Carnero, de la crisis definitiva (mucho más grave, cualitativamente más grave que en todos los períodos anteriores) de la razón racionalista. Nada importarán las coincidencias formales que, en algunos casos, junto a grandes diferencias, puedan existir entre, por ejemplo, *Dibujo de la Muerte* y los poetas parnasianos o modernistas. El sentido de esta forma común se nos ofrece como profundamente discrepante. Pero, además, dentro del sistema entero de la época actual pueden darse elementos que no pertenecen a la rama esteticista de esa época, sino a otras «ramas» de ella, pero que vienen a coincidir sólo formalmente (diríamos que por azar) con elementos del esteticismo parnasiano-modernista. En tal caso, la diferencia de sentido entre ambos tipos de ingredientes cosmovisionarios se acusa con mayor relieve. Y así el interés en las drogas tiene hoy un significado o estructura por completo dispar al que tuvo en tiempos de Baudelaire. Acordémonos del significativo nombre que entonces recibían aquéllas: «paraísos artificiales». El artificio como opuesto a la repudiada naturaleza era, en consecuencia, lo que en la droga buscaba el esteta. Hoy se busca en ella, como en el uso del libre erotismo, el puro goce de la persona; goce cuya falta de trascendencia hacia unas hipotéticas «necesidades generales» es, tal vez, más un aliciente que un reparo. También observamos el fenómeno en cierto modo opuesto al que acabo de describir: la existencia de notas esenciales al esteticismo parnasiano-modernista que hoy encuentran exacta contradicción, no en el esteticismo juvenil, pero sí en el sistema más amplio en el que los jóvenes habitan. El viejo odio hacia lo natural de los estetas del siglo XIX contrasta fuertemente con el ecologismo de tantos significativos representantes del momento presente, como consecuencia del contraste más radical que media entre los fundamentos de los dos sistemas comparados: uno, exaltador del artificio; otro, con anhelos de una vida individual plena, sin restricciones procedentes del inhumano utilitarismo racionalista.

Diferencias con la generación del 27

Y ya que hemos entrado en el capítulo de las diferencias, no sobra que marquemos asimismo una frontera nítida entre la cosmovisión hoy juvenil y la que irrumpió en los años veinte. Pues los evidentes acercamientos entre el grupo del que Carnero forma parte y el grupo del 27 (precisamente en cuanto al amor a la Naturaleza, la antipatía al mundo de la técnica, el erotismo, etc.), así como en el posible uso del irracionalismo y el experimentalismo (de los que Carnero no participa tal como los puso en práctica el 27), manifiestan igualmente una diversa disposición y son, por consiguiente, otra cosa. Por lo pronto, los jóvenes han ido mucho más lejos que los superrealistas en sus reivindicaciones de lo puramente individual (no en vano se ofrecen como más individualistas); es decir, han ido mucho más lejos en sus reivindicaciones de lo que no se pone al servicio directo de un supuesto «bien común». Todo esto es cuantitativo, cierto. Mas ya sabemos que la cantidad, al llegar a cierto grado, afecta a la cualidad. Pero es que, además, hay separaciones claramente cualitativas entre ambas actitudes: a los poetas del 27, el repudio en un cierto grado de la razón racionalista les conducía a la exaltación de la vida en cuanto pura elementalidad y, como consecuencia, a la negación del esteticismo:

Sí, poeta, arroja este libro que pretende encerrar en sus páginas un destello del sol,
y mira la luz cara a cara, apoyada la cabeza en la roca [19].

Cosa que no ocurre entre los jóvenes de hoy, cuyo repudio de lo mismo, pero en un grado cualitativamente mayor, o su falta de fe en los poderes cognoscitivos de eso que repudian, arrastra muy diversas consecuencias. Por un lado,

[19] Vicente Aleixandre: «El poeta», de *Sombra del Paraíso.*

los hace llevar el erotismo libre a un extremo que no se daba antes; por otro, se interesan en el culturalismo y son estetas (o pueden serlo) con frenesí no menor. La generación del 68 ni repite el esteticismo del siglo XIX ni tampoco las actitudes del 27, aunque tenga con ambos movimientos deudas y proximidades o coincidencias muy significativas.

Descripción del esteticismo de «Dibujo de la Muerte»

Pero veamos en qué consiste este esteticismo de *Dibujo de la Muerte,* cuya causa hemos ya investigado. En primer lugar, fijémonos en los materiales manejados por el poeta. Incesantemente los objetos nombrados son «bellos»: telas suntuosas (brocados, terciopelos, sedas, tules); épocas refinadas (Renacimiento, siglo XVIII); preciosidades (oro, plata, gemas, rubíes, diamantes, ágatas, ónice, jade, marfiles, mármoles, sándalo, caoba); elementos decorativos (columnas, terrazas, jardines, candelabros, pebeteros, cálices, cortinajes, arquitrabes); colores ricos o evocadores (púrpura, carmín, nieve, lila, oro, azul, incluso en su forma más cultista: «azur»), o términos prestigiosos, bien por pertenecer al mundo del arte (espineta, pianos, arpas, oboes), por su uso tradicional en la literatura (nenúfares, rosas, adelfas, sauces, magnolios, laureles, fresnos) o por rememorar mundos de ensueño (Arcadias, Cytereas) o aludir a la Mitología (centauros, ninfas). Pero sobre todo esto, el poeta se inspira, de modo explícito o connotativamente, en el arte (literatura, escultura, pintura, arquitectura, música), y no directamente en la vida, pero *no por desprecio de ésta,* como ocurría entre los estetas del siglo XIX, sino por considerar, tal como antes dije, incognoscible la realidad e inexpresable su experiencia por el sujeto dentro de unos esquemas sociales de carácter represivo cuya función primordial es controlar, manejar y ocultar la realidad (la realidad exterior, mundo y naturaleza, y la realidad interior, pensamientos e instintos). Las descripciones (muy frecuentes) se sacan de cuadros o los sugieren (Watteau, Giorgione, Iacopo Guarana). En ocasiones, cono en las *Sonatas* y en otros libros del primer Valle Inclán, el objeto mirado se enlaza de modo explícito a una obra estética:

En Avila la piedra tiene cincelados pequeños corazones de nácar
y pájaros de ojos vacíos, como si hubiera sido el hierro martilleado por Fancelli
buril de pluma, y no corre por sus heridas ni ha corrido nunca la sangre... [20].

O se recrean personajes ya tratados, por ejemplo, en alguna novela famosa. Uno de los más hermosos poemas de *Dibujo de la Muerte* tiene como protagonista (lo dijimos ya) a Detlev Spinelli, carácter central de *Tristán,* de Thomas Mann. O lo que el poeta hace es describir el efecto que le produce una determinada pieza musical («Concertato-Scarlatti»). En ocasiones se evocan otros contextos (en *Dibujo de la Muerte,* contextos ambientales; en los libros siguientes, literarios) por medio de citas, aunque muy escasas (abundarán sólo a partir de *El Sueño de Escipión),* por lo común en lenguas extranjeras. Las citas en otros idiomas son usadas por los jóvenes al modo de Ezra Pound o T. S. Eliot más que al modo de los Modernistas (Rubén Darío, etc.):

Oh, rien de plus beau que les printemps anglais [21]

...exalta al cielo y hunde
—Vedi là Farinata— las estrellas que rigen el mar abierto [22].

O se describen ciudades «artísticas» (Ávila, Pisa, Venecia) o edificios estéticamente venerables (Las Huelgas). A veces el personaje o incluso el narrador poemático es un escritor

[20] «Avila», de *Dibujo de la Muerte.*
[21] «Oscar Wilde en París», *ibidem.*
[22] «Pisa», *ibidem.*

(«Oscar Wilde en París»), un pintor («Watteau en Nogent-sur-Marne») o un dandy («Brummel»). El poeta busca intuitivamente personajes cuyo pensamiento y sentimentalidad ostenten amplias similitudes con los suyos propios, para que le sirvan de «correlatos objetivos» a través de los cuales pueda expresarse con la debida distanciación. No hay más que observar la frecuencia con que recurre, precisamente, a notorios estetas para esta faena de enmascaramiento. Perc notemos, en coincidencia con todo lo dicho, que esos personajes-estetas no aparecen positivamente mencionados y utilizados (lo que equivaldría al «asentimiento» admirativo ante su esteticismo); aparecen, al contrario, presentados en la soledad («Watteau), en la decadencia, la persecución y el exilio (Wilde) o en la frustración (Brummel). Esas son, para Carnero, las consecuencias de un esteticismo de personajes históricos reales que adoptaron tal actitud por fidelidad a la norma de su época (Watteau, encarnación del arte «oficial» patrocinado por la nobleza en la sociedad del Antiguo Régimen; Brummel, encarnación y paradigma de las «buenas maneras» cortesanas) o por una necesidad de afirmarse frente a la norma de su época desde la marginación (Wilde, perseguido, encarcelado, desterrado y destruido como persona por la sociedad victoriana). No hay, pues, triunfalismo alguno en el esteticismo de Carnero; sí, por el contrario, añoranza de la espontaneidad, de la naturalidad de los instintos, de la libertad de la mente y del cuerpo.

No cabe duda de que hay, en cuanto he dicho, concomitancias evidentes con lo que, en nuestra descripción, habían manifestado los parnasianos y modernistas del XIX: alusiones a la Belleza y lo bello, inspiración en otras obras de arte, citas. Pero, aparte la distancia radical, ya examinada por nosotros, que tales características muestran en ambos períodos por lo que toca a su sentido, ocurre que ahora el lenguaje es otro por completo. A la diferencia de fondo (el significado distinto) se añade una diferencia de forma (la dispareja escritura), con lo que habrá de engendrarse, y se engendra, en nosotros una fuerte sensación de novedad. *Dibujo de la Muerte* no recuerda, en ningún momento, a los viejos textos esteticistas. Nos sentimos en muy diversa onda, modulada, además, de otro modo. Intentemos examinar —aparte lo ya dicho— algunos de los ingredientes decisivos de tal impresión nuestra.

La tradición inmediata y «Dibujo de la Muerte»

Y es que *Dibujo de la Muerte,* siendo en su esteticismo, antitético del realismo de la generación inmediatamente precedente (la del 50: 1924-38, la zona de fechas de nacimiento) aprende no poco de él, y esto aleja aún más a esta obra de la tradición análoga que dije. Dado que la «verdadera realidad» para los escritores de esa generación estribaba en la noción «yo soy yo haciendo algo en mi circunstancia», la expresión del yo requería, como ya dije, la *descripción* de la circunstancia y la narracción, con frecuencia, de tal actividad. Tal es uno de los puntos de que Guillermo Carnero va a partir en *Dibujo de la Muerte.* Precisemos sólo que su estilo se inclina mucho más hacia lo descriptivo que hacia lo narrativo. Por otra parte, se da en nuestro autor, con la misma intensidad que en los poetas del 50, una peculiaridad derivada de la que acabo de mencionar. Pues si la dicción se hace narrativa o descriptiva habrá de admitirse el correspondiente relajamiento de nuestras expectativas de aquella tensión continua que había sido propia de la poesía de todos los tiempos, y que la generación del 50, sobre todo, vino a desechar: relajamiento que no va en merma de la calidad, pues ahora, situados en una nueva cosmovisión, no la «disentimos» (siguiendo en esto a lo que ha ocurrido desde siempre para el caso extremo de la novela o del cuento). Dicho de otro modo: el poema no se construye ya partiendo de la idea anterior de que un soporte verbal de esa naturaleza haya de ser un conjunto de incesantes descargas expresivas, muy próximas las unas a las otras, sino, al revés, un flujo seguido, sin altos ni bajos, lleno de naturalidad y que no precisa de la sorpresa incesante. Aunque se busca que el lenguaje tenga en todo momento gran distinción, lo poético aparece en forma de impalpable pero eficaz atmósfera, que se origina imperceptiblemente (con frecuencia a través de connotaciones o de símbolos «de realidad» encadenados: volveré sobre ello). Si hay descargas estéticas que destaquen por su especial intensidad, habrán de quedar lo bastante alejadas entre sí para no alterar la tersura del conjunto. El poeta procura, pues, otorgar un parecido relieve a todos los elementos poemáticos, no llamar la atención de modo especial sobre ninguno de ellos. Adivinamos por qué: se trata de conseguir que la forma sea *elegante,* en correspondencia a la elegancia del mundo evocado.

Otro de los elementos comunes con la generación del 50 y con la del 27 (en cuanto a sus representantes de origen superrealista) es el uso del verso libre. Creo que el utilizado por Carnero está en la línea Cernuda-Gil de Biedma-Brines, y eso se nota, sobre todo, aparte del predominio de los ritmos endecasílabos (alejandrinos, etc.) en un detalle que, aunque mínimo, no pasa inadvertido a los buenos catadores de poesía. En efecto: Luis Cernuda, precisamente para dar un tono coloquial a su verso, solía introducir, de tarde en tarde, en sus textos, una ligera arritmia, que consistía en romper levemente el compás alejandrino regular (o casi, o bastante, regular) de un poema, haciendo que alguna unidad se descabalase y disminuyese en 7 + 6 en vez de mantener el canon normal 7 + 7 [23]:

---

[23] Ese verso de 7 + 6 fue usado por Verlaine, sólo que en él se convierte en un ritmo regular, cuyo encanto estriba, precisamente, en su desazonante cojera:

En vain la fête autour / se faisait plus folle,
en vain les Satans, ses / frèses et ses soeurs,
pour l'arracher au sou- / ci qui le désole
l'encouragaient d'appels / de bras caresseurs.

(«Crimen amoris», *Jadis et naguère, Oeuvres poétiques complètes,* París, Bibliothéque de la Pléiade, Gallimard, 1962, pág. 378.)

Su número es bien corto. Como en otro tiempo[24] ...
suspensos en la noche sobre el agua oscura[25] ...
creídas al pisarla confusión sin rumbo[26] ...
es como son perdido por el aire sordo[27] ...
su sinrazón congénita ya locura hoy[28] ...

El sistema fue seguido posteriormente por Jaime Gil de Biedma:

Era en los buenos años de mi juventud[29] ...
son la flora y la fauna de un reino manual[30]

Dentro de la especial métrica francesa, se denomina «endecasílabo» a tan peculiar metro (o sea, dicho en español, «dodecasílabo», aunque para nosotros tenga, en realidad, claro está, trece sílabas). Este verso de «once» adquiere en Verlaine formas muy distintas. Por ejemplo, puede adoptar la disposición 6 + 7:

Il faut, voyez-vous, / nous pardonner les choses:
de cette façon / nous serons bien heureuses
et si notre vie / a des instants moroses,
du moins nous serons / n'est-ce pas? deux pleureuses.

(«Ariettes oubliées», IV, *Romances sans paroles, ibidem,* página 193.)

Verlaine empleó este tipo de metrificación en otros dos poemas («La tristesse, la langueur du corps humain», de *Sagesse,* y «Vers pour être calomnié», de *Jadis et naguère*), pero el origen se halla en la poetisa Marceline Desbordes-Valmore («Rève intermittent d'une nuit triste»). Machado lo utiliza, como Cernuda, con irregularidad, es decir, mezclado a ritmos tradicionales (endecasílabos o alejandrinos), pero en dos ocasiones solamente:

los cuerpos virginales a la orilla vieja
(Poema CXXV, *Poesías Completas*)
el palpitar süave de la mano amiga
(Poema LXIV, *ibidem*)

24 Luis Cernuda: «Apología pro vita sua», *Como quien espera el alba,* en *La realidad y el deseo,* México, Fondo de Cultura Económica, 1958, pág. 210.
25 *Ibidem* en íd., pág. 210.
26 «Quetzalcóatl», *Como quien espera el alba,* ibidem, pág. 214.
27 «El chopo», *ibidem,* íd., pág. 224.
28 «Ser de Sansueña», en *Vivir sin estar viviendo, ibidem,* página 268.
29 Jaime Gil de Biedma: «París, postal del cielo», *Moralidades,* en *Las personas del verbo,* Barcelona, Barral Editores, 1975, pág. 89.
30 «Trompe l'oeil», *Moralidades, ibidem,* pág. 93.

sus vergonzosas noches de amor sin deseo [31]
cuando el sol no calienta y está el aire claro [32]
mi recuerdo muy vago es sólo una imagen [33]
pero sólo un instante porque ya el recuerdo [34]
que me sé de memoria porque fue mi reino [35]
igual deslumbramiento que a los veinte años [36]
las estatuas manchadas con lápiz de labios [37]

y por Francisco Brines:

En el ligero esfuerzo de la bicicleta [38]
desde las rotas sombras de los descampados [39]
derribaste a escondidas las torres de Dios [40]

Pero también por Guillermo Carnero, sobre todo desde *El Sueño de Escipión:*

el jardincillo de los conciertos sacros [41]
aimons-y la naissance des désirs liquides [42]
los párpados entornan más de lo habitual [43]
se respira despacio con suspiros graves [44]

---

[31] «Canción de aniversario», *ibidem,* íd., pág. 105.
[32] «Durante la invasión», *ibidem,* íd., pág. 116.
[33] «Intento formular mi experiencia de la guerra», *ibidem,* íd., página 119.
[34] «En una despedida», *ibidem,* íd., pág. 126.
[35] «Ribera de los alisos», *ibidem,* íd., pág. 128.
[36] «Pandémica celeste», *ibidem,* íd., pág. 131.
[37] «Barcelona ja no és bona, o mi paseo solitario en primavera», *ibidem,* íd., pág. 77.
[38] Francisco Brines: *Poesía,* Barcelona, Plaza Janés, 1974, «Mere road», *Palabras a la oscuridad,* pág. 217.
[39] «Rodeado de frío», *Aún no, ibidem,* pág. 362.
[40] «Palabras aciagas», *Palabras a la oscuridad, ibidem,* pág. 293.
[41] Guillermo Carnero: «Investigación de una doble metonimia», en *El Sueño de Escipión.*
[42] «Rodéanos de rápidos desnudas», *ibidem.*
[43] «Oda a Teodoro, barón Neuhof, rey de Córcega», *ibidem.*
[44] *Ibidem,* íd.

y no una, previsible, con sus habituales [45]
el calor de un instante es haber vivido [46]
que desgarrar a la masa del espino [47]

Pero ello se encuentra ya en *Dibujo de la Muerte:*

... polícromos fanales en el agua insomne [48]

Los prosaísmos voluntarios, esto es, las alusiones a pormenores de la vida cotidiana, tan peculiares de la generación precedente, son, en cambio, infrecuentes en *Dibujo de la Muerte,* pero no faltan:

Hay algún bar abierto en donde suena un disco [49],

como tampoco falta, aunque su presencia sea más bien rara, otro rasgo muy típico de la generación del 50: la de convertir en elemento decisivo de una pieza la sugerencia de un matiz psicológico complejo. En *Dibujo de la Muerte,* Guillermo Carnero coloca esos efectos, cuando los usa, en los finales poemáticos, lo que produce felices resultados expresivos, que sirven para cerrar brillantemente las composiciones:

Y no guardo rencor
sino un deseo inhábil que no colman
las acrobacias de la voluntad,
y cierta ingratitud no muy profunda [50].

Aún hay otro ingrediente, con origen en Luis Cernuda, y antes en la tradición anglosajona, que Carnero toma de

---

45 «El Sueño de Escipión», *ibidem.*
46 «Variación IV: Dad limosna a Belisario», en *Variaciones y figuras sobre un tema de La Bruyère.*
47 «Ostende», en *Ensayo de una teoría de la visión.*
48 «El Serenísimo Príncipe Ludovico Manin...».
49 «Avila», de *Dibujo de la Muerte.*
50 «El embarco para Cyterea», *ibidem.*

la tradición inmediata de que hablo: el uso de figuras históricas como protagonistas e incluso como narradores del verso, a modo de correlatos objetivos, cosa que comprobábamos más arriba. Pero según también sabemos, Guillermo Carnero, en vez de personajes como Felipe II, Lázaro o Los Reyes Magos, elige frecuentemente para tales objetivaciones, en perfecta concordancia con su cosmovisión, a ciertos estetas, o al menos, a ciertos artistas (Watteau, Paul Scarron...).

Esta solidaridad con el pasado inmediato se explica en lo genérico (aparte de posibles razones específicas, como la antes dada para la elegancia de *Dibujo de la Muerte)* por el hecho de que en cada período cultural hay elementos cosmovisionarios cualitativamente comunes con los de las épocas anteriores (aunque quepa la diferencia cuantitativa): elementos que, por formar entonces en una cosmovisión más amplia, se originan a su vez en el individualismo también común, que, por tanto, resulta ser aquél que se halla entre dos puntos críticos bastante separados entre sí por lo que toca a su grado, ya que consiste en el correspondiente a todo ese tiempo cosmovisionariamente más comprensivo en que tales épocas parcialmente coincidentes se van sucediendo. Son ingredientes que no derivan, pues, de la «verdadera realidad» del momento de que se trate, sino del foco individualista como tal, en cuanto que éste se encuentra incurso aún en la zona comprendida entre los mencionados puntos críticos. En nuestro caso, el motivo de las peculiaridades descritas hay que buscarlo en el interés que, a partir de la generación del 50, se ha tenido por la situación concreta, gracias a un individualismo en una cierta alta graduación. Una cosa son, pues, las semejanzas sólo formales entre épocas muy distintas (así, los variados esteticismos que hemos ido analizando), y otra, *los elementos de continuidad,* como los recién enumerados, que pasan de un lapso de tiempo a otro *sin modificar en lo esencial su significación profunda.*

HONDURA DE «DIBUJO DE LA MUERTE»: VISIÓN TRÁGICA DE LA FUGACIDAD HUMANA

El esteticismo de *Dibujo de la Muerte* pudiera hacernos pensar que se trata de un libro externo, sólo «bello», acaso superficial. Debo decir cuanto antes que ocurre exactamente lo contrario, y ya he aludido a ello en un anterior parágrafo. Nos hallamos frente a una obra de perceptible profundidad. La belleza que Carnero contempla es, además, como ha notado José Olivio Jiménez, la alucinada máscara tras la que se esconde la visión del vacío, de la evanescencia y fugacidad de cuanto existe [51]. El contraste entre refinamiento y desolación es lo que da, no sólo hondura, sino al mismo tiempo complejidad y riqueza al volumen. Pero ¿cómo se inserta este ingrediente trágico en el sistema formado por la poesía que consideramos? He aquí otro de esos elementos de continuidad que, al entrar en todos los períodos precedentes, en este caso desde el Romanticismo para acá, se relacionan siguiendo la tesis que acabamos de establecer, no con lo que para la generación del 68 hemos llamado la «realidad verdadera» (la grave crisis del racionalismo), sino con un elemento perdurable en todos esos períodos (la importancia de lo individual), el cual, a su vez, se halla en conexión con el individualismo; pero no sólo con el individualismo actual, sino con el que existe crecientemente en la sociedad europea desde una cierta fecha, que para el dato que ahora nos ocupa, sería el existente hasta hoy a partir de la época romántica. Es, pues, un elemento de la cosmovisión de «edad» y no sólo de la cosmovisión «generacional» o «de época». Importa tomar plena conciencia de este hecho, pues, como vamos viendo, responde a una ley general, de gran importancia para nuestra metodología.

---

[51] José Olivio Jiménez: «Estética del lujo y de la muerte: sobre *Dibujo de la Muerte* (1967), de Guillermo Carnero», en *Papeles de Son Armadans,* mayo, 1972, y en *Diez años de poesía española,* Madrid, Ed. Ínsula, 1972, págs. 375-385, especialmente págs. 380-382.

En efecto: los románticos, al ser ya suficientemente individualistas, se interesan por lo individualizado: el individuo, el yo, la realidad concreta. Ahora bien: la dignificación de tales entes conduce, indefectiblemente, a la historicidad. La Ilustración, al considerar en el hombre únicamente su naturaleza racional, la misma en todas las épocas y países, situaba y proyectaba a aquél, en cierto modo, fuera del tiempo y del espacio. El Romanticismo, por el contrario, al ser más individualista e interesarse, por consiguiente, en el individuo concreto en cuanto distinto de cualquier otro, forzosamente había de instalar a éste en la Historia, pues toda realidad concreta implica un aquí y un ahora y, por tanto, implica la situación del individuo en un determinado pueblo (nacionalismo romántico) que se halla a su vez en un cierto momento irrepetible y único del desarrollo temporal. Cada momento de la historia, al ostentar igualmente concreción, tiene también un valor propio incomparable, que se hace, por eso mismo, seductor. El progresismo del siglo XVIII iba derecho a su meta futura, sin pararse en las estaciones de la sucesión más que en su calidad de medios. Ahora los medios se muestran tan atractivos como los fines: se manifiestan como propietarios por sí mismos de una entidad valiosa. Pero si se pasa de unos momentos históricos a otros que les son irreductibles, el progresismo de Turgot y Condorcet, de ser puramente cuantitativo se hará cualitativo y surgirá en Hegel la necesidad de aclarar el hecho con la noción de «salto» de esta última especie. La cantidad se sobresaltará haciéndose cualidad, al alcanzar ciertos puntos críticos, idea muy conocida y que nosotros mismos hemos usado más atrás a propósito de nuestra propia doctrina. Véase, pues, cómo el individualismo, en su graduación romántica, explica el historicismo del instante en cuestión, esto es, explica el relieve con que en él asoma, hasta en la Ciencia y en la Filosofía, el concepto de temporalidad, así como el de evolución hacia algo totalmente otro, a cuyo examen dedicará Hegel su dialéctica [52].

La nueva receptividad para el cambio y el tiempo, representado por los románticos, se irá acentuando posteriormente. En el momento contemporáneo, la «verdadera realidad», dijimos, va a ser la impresión. Pero ocurre que la impresión es siempre *instantánea.* Las cosas, en lo que importa de ellas (en cuanto a la impresión que nos causan) surgirán como puramente *actuales,* y por tanto, como inconsistentes, como fugaces. Se comprende que entre los simbolistas (de cuya cosmovisión el impresionismo es sólo una rama), los temas de la muerte y del tiempo se conviertan en fundamentales [53].

---

[52] Aunque en el siglo XVIII se hallen antecedentes insignes (Vico, Voltaire, Hume, Gibbon, Lessing y Herder), podemos decir que fueron los románticos quienes descubrieron la Historia en el sentido moderno de la expresión: Humboldt, Savigny, Bopp, los hermanos Grimm, Ranke, Miebuhr, Lachmann... De otra parte, la idea romántica de evolución será tal vez la más fecunda para la Ciencia (no sólo se halla, pues, entre los artistas y los filósofos: Schelling o Hegel, aparte de Goethe y los «Naturphilosophen»), cuyos conceptos (los de esa Ciencia) serán en adelante crecientemente dinámicos, en contra del estatismo que los presidía en todo el período que llega hasta el momento de la Revolución Industrial. La atención a lo evolutivo explica que Karl Ernst von Baer (1792-1876) haga surgir una nueva disciplina, la Embriología, mientras Charles Lyell (1792-1875) construye la Geología sobre la idea de la transformación continua de la corteza terrestre. Empieza a constituirse la Genética en forma de Biometría o Estadística (Adolphe Quetelet, 1796-1824) y como estudio de los cruzamientos entre las variedades de una misma especie o entre especies distintas (pronto estarán ahí Méndel, etc.). Pero tal vez lo que más espectacularmente puede confirmar los nexos entre ciencia y cosmovisión sean, a la sazón, dos cosas: primera, la aparición, por estas fechas, de la teoría evolutiva de Jean B. Lamarck (1744-1829), antecedente importantísimo de Darwin, y segunda, la configuración de la Química como ciencia, al descubrir Antoine-Laurent Lavoisier (en este sentido, como Lamarck, un prerromántico: nace en 1743 y muere en 1794) el hecho de las combinaciones: dos cuerpos distintos que, al unirse de un determinado modo, hacen surgir un tercero que difiere de ambos. La idea de evolución hacia algo irreductible a lo primero ha hecho, pues, nacer la Química científica de las combinaciones frente a la Química acientífica de los «principios» (la Química del flogístico) que la precedió.

[53] Si partimos de la idea de «realidad verdadera» para definir

Lo mismo o casi lo mismo ocurre entre los superrealistas, que aún acentúan el intrasubjetivismo y la importancia de lo individual concreto. Naturalmente, en el período siguiente (realismo de la posguerra en sus dos primeras generaciones), donde el acento se lo lleva la idea situacional, habrá de llegar a un punto más alto la historicidad, ya que nada menos que nuestra persona, lo que cada uno de nosotros es, dependerá de la cambiante circunstancia: la situación me configura y soy, en consecuencia, tiempo. Por último, en la época de Carnero, en que cada criatura siente máximamente su individualidad y concreción, hechas siempre de un aquí y un ahora, habrá de experimentarse la temporalidad de una manera especialmente intensa. En suma: el creciente individualismo ha traído, a partir de la época romántica, una sensibilidad también creciente para la individualidad y, por consiguiente, para la historicidad y para el paso de las horas.

El tiempo se nos ha mostrado progresivamente como creador desde esa fecha (y sólo desde esa fecha), pero asimismo, en no menor medida, como destructor. El «estímulo» de todas esas nociones será, no es preciso decirlo, el cambio cada vez más veloz que experimenta el mundo, gracias a la técnica crecientemente perfecta a partir de la Revolución Industrial. Hemos visto cambiar a ojos vistas hasta lo más petrificado y aparentemente inamovible. La industria nos proporciona objetos que sabemos serán superados muy pronto por un nuevo modelo de mayor excelencia, o que, incluso, serán destinados a un uso sólo instantáneo y que luego se tiran (manteles y pañuelos de papel, etc.). ¿Cómo dudar de que todo esto habrá de «estimular» fuertemente el historicismo que progresivamente es propio de nuestra visión, individualista y por tanto *individualizante,* del mundo?

---

las épocas sin vaguedades, concluiremos lo dicho en el texto: que el Impresionismo es una rama del Simbolismo.

Los dos planos del libro: evocación del siglo xviii y de los estetas del siglo xix; humor

Comprendemos ahora, acaso del todo, que sea muy característico de este primer libro de Carnero una estructura poemática que podríamos formular esquemáticamente como constituida por dos elementos, belleza y muerte, que se suceden, en este mismo orden, dentro de la composición: el poeta nos pinta primero un mundo de refinamiento o de arte y belleza que, de un modo u otro, muestra por algún sitio, al cabo de los versos, su revés de finitud o de carroña. En esta técnica se construyen, pero con gran variedad de formas, nada menos que nueve composiciones de las veinticuatro del libro: «Avila», «Amanecer en Burgos», «Brummel», «Les charmes de la vie», «Concertato», «Watteau en Nogent-sur-Marne», «Oscar Wilde en París», «El altísimo Juan Sforza...», «Bacanales en Rímini...». Y aún se ve lo mismo en otras piezas al ser todas ellas comparadas entre sí por el lector. Pues el contraste belleza-muerte (o lo que es lo mismo: belleza-privación de vida; recuérdese el primer verso de «Capricho en Aranjuez»: «Raso amarillo a cambio de mi vida») que se da en el interior de cada una de las citadas obras se observará, igualmente, al realizar el cotejo ahora de otro modo: observamos entonces que, por ejemplo, uno de los poemas se encarga, digamos, de desarrollar exclusivamente la noción de Belleza (así «Atardecer en la pinacoteca»), mientras otro (pongamos «Muerte en Venecia») desplegará con exclusividad la contrapuesta noción, explicitada en el título que he enunciado en el paréntesis.

Se nos pone en claro con esto la predilección que muestra *Dibujo de la Muerte* por el siglo xviii, evocado con característica insistencia a lo largo de sus páginas. Creo que tal predilección halla motivo profundo en el hecho de representar una época *aparentemente estable y bella,* al ser vista desde la perspectiva (adoptada por el poeta, pero con sentido crítico y censorio) de sus clases más altas y refinadas, pero cuyo final trágico en la Revolución Francesa, precisamente por lo que toca a tales estamentos, se nos aparece, por vía asociativa, como inminente y necesario (véase al respecto el poema «Queluz» del libro *Variaciones y figuras sobre un tema de La Bruyère)*. Para lograr estos efectos, el poeta intensifica la sensación de inmovilidad, no sólo con frecuentes palabras que connotan o simbolizan [54] esta noción de modo encadenado («signos de sugestión»):

> Que no turben *las aves el crepúsculo.*
> *Va a comenzar el vals.* Que todo quede
> en tinieblas. *Que las sedas* oculten
> *las abiertas ventanas, y* que alguien desenlace
> los gruesos terciopelos. Nada debe
> amenazar *el flujo de la música:*
> *ninguna arista o mármol o pájaro dormido* [55].

sino con la abundancia, muy característica en esta poesía, de epítetos, que, como nadie ignora, producen siempre, en principio, por su misma índole, la sensación de la inherencia y, por tanto, de lo permanente. He aquí un poema entero, al que ya me he referido antes:

> *Raso amarillo a cambio de mi vida.*
> *Los* bordados *doseles, la* nevada
> *palidez de las sedas.* Amarillos
> y azules y rosados *terciopelos y tules*
> y ocultos *por las telas recamadas*
> *plata, jade y* sutil *marquetería.*

---

[54] En libro reciente he intentado diferenciar la connotación del simbolismo. Las discrepancias son varias, pero todas derivan de éstas: las connotaciones son asociaciones *conscientes,* aunque marginales; símbolo es asociación no consciente. Las connotaciones establecen una relación calificativa; los símbolos, una relación confundente, verdaderamente identificativa (precisamente por realizarse en forma no lúcida).

[55] «Watteau en Nogent-sur-Marne», de *Dibujo de la Muerte.*

Fuera breve vivir. Fuera una sombra
o una fugaz *constelación alada.*
Geométricos jardines. *Aleta*
el hondo *transminar de las magnolias.*
Difumine el balcón, ocúlteme
la bóveda de umbría *enredadera.*
Fuera hermoso morir. Inflorescencias
de mármol en la reja encadenada:
perpetua *floración en las columnas*
y un niño ciego juega con la muerte.
Fresquísimo *silencio gorgotea*
de las corolas de la balaustrada.
Cielo de plata gris. Frío *granito*
y un oculto *arcaduz iluminado.*
Deserten los bruñidos *candelabros*
entre calientes *pétalos y plumas.*
Trípodes de caoba, pebeteros
o delgado *cristal. Doce relojes*
tintinean las horas al unísono.
Juego de piedra y agua. Desenlacen
sus cendales los faunos. En la caja
de fragante *peral están brotando*
punzantes y argentinas *pinceladas.*
Músicas en la tarde. Crucería,
polícromo *cristal. Dejad, dejadme*
en la luz de esta cúpula que riegan
las trasparentes *brasas de la tarde.*
Poblada *soledad, raso amarillo*
a cambio de mi vida[56].

Un fragmento:

Agatas y nogal, si se entrelazan
a los pies del reloj, la caja oprime

[56] «Capricho en Aranjuez», *ibidem.*

las resonantes *cuerdas, los* finísimos *flejes y el* contenido
cauce de la música.
Broncíneos bancos labrados y Pomonas veladas de musgo.

El círculo de los naranjos, contenido con violencia y arte
concede en la distancia un húmedo *refugio*[57].

Belleza, pues, que *parece duradera* y que, sin embargo, no lo es. Belleza, arte y estética que son presentadas conscientemente como una negación de la vida, tal como afirma lúcidamente el protagonista poemático de «Oscar Wilde en París»:

cómo ha podido esta sangrienta burla
preservarnos del miedo y de la muerte[58].

Este sistema expresivo no se limita a los poemas de asunto dieciochesco, sino que se extiende por todo el libro. Lo mismo el empleo sistemático de epítetos:

Si proyectáis turbar este brillante *sueño*
impregnad de lavanda vuestro más fino *pañuelo de seda*
o acariciad las taraceas de vuestros secreteres de sándalo,
porque sólo el perfume, si el criado
me tiende sobre plata una blanca *tarjeta de visita*
me podría evocar una humana *presencia*[59],

Miraba pasar bajo su ventana los landós amarillos,
las muchachas de grandes *ojos azules y* rizadas *pestañas,*
oculta la carita de almendra tras las reidoras *guirnaldas de*
la sombrilla.
Hasta se dice que de vez en cuando se ponía la vieja *redingote bleue*

[57] «Watteau en Nogent-sur-Marne», *ibidem.*
[58] «Oscar Wilde en París», *ibidem.*
[59] *Ibidem,* íd.

y dejaba caer una nubecilla de esencia en la marchita *flor*
de la solapa... [60],

que las connotaciones o simbolizaciones de reposo:

> *En la* eterna *penumbra de la casa, donde* apenas
> giran *las estaciones, como entre la hojarasca*
> eternamente umbría *de los bosques,*
> parpadean *las fuentes, los relojes* gotean
> *sobre el mármol...*
>
> ....
>
> ... *Crepúsculo de verano*
> adormece *los cuerpos......*
>
> ....
>
> Nada debe perturbar *el decurso*
> *de las horas. Tan sólo,* en silencio, *que alguien*
> *renueve los marchitos ramos...* [61].

(Innecesario es señalar que en estos poemas los elementos portadores de Belleza y connotadores de referencia a formas de vida centradas en la estética aparecen *ironizados* en razón de su *valor vivencial negativo.)*

Y es que el siglo XVIII es sólo un símbolo de lo que Carnero piensa de toda Belleza; en el XVIII se produce, junto a la apoteosis del refinamiento y del arte, la putrefacción de la sociedad del Antiguo Régimen. Esto da sentido asimismo a la evocación voluntaria que nuestro poeta hace del esteticismo del siglo XIX, según vimos, pues tal esteticismo, por obra de Verlaine, primero, y de Rubén Darío y los modernistas hispanos, después, lleva a nuestros ojos connotaciones dieciochescas que, por lo dicho, interesaban mucho a nuestro autor. Pero, aparte de esto, Carnero acentúa, al evocar a tales estetas, los elementos «bellos», pero en el fondo con-

[60] «Brummel», *ibidem.*
[61] «Primer día de verano en Wragby Hall», *ibidem.*

vencionales y falsos, inherentes a su concepción de la vida, con lo que se nos fuerza a ver esa belleza como esencialmente poco consistente, fugaz y negadora de la verdadera vida. Habla Wilde:

Naturalmente *que un par de* guantes amarillos no se lleva
dos veces,
cómo ha podido esta sangrienta burla
preservarnos del miedo y de la muerte
....
Pero decir, Milady, si no estabais maravillosa preparando el
clam-bake
con aquella guirnalda de hojas de fresa... [62].

El resultado es, en su contexto no copiado aquí, complejo e incluso ambiguo, y por tanto, más expresivo. El autor se solidariza y al mismo tiempo no se solidariza con la actitud de tales personajes, a los que ve incursos en un cierto género de hermoso heroísmo autovictimante, pero patético éste en su futilidad. En el fondo, estamos aquí ante el mismo sistema expresivo que ha empujado a nuestro autor a evocar el siglo XVIII. Se trata en todo caso de hacer ver la fragilidad e inautenticidad del esteticismo, de modos, eso sí, diferentes: unas veces, evocando una Belleza con apariencias de duración y consistencia, otras sin ella. Y sentimos de modo simbólico que lo que se está haciendo en último término es, en ambas circunstancias, una *crítica del esteticismo. Dibujo de la Muerte* es un libro de apariencia esteticista y que en realidad reflexiona sobre el esteticismo desde perspectivas vitalistas, como los libros posteriores de Carnero son en apariencia una gran construcción de lenguaje, que reflexiona sobre el lenguaje y pone en evidencia su mezcla de grandeza y miseria.

En *Dibujo de la Muerte* percibimos también otra nota

---

62 «Oscar Wilde en París», *ibidem.*

que se relaciona, paradójicamente, con su visión trágica: el humor. Cuando nos sabemos en un mundo alucinado (adjetivo o concepto que Carnero usa varias veces) y trágico a causa de su carácter engañoso y falsificador, nada más fácil que empezar a verlo como grotesco o esperpéntico. Tal es lo que el poema «El movimiento continuo» manifiesta. En él la perfección de la palabra y la hondura de la concepción (que, como en los otros casos, se percibe al final de la pieza), propias de todo el libro (escrito antes de los veinte años: asombrémonos) se juntan ahora a reflejos de comicidad o de broma. El resultado habrá de ser el logro de una mayor complejidad. Pieza, pues, de increíble maestría, y ello no sólo para la edad del poeta en el momento de componerla.

Finales reiterativos y reiteraciones

Es, pues, el de *Dibujo* un mundo cuya última realidad consiste en ser perecedero, ilusorio y falso. La vida *repite* incesantemente el esquema Belleza-Muerte (o sea, «supremo valor» - «destrucción de ese valor») y de él no podemos salir. Me parece que es ésta la razón de las numerosas *repeticiones* en que se complace el estilo de este primer libro (y que no faltan tampoco, con otro sentido, en los siguientes). Dentro de ellas, se hacen especialmente características las que se constituyen en cierre poemático. Es muy típico, en efecto, que la expresión última del poema enuncie de nuevo la frase inicial («Concertato», «Capricho en Aranjuez») o de una frase cualquiera de la pieza en cuestión («Castilla») con lo que los poemas se convierten en circulares. Los ejemplos, con diverso significado, repito, abundan en las obras posteriores. Se alude así simbólicamente, creo, al carácter en efecto circular de nuestra situación en el mundo, de la que no podemos evadirnos. En ocasiones, la reiteración final, y lo mismo las otras que se sitúan en el interior de las piezas, dan, en efecto, una impresión angustiosa, de no progreso, de inutilidad del esfuerzo vital, que choca siempre contra el obstáculo que insistentemente se le opone («Castilla»), o bien, tal artificio (como en «Muerte en Venecia») nos habla de la inexorabilidad de nuestro destino, que se nos impone, lo queramos o no, obsesivamente. En cualquier caso, la intención del recurso es similar: se trata de expresar la reiteración con que la vida humana se halla abocada, sin salida, a un trágico desenlace. Claro está que, una vez descubierto el recurso y comprobada su utilidad para proporcionar trabazón a las composiciones, el poeta puede usarlo asimismo con pretensión puramente compositiva, tal como se observa a partir de *El Sueño de Escipión* (el sentido de la composición, propio de toda la poesía desde Baudelaire, no es sino consecuencia del alto grado de individualismo de toda la época, ya que el individualismo significa, dijimos, «racionalidad», y el sentido de la composición resulta de ejercer en el arte las facultades racionales: elemento éste, pues, también de *continuidad).*

Simbolismo, irracionalidad

He hablado varias veces en el presente trabajo de simbolismo al referirme a los versos de Guillermo Carnero. ¿Usa, pues, nuestro autor la técnica irracional del símbolo? No hay duda de que la irracionalidad, el simbolismo en sus múltiples formas, es una de las grandes posibilidades de la poesía, a partir de sus inicios sobre todo en Baudelaire y luego en Verlaine, Rimbaud y Mallarmé, como consecuencia del creciente intrasubjetivismo individualista del período. Siendo la impresión, en tal período, y no la objetividad, la «realidad verdadera», es natural que surgiese para la poesía un sistema expresivo en el que lo importante no fuesen las denotativas alusiones al mundo *objetivo* (que incluso pueden desaparecer por completo: simbolismo de irrealidad), sino precisamente la *impresión* que las palabras poemáticas nos producen. El irracionalismo de esta especie se acentúa en el Superrealismo, como corresponde a un tiempo en el que se coloca en el primer plano con más fuerza que antes la interioridad humana y sus contenidos, de espaldas, *por completo* a la obpjetividad; y luego (con el paréntesis de las dos primeras generaciones de posguerra) vuelve el procedimiento a surgir con fuerza en el momento actual, a causa de la grave crisis, que hemos examinado, de la razón racionalista. En la generación de Carnero (Gimferrer, L. M. Panero, Blanca Andreu...) se ha dado, en efecto, un amplio abanico de experimentalismos de toda especie y condición, en que se resucitan, con variaciones de interés, fórmulas dadaístas y superrealistas y se prueban otras nuevas de parecido signo. Carnero, en cambio, ha sido extremadamente parco en el uso de tales posibilidades. Y es que las características de los sistemas cosmovisionarios jamás aparecen, según quedó dicho, como obligaciones, sino como meras posibilidades, que podemos actualizar o no, según sea la índole de los «estímulos» (psicológicos, biográficos, sociales, etc.) que operen en nosotros.

Hay, con todo, símbolos en Carnero, con algunos de los cuales hemos tropezado ya. Podríamos mencionar varios más. Así, el final de «El movimiento continuo» es indudablemente simbólico y de gran efecto; en «Muerte en Venecia» se condensan numerosos símbolos, incluso irreales, de evidente emoción; simbólico y muy hermoso es el final de «Bacanales en Rímini para olvidar a Isotta», etc. Pero no podemos decir, pese a todo, repito, que sea el simbolismo cosa habitual en Carnero, lo cual no quita para que puedan darse de vez en vez, por ejemplo, incluso inconexiones de aire sonambúlico en algún poema de *Dibujo de la Muerte,* pues esta poesía no es, claro está, denotativa y plana. Por lo pronto, ya sabemos lo frecuentes que son en ella los «signos de sugestión encadenados» (llamo así a la mezcla de símbolos «de realidad» y de connotaciones, cuando todos ellos ostentan un significado marginal común), usados siempre con singular acierto por este poeta (léase «Primer día de verano en Wragby Hall», «Les charmes de la vie», etc.) para crear una determinada atmósfera emocional. Pero tal vez el ejemplo más extremoso de esta suerte de ilogicismos (simbólicos también, en definitiva) sea el poema perteneciente al «Ciclo de *Dibujo de la Muerte*» (que aparece publicado por primera vez en la edición primera de *Ensayo de una teoría de la visión)* que se titula «Pie para un retrato de Valery Larbaud». Su técnica consiste en juntar o superponer en el poema una serie de brevísimos planos temporales y espaciales que en la realidad se hallan entre sí francamente separados. Pero esos planos son frases o situaciones sueltas, sacadas de sus respectivos contextos, los cuales quedan de este modo simbólicamente evocados. Es la técnica del «collage», con sus antecedentes en Apollinaire (que quiso dar, de este modo, una versión literaria del cubismo), técnica que han usado también algunos novelistas actuales. El inesperado desenlace pone, además, en la pieza una sorprendente nota de humor.

Hemos de concluir, pues, asignando a Carnero, dentro de su generación, una baja cuota en el cultivo de la irracionalidad tal como ésta ha sido heredada del Superrealismo. Aunque en él encontremos símbolos y signos de sugestión encadenados, no hallaremos nunca el grado de ilogicismo que es propio de la llamada «escritura automática». Esto lo separa y distingue de la práctica literaria de otros poetas de su generación, Pedro Gimferrer, cronológicamente el primero, que hacen abundante y constante uso de tal procedimiento. Con el notable grado de lucidez que parece caracterizarle con respecto a sus propósitos en cuanto poeta, Carnero ha dicho en respuesta a la encuenta de la revista *Ínsula* sobre el significado y vigencia del Superrealismo (número 337, diciembre 1974):

> «La poesía ha llegado a un estadio de metalenguajes. Un discurso que se pone a sí mismo como objeto,

considerada la lengua como un «hecho social», mal puede quererse superrealista. No requieren los tiempos presentes el caer en la trampa egotista de la liberación personal por obra de la «escritura automática» (? !), sino la elaboración de un discurso poético lúcido. Con el corpus de teoría literaria de que disponemos en estos momentos, una escritura de vanguardia está más cerca —en cuanto a los métodos, no a los contenidos— del neoclasicismo que del romanticismo y su última consecuencia, el superrealismo. No me recato de afirmar lo que puede parecer una monstruosa blasfemia. Cuando todos huyen en la misma dirección, aquél que avanza da la impresión de estar huyendo.»

«El sueño de Escipión», «Variaciones sobre un tema de La Bruyère», «Ensayo de una teoría de la visión»: aparición de procedimientos metapoéticos

Tras *Dibujo de la Muerte,* Carnero publica tres colecciones (las indicadas en el epígrafe) que forman un solo conjunto unitario, con la peculiaridad de que la última de ellas se halla inacabada. El verso se convierte aquí, como ya sabemos, en *metapoesía:* el autor hace continuas referencias a la creación poemática, al lenguaje y al propio poema que escribe:

Estéril todavía más que la dicha misma acaso
este poema. Imaginarla
con la mirada lúcida del constructor de frases,
perseguir la anuencia de memoria, dicción
y pensamiento
y tener la impudicia de escribirla: bastardos
los gozos del poeta... [63]

[63] «Chagrin d'amour, principe d'oeuvre d'art», de *El Sueño de Escipión.*

Disposición convencional
y materia vigente, acreditada
prosodia: ilustraciones
que es sabio intercalar tanto en la vida misma
como el discurso del poema.
Darles
un ingrediente de ternura... [64]

Poema es una hipótesis sobre el amor escrito
por el mismo poema... [65]

Desde el balcón
veo romper las olas una a una
con mansedumbre, sin pavor.
Sin violencia ni gloria se acercan a morir
las líneas sucesivas que forman el poema [66].
....
Este poema
carece incluso de ese heroísmo plácido [67].
....
En este poema se evitará dentro de lo posible
usar o mencionar términos inmediatamente reconocibles
como pertenecientes al repertorio de la Lingüística... [68].

Cosa similar ocurre en otras artes, aunque a primera vista tal similaridad queda muy disimulada. Tàpies o Vaquero Turcios, y muchos más, pueden pintar un retrato, más o menos realista, pero que aparece, por ejemplo, tachado con unas gruesas aspas, o sobre el que se ha escrito una frase o unas cifras, o que ha sido «ensuciado» o «estropeado» (digámoslo así) de un modo cualquiera. Es evidente que he-

---

[64] «Jardín inglés», de ídem.
[65] «El Sueño de Escipión», *ibidem.*
[66] «Ostende», de *Ensayo de una teoría de la visión.*
[67] «Discurso de la servidumbre voluntaria», *ibidem.*
[68] «Discurso del Método», de *Variaciones y figura sobre un tema de La Bruyère.*

mos dado aquí con uno de los módulos expresivos que son característicos del presente instante pictórico. ¿Cuál será su sentido? ¿En qué coincide tal módulo con el descrito para la poesía juvenil? Acordémonos de lo que dijimos no hace mucho. Lo que se intenta expresar es ahora, paradójicamente, no la realidad, sino la ficción como tal del poema o el cuadro. Al tachar o escribir encima del retrato de alguien surge una obra que no representa ya la realidad (al ser ésta incognoscible —piensan, según vimos, característicos representantes de la cultura actual— por la razón y por el lenguaje —en este caso por el lenguaje pictórico—); o sea, surge una obra que no representa a Fulano de Tal, *sino que representa y desenmascara el acto mismo de representar a Fulano de Tal.* La obra de que hablo representa, en tal caso, efectivamente, *a un cuadro,* en el que el autor ha pretendido pintar, eso sí, la realidad física de Fulano de Tal; cuadro que después de ser pintado ha sufrido, digamos, una agresión, tal vez por mano de un desalmado o por la del propio autor. Lo que importa es que la obra de arte ya no intenta reflejar lo que es real, sino reflejar, por el contrario, insisto, la representación misma *como tal representación.* Todo esto quiere decir que en este tiempo *la ficción en cuanto ficción* habrá de convertirse en tema del arte. El arte, aunque en definitiva siga, por supuesto, manteniendo una relación de cierto tipo con la vida, ya no pretenderá darnos, vuelto a decir, una *ilusión de realidad,* como hasta ese preciso instante ocurría, sino al revés, se hallará impulsado a demostrar a las claras su carácter precisamente imaginario, su índole no real. Las novelas y piezas teatrales, por ejemplo, de este período se pondrán a narrar, en efecto, *cosas manifiestamente imposibles* (Italo Calvino, Günter Grass, García Márquez, Francisco Nieva, Gonzalo Torrente Ballester, etc.). Los escenógrafos acentuarán la *visibilidad* del artificio de que se sirven: no lo disimularán como antes, sino que, por el contrario, lo patentizarán, lo subrayarán, haciendo que, por ejemplo, entre otras cosas, sean los propios actores los que, ostensiblemente, a la vista del público, quiten y pongan los decorados y objetos escénicos en el lugar que corresponda [69].

Por supuesto, cuando Carnero alude en el poema al poema mismo que en ese instante escribe, está siendo, del mismo modo y por los mismos motivos (aparte los motivos tan distintos, expuestos más atrás), fiel a su momento histórico. Fijémonos bien hasta qué punto todo esto supone un vuelco del sistema tradicional, en el que el empeño máximo del escritor o del artista había consistido en proporcionarnos la ilusión de realidad. Se hacía preciso, efectivamente, en ese largo pretérito, fortificar la sensación de que los personajes de la ilusión artística eran reales. ¿Cómo? Por medios muy distintos. Cervantes, por ejemplo, lo logra, entre otras cosas, haciendo, digamos, que Don Quijote y quienes le rodean se pongan, en alguna ocasión a lo largo del relato, a escuchar la lectura de una breve novelita. El carácter puramente literario de los personajes de tal obra produce en nosotros la emoción simbólica (pues se trata de un procedimiento evi-

---

[69] Una vez más comprobamos cómo pueden darse, en épocas distintas, semejanzas formales cuyos significados, sin embargo, difieren, y hasta, en ocasiones, se oponen. Compárese con lo dicho en el texto, la moda del «trampantojo» pictórico, especialmente viva en la Sevilla de la primera mitad del siglo XVIII, en evidente relación, a mi juicio, con el *realismo racionalista* dieciochesco. Lo que un Bernardo Lorente Germán, Francisco Gallardo, Carlos López o Pedro de Acosta y varios más pretendían, al pintar, digamos, un grabado o un lienzo clavado en un tablón del taller de un pintor, era darnos una intensa *ilusión de realidad.* Lo que Tàpies, etc., buscan es, al revés, darnos una intensa *ilusión de ficción artística.* No sería difícil, creo, explicar esta diferencia por una discrepancia, a su vez, formal. En el «trampantojo», el referente no es de hecho un cuadro, digamos, sino un «rincón de taller» del que el cuadro constituye un elemento *entre varios otros.* Se trata, pues, *de una realidad* compleja, de la que el cuadro forma parte: realismo, pues. Lo opuesto ocurre en los casos citados de Vaquero, Tàpies, etc., como sabemos, en donde el referente es, no la realidad, sino la ficción artística, *desligada ésta de todo contorno realista* que la pueda convertir a ella, a su vez, en realidad, *la realidad de ser un cuadro,* como ocurre en el otro caso.

dentemente simbolizador) de que sus lectores u oyentes (Don Quijote y Sancho) son, por contraposición, personas reales:

> Don Quijote y Sancho, en cuanto que escuchan una novela [= personas reales =] emoción de personales reales en la conciencia.

Los corchetes indican los elementos del proceso simbolizador que no son conscientes, sino rigurosamente preconscientes (de ahí que la identidad simbólica, al no percatarnos de ella y, en consecuencia, al no poder descreerla, como se descree en las metáforas lúcidas [95], resulte, en la emoción, una verdadera identidad, esto es, una identidad «seria»). Parecido en su intención al recurso cervantino, pero de muy diferente pelaje, es el que nos es dado percibir en Balzac y luego en Galdós, cuando los personajes que tales autores habían puesto en pie en alguna de sus obras anteriores reaparecen en otra u otras nuevas. Aquí se intensifica también por la vía simbólica el realismo del mundo evocado, ya que se pone en evidencia su índole *estable, reiterativa,* notas éstas que caracterizan a la realidad frente a la alucinación o el sueño. Bien claro vemos ahora que los procedimientos de Carnero, Tàpies o los escenógrafos, etc., de la hora presente son semejantemente simbolizadores, pero en sentido opuesto. Lo que se nos simboliza en ellos es la *no realidad,* el carácter *ficticio o artístico* del arte, el hecho de que el arte no tenga por misión representar el mundo real, en el sentido que sabemos, sino representarse a sí mismo, de una forma particular en la que, de todos modos, se relaciona la representación con la realidad. La *metapoesía, además de ser un desenmascaramiento y rebeldía contra el*

---

[70] Si yo digo: «tu pelo es oro», quien me escucha no cree en la literalidad de mi frase, y, precisamente porque la desacredita y desatiende, cree otra cosa: que yo he aludido con mis palabras al especial color rubio de ese cabello.

Poder social, según ya vimos, es una manifestación del carácter imaginario, o sea, no real, de la obra estética.

Las deformaciones de la representación

¿Y en qué consiste esa «forma particular» de la representación y cuál la relación del poema con el mundo? La cosa está clara: se trata de la experiencia que tenemos de la vida, pero modificada ésta por las debilidades, traiciones y alucinaciones de ese lenguaje que es nuestra memoria; por ese otro lenguaje que consiste en los convencionalismos y necesidades del poema mismo que redactamos (ritmo, estructura, módulos expresivos propios de la escritura de nuestro tiempo, tradición literaria en que nos insertamos, etc.); por los límites del lenguaje usado que no son pocos, y por el hecho, ya enunciado al comienzo de este estudio, de que el lenguaje es un código al servicio del Poder de la sociedad. El recuerdo, tal como puede ser conocido a través de tan deficientes instrumentos lingüísticos, será ahora lo que ocupe, en el interés del poeta, el lugar de la realidad, es decir, se convertirá en una de las manifiestas consecuencias de lo que a lo largo de este trabajo hemos venido denominando la «realidad verdadera». El poema, en definitiva, no hablará de otra cosa que eso, cuando no se ocupe del propio poema o de la actividad creadora como tal. El narrador de la obra rememora en los siguientes fragmentos un instante de su pasado:

> *... de nuevo oigo su voz*
> *poco a poco apagándose hacia el amanecer.*
>
> *Volver a visitarla en un hotel furtivo*
> *y barato...*
> ....
> *Estéril todavía más que la dicha misma acaso*
> *este poema...*

Naturalmente, las criaturas o cosas de que se trata (y eso es lo más peculiar) aparecerán no como las podemos percibir en un referente de objetividad, sino como son, de hecho, en nuestra psique, al ser evocadas por nosotros, *con todos los cambios, a veces grandes,* que en él introducen los factores que he dicho:

> *Es un claro del bosque*
> *está sentada al borde de la fuente*
> *con blanquísima túnica que no ofrece materia*
> *que desgarrar a la rama del espino.*
> *Corro tras ella sin saber su rostro*
> *pero no escapa, sino que conduce*
> *hasta lo más espeso de la fronda,*
> *donde juntos rodamos sobre las hojas muertas.*
> *Cuando la estrecho, su rostro se ha borrado;*
> *la carne hierve y se diluye: el hueso*
> *se convierte en un reguero de ceniza...* [71].

La protagonista del poema no está vista por el poeta en la realidad, sino en el recuerdo. Por ese recuerdo se halla deformada y configurada *de un modo voluntario,* por la tradición literaria caballeresca («blanquísima túnica», tela finísima; motivo de la dama misteriosa hallada por el cazador que persigue una pieza). Además, y sobre todo: como el recuerdo es frágil y *se borra,* ella aparece también *borrada,* extinta, *muerta* («La carne hierve y se diluye: el hueso / se convierte en un reguero de ceniza»). Nótese, pues, que esa «muerte» no se corresponde con nada de un posible referente objetivo: expresa algo —borrarse— que sólo es cosa de la remembranza (y también —sospecho— ha querido con ello el poeta referirse al imposible intento de captar y conocer la identidad ajena mediante el encuentro y contacto sexual). Resulta especialmente interesante a este propósito la peculiar

---

[71] «Ostende», de *Ensayo de una teoría de la visión.*

técnica utilizada. Pues como se habla de «muerte», toda la composición está llena de símbolos «de realidad» que aluden irracionalmente a esa noción. Repase el lector la pieza completa, pues aquí no copio el contexto al que me refiero. Hallará en él, desde su mismo arranque, un encadenamiento simbólico de la especie indicada: «hojas *muertas*», «grava *fría*», «hoja de *cuchillo*», «sábanas *lentas* empapadas de *noche*», *oscuridad* de las cavernas», «cuerpos *agotados*», «dos *bueyes* que *remontan* la colina» (los bueyes connotan «lentitud» y de ahí pasamos al simbolizado «muerte»), otra vez «senderos de hojas *muertas*»; «gran salón de baile *abandonado*»; «*lloran* los tritones», «*nieve*», «fuentes *heladas*», «*reposo*», «cama *deshecha*», «*viejos opiómanos del siglo XIX*»[72]. Lo que importa destacar es que, de este modo, *todo el poema, desde su comienzo,* está técnicamente encaminado a expresar algo (la extinción de la vivencia evocada), *que no* pertenece al mundo de la objetividad, ni de su inmediata experiencia.

No se trata, en efecto, de expresar lo que ha sido experimentado, sino, como digo, el posterior cese intrasubjetivo de eso que ha sido experimentado.

Puede comprobarse la mucha significación que el procedimiento tiene leyendo, por ejemplo, a Gimferrer. Sus libros *Tres poemes, L'Espai desert,* utilizan incesantemente el mismo procedimiento (importancia de la memoria) que acabamos de examinar en Carnero, y ocurre que también

[72] Se trata, en efecto, de símbolos, pues las asociaciones (a veces asociaciones en serie) que provocan no son conscientes, y sólo se hace lúcida la emoción del último término (no el último término como tal). He aquí algunos de los procesos desencadenados:

bueyes (=lentitud=quietud=muerte=) emoción de muerte en la conciencia;
nieve (=frialdad=muerto=muerte=) emoción de muerte en la conciencia;
oscuridad de las cavernas (=oscuridad=no veo=tengo menos vida=me aproximo a la muerte=muerte=) emoción de muerte en la conciencia;
etc., etc.

las realidades nombradas se dan cita allí, con frecuencia, trastocadas y otras a causa de los fenómenos que he señalado como propios de la rememoración, tal como la entienden estos poetas:

Tornarem a la nit, a la postal guixada
amb els colors de plom d'una alba livida
les clapes de sol, fredes en una claror sorda
a les aigües del riu, els ponts de fosquedat,
la campana de llum fosa de la tardor,
aquests carrers viscuts fa temps, en una escena
gasosa, com un doble del nostre temps real,
i tornarem a veure aquell guant verd de seda
a l'or de la portella del carruatge mort,
les perles al turbant de la deesa
i els fulgors xarolats de la nit als hotels.
Es una estampa de litografia
en un paper que s' esmicola, lent
com les fulles que cauen en un somni[73].

Como las cosas sólo aparecen en cuanto objeto de la evocación que de ellas realiza el poeta, se afectan de la naturaleza neblinosa de ésta: surgen calles «vividas tiempo atrás»,

---

[73] *Volveremos a la noche, a la postal tiznada*
con los colores de plomo de un alba lívida,
las manchas de sol, frías en una claridad sorda
en las aguas del río, los puentes de oscuridad,
la campana de luz fundida del otoño,
en estas calles, vividas tiempo atrás, en una escena
gaseosa, como un doble de nuestro tiempo real,
y volveremos a ver aquel guante verde de seda
en el oro de la portezuela del carruaje muerto,
las perlas en el turbante de la diosa
y los fulgores charolados de la noche en los hoteles.
Es una estampa de litografía
en un papel que se hace trizas, lento
como las hojas que caen en un sueño.

Doy la traducción del propio Gimferrer: «L'Espai desert», X, en su libro *Poesía 1970-1977,* ed. cit., pág. 227.

en una «escena gaseosa»; el carruaje está «muerto» (por los mismos motivos por los que había «muerte» en Carnero); «es una estampa de litografía en un papel que se hace trizas», puesto que en parte se halla carcomido y roto por el olvido; la escena recordada es lenta «como las hojas que caen en un sueño»: tal lentitud no es cosa de la objetividad, sino resultado de las operaciones a que la vivencia se encuentra sometida.

Pero puede llegarse a más: cabe que la escena sea inventada (parcial o totalmente: el poeta no aclara este punto):

> *La ment en blanc, amb claredat celest*
> *d'alt zodiac encès: cúpula buida,*
> *blava y compacta, forma transparent*
> *a recer d'una forma. Aïxí em retrobo*
> *cercant aquest carrer. Ni hi és, ni hi era:*
> *ahora existeix, en livitació,*
> *perque la ment l'inventa*[74].

La calle, al ser fruto de la imaginación «no está ni estaba: ahora existe en levitación porque la mente la inventa». No son éstas las propiedades de una calle objetiva, sino sólo las que una calle puede tener al ser pensada por la fantasía, y en cuanto que se sitúa en ésta. Pues no se trata tampoco de un simbolismo de irrealidad. Los símbolos irreales *se refieren siempre,* aunque a través de asociaciones irracionales, a *algo que se supone real*. Aquí no: la «levitación» de la calle, etc., no simboliza ni dice nada, en principio, acerca del mundo

---

[74] *La mente en blanco, con claridad celeste*
de alto zodíaco, encendido: cúpula vacía,
azul y compacta, forma transparente
al abrigo de una forma. Así vuelvo a encontrarme
buscando esta calle. Ni está ni estaba:
ahora existe, en levitación,
porque la mente la inventa.

Traducción de Gimferrer, «Nit d' abril», en *Tres poemes, ibid.,* páginas 168-169.

objetivo: es una propiedad que la calle posee *de verdad,* pero sólo en la mente.

Mas ¿no se daban también modificaciones subjetivas de esta misma naturaleza en el impresionismo (por ejemplo, en el impresionismo de Juan Ramón Jiménez)? No hay duda de que el predominio de la impresión durante esa época hacía que a veces las cosas no compareciesen en el poema tal como eran en la objetividad, sino tal como surgían en la impresión. El poeta y su amada se besan:

Nuestros ojos cercanos
se ponían más grandes que la mar y que el cielo[75].

Entre la sombra verde y azul que hace más grande
el jardín[76].

Ni los ojos aumentan realmente de tamaño al aproximarnos a ellos, ni el jardín se hace mayor «entre la sombra verde y azul». Ahora bien: como al impresionista no le importa la objetividad; como atiende únicamente a la impresión, dará salida (por primera vez, en cierto modo) en su arte a ilusiones ópticas semejantes a las citadas, y, en general, a ilusiones psicológicas e intelectuales de todo género. Por eso, en la novela de Proust (impresionista, claro está) desaparece la omnisciencia (esa desaparición es una de sus grandes aportaciones al arte narrativo), que tanto había caracterizado a todos los novelistas anteriores. El autor francés se limita a darnos su mero *parecer* sobre los personajes; parecer que, claro está, puede ser erróneo (como en los casos mencionados de Juan Ramón) y que con frecuencia lo es. Y así, Marcel piensa al principio que su amigo, el Marqués de Saint-Loup, es un mujeriego; sólo mucho más tarde se entera de su realidad homesexual. Algo semejante le ocurre con el

---

[75] Poema 116 de la *Segunda Antología Poética.*
[76] *Ibid.,* poema 125.

Barón de Charlus: las extrañas reacciones psicológicas de éste son interpretadas primero por aquél como resultado de un aristocrático orgullo; después averigua su verdadera causa: el disimulo que el personaje se impone frente a los demás por lo que toca a sus inclinaciones amorosas, dirigidas también, como las de Saint-Loup, hacia personas de su mismo sexo.

El sistema de Carnero y Gimferrer, y de otros (Siles, Cañas, etc.) de similar tendencia ¿coincide, pues, en este punto, con el impresionismo? Evidentemente, no, y ello por varias razones. En primer lugar, porque la causa que opera en ambos casos difiere profundamente. En el impresionismo, la deformación respecto de la objetividad, introducida en las cosas, procede de la importancia concedida, por esa escuela, permítaseme repetirlo, al mundo intrasubjetivo. Entre los jóvenes actuales, tales deformaciones se deben, en cambio, a la crisis de la razón instrumental, a la crisis del racionalismo, la cual hace, según sabemos, que se considere incognoscible el mundo de la estricta experiencia. Pero, a mayor abundancia, tampoco es idéntico el objeto mismo deformado. Los impresionistas, en cuanto tales, son *realistas* de la impresión y, además *actualistas:* expresan *tal como es* la huella dejada ahora en su psique por las realidades; sólo que al mirar o al sentir sufren ilusiones y engaños. Entre los poetas que estamos considerando no se trata de la impresión *actual,* sino de la *deformación* que, precisamente, esa impresión actual sufre, con el paso del tiempo, en la memoria. El impresionista es fiel a la impresión, aunque no a la objetividad, y eso se hace evidente de modo especialmente claro cuando la impresión se aparta de ésta a causa de una ilusión óptica, psicológica o intelectiva [77]. Los poetas hoy jóvenes ni son fieles a la objetividad ni a la impresión (doble infidelidad, además, muy distinta a la también doble que resultó de la tendencia perfeccionista y arquetípica que fue propia de los poetas puros. Los

---

[77] Recuérdense los ejemplos de la pág. anterior.

jóvenes de que hablamos no buscan el arquetipo. Nos hallamos, con ellos, en otro orbe).

La frustación de la experiencia misma y su expresión en el poema

Las novedades cosmovisionarias y estilísticas que acabamos de examinar (el hecho de que el poema no pretenda expresar la objetividad y ni siquiera exprese de hecho su experiencia, sino sólo las modificaciones de la experiencia introducidas por nuestras insuficiencias psicológicas y las del lenguaje usado, y por las convenciones y prohibiciones de todo linaje —literarias, vitales— que actúan en nosotros), tales novedades podrían ser estudiadas también en otros lugares de Gimferrer, Carnero y de ciertos poetas del mismo tiempo histórico. Ahora bien: el pasaje de Carnero de que partí en el parágrafo anterior admite, junto a la considerada, o acaso en competencia con ella, una diversa interpretación, igualmente carneriana y muy en consonancia con nuestra versión del momento histórico presente, expuesta más atrás. *Se trata de la escasa entidad de las vivencias reales, su recorte y falseamiento por los mecanismos represores, o «lenguaje interior», que el Poder de la sociedad nos impone.* Me explicaré. El poema lleva una cita que parece indicar que sus versos se están refiriendo a una experiencia que nuestra sociedad consideraría atentatoria contra el orden moral. Dentro de esas coordenadas (que presuponen la presión sobre los personajes poemáticos de la normativa social en lo referente a la viabilidad dentro de un orden del uso del propio cuerpo), la experiencia del amor, nos sugeriría el narrador poemático, es forzosamente incompleta: eso lo simboliza el poeta en esta nueva interpretación mediante la desaparición o corrupción instantánea del cuerpo, que «hierve, se diluye» y «se convierte en un reguero de ceniza». Frustrada por lo tanto la experiencia *real* queda sólo la experiencia literaria de convertir la primera en materia de arte. Lo cual estaría indicado en los versos mismos. Efectivamente: en medio de los restos del cuerpo queda «una piedra preciosa» (símbolo de la palabra) que el personaje estético, que es el propio poeta, recoge furtivamente, la atesora y acaricia «en el silencio de su biblioteca» y finalmente, asegura el poema transparentemente, «a veces la imprime». En esta composición, la última que Carnero ha escrito hasta la fecha, tenemos además un elemento *explícito* que sólo implícitamente había aparecido hasta ahora, aunque en muy numerosas ocasiones, en su obra. La pieza afirma que, dentro de la sumisión al Poder social, la experiencia de la realidad (representada aquí sinecdóquicamente por la experiencia de la realidad amorosa) no será posible; sólo será posible la *representación literaria de la frustración de la experiencia real:*

> *no hay más que la palabra*
> *al final del viaje.*

Sentido cosmovisionario de la metapoesía

Si unimos ahora cuanto hemos dicho en este apartado último a lo afirmado en el precedente llegamos a la siguiente síntesis: de un lado, el lenguaje del Poder social, desde el que vivimos psicológicamente el mundo, nos lleva a una experiencia disminuida, falseada, y es esa frustración la que se expresa en el poema; de otro lado, la experiencia misma, tras ser manipulada de este modo, sufre una segunda deformación (la que hemos analizado bajo el epígrafe «Las deformaciones de la representación»), antes de convertirse en contenido poemático, con lo que la obra artística resulta, o puede resultar, fruto de una doble restricción: la que impide o pone límites a nuestra experiencia de la realidad o a su plenitud, y la que, tras esto, viene a trastornar esta experiencia, una vez obtenida. Enunciar estas dos series de hechos en el poema mismo es, volvamos a decirlo, desenmascarar las operaciones de arrasamiento de la persona humana que son propias del lenguaje del Poder social en sus varias formas. La metapoesía es no sólo testimonio de las falacias de la razón racionalista y su desprecio por el individuo, sino denuncia y reprobación de la injuria que, de esa guisa, comete el espíritu de Totalidad contra la integridad del hombre.

La poesía de Carnero y su relación con la tendencia analítica de la filosofía de los últimos años

La genuinidad de un estilo, como el tan personal e inventivo de Carnero, se hace aún más evidente al percatarnos de su comunidad, no sólo con el círculo de los poetas y artistas que le son coetáneos, sino con el campo de la Filosofía —teniendo en cuenta que ésta, y lo mismo la ciencia, suelen adelantarse cronológicamente, a veces en bastantes años, respecto del arte, en el descubrimiento de las novedades cosmovisionarias. Lo mismo que las dos primeras generaciones de posguerra tenían detrás y se relacionaban (sin ser influidas propiamente por ella) con la filosofía de la Vida y concretamente con la filosofía existencialista y paraexistencialista de Heidegger, Sartre y Ortega, el estilo de Carnero y el de cuantos profesan un temple poemático similar se halla en relación, del mismo modo no buscado y sólo coincidente, con el llamado «análisis» filosófico que tan en boga ha estado, y no por casualidad, en estos últimos años, aunque algunos de sus representantes hayan nacido mucho antes (Wittgenstein en 1889; Moore en 1873; Ryle en 1900; Carnap en 1891, etc.). Lo que importa es el prestigio, excluyente de algún modo, que ahora alcanzan tales pensadores, o, en otro sentido, Nietzsche, y cómo, en cambio, se arrinconan o desdeñan los filósofos «especulativos» (no creo coincidencia a este respecto que el libro de Carnero publicado en 1975, *El Azar Objetivo*, se abra con sendas citas de Nietzsche y

Wittgenstein). El auge de Nietzsche se comprende en seguida, en cuanto nos percatamos de lo que la época presente tiene de protesta contra los convencionalismos, mitos e hipocresías de la sociedad, que tanta hostilidad despertaban también en el escritor alemán, que fue, ante todo, un desenmascarador. La moda del «análisis» es, asimismo, muy comprensible. Nace, creo, de la misma cosmovisión que ha dado origen a la poesía de Carnero, pues responde como ella a una grave desconfianza frente a las posibilidades de la palabra humana. Los analíticos hablan, en efecto, de «los embrollos causados por las complejidades del lenguaje ordinario». La filosofía para ellos ha de limitarse, consecuentemente, al examen de las proposiciones, para descubrir si éstas cumplen o no las condiciones indispensables que la veracidad precisa. Lo mismo que Carnero convierte el poema en una meditación sobre el lenguaje poético, sobre las *deformaciones* que el lenguaje introduce en nuestra aprehensión de la realidad, los analíticos convierten la filosofía en una meditación sobre las deformaciones equivalentes en el área del pensamiento introducidas por el lenguaje filosófico. Me parece difícil hallar una semejanza más evidente entre dos esferas tan distintas de la actividad humana.

Especial originalidad de la voz de Carnero a partir de «El Sueño de Escipión»

Atendamos tras esto a la voz misma con que el poeta se dirige a nosotros a partir de *El Sueño de Escipión.* Habremos de inferir sin esfuerzo que si el poeta no se va a referir directamente a la realidad o a la vida como tales, habrá de desaparecer de su obra todo patetismo. Si en *Dibujo de la Muerte* se daba ya una suprema elegancia en el decir, tal cualidad se intensifica ahora mucho, por razones obvias. Pero además aparece en el poeta un acento que no dudamos en calificar de insólito: una extraña frialdad. En efecto: el poeta se produce en un peculiarísimo tono de gran calma, donde no asoma sentimentalismo alguno, aunque sí una sensibilidad muy delicada y una clara inteligencia. La voz, a propósito, suprime todo calor y se hace cartesiana, precisa. Va diciendo las cosas una por una, repasándolas con disciplina y escrúpulo. Puede aplicarse perfectamente al arte de Carnero lo que él mismo dice de Linneo, sin más que cambiar la palabra «ciencia» del primer verso por la palabra «poema» («el poder del poema», diríamos entonces):

El poder de una ciencia
no es conocer el mundo: dar orden al espíritu.
Formular con tersura
el arte magna de su léxico
en orden de combate: el repertorio mágico
de la nomenclatura y las categorías,
su tribunal preciso, inapelable prosa
bella como una máquina de guerra.
Y recorrer con método
los desvaríos de su lógica: si de pájaros habla,
prestar más atención a las aves zancudas[78].

Carnero piensa también (y lo dice en otro lugar) que el poema no pretende conocer el mundo, sino ofrecer un orden al espíritu, o presentar una «hipótesis» *(sic)* sobre la realidad. Tersura en la dicción, belleza a fuerza no de sentimentalidad, sino de rigor. Eso es el arte. El poema consiste, asimismo, en recorrer «los desvaríos de su lógica», de la lógica y del lenguaje, y denunciarlos; pero también en prestar atención a esos desvaríos de la lógica, es decir, en admitir las motivaciones irracionales de la creación junto a las conscientes (la antigua y casi siempre mal comprendida síntesis horaciana). No puede reducirse a menos palabras (exactitud) lo que nuestro autor pretende realizar con su verso.

---

78 «Elogio de Linneo», en *El Sueño de Escipión.*

La técnica de Carnero en estos libros

Pero repasemos despacio este poema: puede servirnos de excelente muestra de lo que son los valores y la técnica de la poesía de nuestro autor en esta nueva y ya larga etapa. Comprobamos, en primer lugar, la eminencia de su originalidad, que empieza por lo acaso más difícil: la «extrañeza» del tema mismo seleccionado. Elogiar a un naturalista desde el verso es ya bastante inesperado; hacerlo con referencia a alguien que nos es tan remoto, y que se halla hoy tan evidentemente superado (pese al gran valor que en su tiempo representó), resulta sorprendente en grado sumo. Más: a todas luces se constituye en «rareza». Ahora bien: precisamente el hecho de que Linneo se ofrezca en la actualidad como pura arqueología *era indispensable* a la intuición que Carnero pretendía desarrollar. Pues el poema es ambiguo: tiene carácter serio, pero al mismo tiempo no carece de una punta de humor, de ahí su complejidad. El elogio va de veras, y sin embargo hay chanza, ya que Linneo sirve, evidentemente, para satirizar a la razón racionalista y su lógica, frecuentemente delirante. Los desvaríos de tal discurso, viene a decir el poeta, se asemejan a los desvaríos de la propia Naturaleza que, a pesar de su supuesta racionalidad y sistematicidad, o, mejor dicho, a causa de ellas, se ha complacido en crear esas criaturas disparatadas (como ya denominó a las cigüeñas Machado) que son, desde varios puntos de vista, «las aves zancudas». Sacamos de todo ello una impresión: lo que parece racional (la ciencia, Linneo, la propia naturaleza) no lo es. Creemos entender ya: la sensación de rareza temática que hemos experimentado (Linneo, aves zancudas) se debe a la rareza misma del empeño de toda una zona de la poesía de Carnero: el ataque a la razón racionalista, ya que, al menos para el sentido común, no hay cosa más aparentemente inatacable que ésta. Ir contra ella es la primera gran «rareza» de las que las otras son mera derivación.

Y comprendemos asimismo otra cosa. Que lo poético de este poema aparentemente frío se debe a la gran condensación y carácter paradójico de su contenido. El lector recibe una carga de significación muchísimo mayor que la que ordinariamente reside en los significantes manejados, con lo que el poeta se aparta más poderosamente del estereotipo lingüístico: se cumple así la primera ley de la Poesía tal como la he venido expresando desde 1952. Pero, sobre eso, tal exceso semántico se halla abultado e intensificado al ser contradictor de nuestros hábitos mentales: nueva desviación del estereotipo o norma y, por consiguiente, mayor efecto estético.

Mostrémoslo en su detalle. Todo el poema está constituido por lo que mi *Teoría de la expresión poética* ha denominado «rupturas del sistema». Y así, en situación de espontaneidad (que es lo que para la poesía, en principio, cuenta) pensamos que la ciencia nos hace conocer el mundo: que no hay tarea más pacífica y mansa que la propia del estudioso e investigador; que lo lógico se opone a lo demencial. Pues bien: todos y cada uno de estos pensamiento, o lenguaje estereotipado de nuestra mente espontánea, encuentran su negación en otros tantos dichos del poeta. Afirma éste taxativamente que el poder de la ciencia no es conocer el mundo; y habla asimismo de «orden de combate», de «máquina de guerra», de «desvaríos de la lógica». Y como en cada caso hay claros motivos para nuestro «asentimiento» (sería fácil exponerlos en su pormenor), tales supuestos conceptos se convierten en poesía y dejan de ser puras especulaciones, las propias de un mero pensador.

El final del poema constituye otra «modificación lingüística»: las cosas no se dicen, se sugieren, y, además, de un modo característicamente remoto. La índole insensata de la racionalidad natural no se halla, en efecto, expresada en el poema. Es el lector el encargado de verbalizárselo.

Lo que acabamos de descubrir admite generalización. Esta poesía que parece fría en el sentido de puramente conceptual, resulta, como era esperable (ya que de lo contrario dejaría de ser arte), tan modificadora del «uso» lingüístico, y, por lo tanto, en ese sentido, tan emocionante y poco conceptual como pueda serlo la más sentimental y romántica. Ahora bien: su carácter poético aparece justamente en contradicción al sentimentalismo. El sentimentalismo queda prohibido por el tema tratado; la misma época de algún modo lo rechaza, y probablemente la psicología del poeta se opone también a tal género de facilidades. *En este otro sentido* sí hay frialdad. Y no sólo eso: Carnero hace de esa especie de frialdad el nervio mismo de su escritura en esta etapa de su obra.

En cuanto a la sugerencia que sirve de cierre a la breve composición, debo decir que no es tampoco caso aislado dentro de la obra de su autor. Al revés, toda ella utiliza de modo incesante el sistema alusivo, lo cual puede, en algún momento, acarrear pasajeras dificultades de interpretación a los lectores poco expertos, sobre todo cuando tales insinuaciones se refieren a datos culturales (frecuentes citas, etc.) no siempre de conocimiento general. A veces el obstáculo se halla en que se usan metáforas o expresiones cuyo recto sentido exige haber leído previamente otras piezas del poeta donde tales elementos verbales tuvieron un uso más directamente asequible. Pero todas estas asperezas son excepciones que merece la pena superar. El resto de la obra de Carnero no ofrece problemas, por lo menos a los lectores normales que no desconozcan por completo la tradición poética contemporánea.

Debo añadir que también puede generalizarse lo que hemos dicho sobre la originalidad y rareza temática del poema acerca de Linneo: tales cualidades rebosan, en efecto, por todas partes, en la zona última de la poesía carneriana. ¿Motivos? Los mismos que ya hemos hallado. ¿Quién, por ejemplo, ha cantado, de modo central, al marabú? No conozco a nadie, salvo a nuestro poeta. Y de otro lado, ¿habrá animal más paradójico y contradictorio? Se alimenta de carroña y viste, pese a todo, la más bella pluma de la zoología; una vez muerta el ave, sirve aquélla de frívolo adorno a las damas. También aquí, de nuevo, el delirio sin tasa de la naturaleza racional y el otro delirio paralelo de la literatura (que eso quiere decirnos también «Erótica del marabú»: sobre la miseria de la experiencia real, convenientemente digerida por el poeta, se crea la maravilla estética de la obra de arte del lenguaje).

Burla de la razón. Y otra vez la sorpresa, la rareza, la originalidad, pues Carnero realiza su chanza con una expresión poemática rigurosísima, llevada en todo momento con precisión de relojero, de exacto y frío matemático. Es decir: Carnero se enfrenta y ríe de la razón, pero lo hace racionalmente (de ahí su rechazo práctico y teórico, ya mencionado en su lugar, de la herencia superrealista), o con una dicción que parece racional o incluso que lo es, hasta donde puede serlo un poema sin deponer su naturaleza de tal. Hemos llegado con esto, en nuestra análisis, a una nueva etapa de su obra.

La burla de la razón en «El Azar Objetivo»

Pues esta burla, cuya mera manifestación, al hallarse asentada en una dicción «racional» se trueca, significativamente, en nueva paradoja, alcanza también forma por completo disímil en el librito o breve colección de poemas que se titula *El Azar Objetivo* (y en algunas piezas anteriores del mismo cariz, por ejemplo la titulada «Discurso del Método», que abre *Variaciones y figuras sobre un tema de La Bruyère*).

No me voy a detener en la consideración de aquella obra, pues lo ha hecho ya, y muy bien por cierto, César Simón [79]. Sólo quiero agregar a lo que él afirma en su trabajo que la sátira de que hablamos halla aquí realización muy

[80] César Simón, «Fracaso y triunfo del lenguaje en Guillermo Carnero», *Papeles de Son Armadans,* diciembre 1976, págs. 249-263.

distinta y hasta opuesta a la que acabamos de ver en «Elogio de Linneo», «Erótica del marabú» y que podríamos asimismo ver en otras composiciones que van, dentro de la etapa hasta ahora final de Carnero, por derroteros parecidos: en vez de expresar, como allí, el «desvarío de la lógica» por medio de una dicción precisa y ajustada, aquí, en *El Azar Objetivo,* se expresa lo mismo pero en forma, como digo, contraria: con una sintaxis enrevesada, llena de pliegues y desviaciones, con abundantes anacolutos voluntarios, con frases que parecen no tener fin y con razonamientos confusos. La rareza sigue existiendo, pero es ahora la del lenguaje mismo utilizado, en relación con el lenguaje poético habitual. Se imita en forma esperpéntica o expresionista los modos verbales y de pensamiento que son propios de los lenguajes jurídicos, técnicos o filosóficos. Pero ello, llegando a las últimas consecuencias, sin la menor concesión a nada que suene, en ningún momento, a «poético». El buscado prosaísmo del contenido y del continente frisa aquí en lo absolutamente insobrepasable.

Pero, se preguntará acaso el lector, ¿en qué consiste lo estético de semejante especie poemática, cuya extravagancia no cede ante la que Carnero percibe en las «aves zancudas» que menciona, o en el maravilloso «marabú» cuyo significado era, por otra parte, idéntico? La intención del autor a este propósito es fácil de adivinar: los razonamientos torpes, las frases liosas, interminables y llenas de paréntesis; en suma, esas «aves zancudas» de la sintaxis lo que verdaderamente nos dicen es algo que se halla al otro lado de lo formulado expresamente. Se nos habla, en efecto, de lo que de ningún modo se nos habla: de la incapacidad poseída por la razón especulativa y racionalista para el verdadero conocimiento. Y como lo expresado no es lo que de hecho se denuncia, la lengua queda modificada y entonces su significación recóndita surge, en la intención del poeta, como puro valor estético. La poesía, incluso esta poesía que a primera vista no parece serlo, se produce siempre, cuando se produce, por unos medios que son, en lo esencial, siempre los mismos.

FINAL

Termina con esto la labor que me ha sido acordada: la de intentar hallar el sentido de la obra de Carnero, dentro del ámbito de su tiempo. He procurado hacerlo en la forma más directa posible y ahorrando palabras, para lo cual he tenido que abandonar, a ambos lados del camino, incitantes instancias o llamamientos que podían haber sido atendidos. Sobre el estilo del último Carnero cabría decir, sin duda, otras cosas que me he tenido que prohibir, aparte de todas las que se me hayan escapado. Pero tal vez queden claros en mi estudio los motivos que me llevan a considerar a Guillermo Carnero como uno de los poetas más representativos y altos de su generación. Así lo proclama la calidad y originalidad de su obra y también la apretada fidelidad de ésta a su lógica interna y a la época que todos ahora estamos viviendo.

INDICE

POESIA POSCONTEMPORANEA
de Carlos Bousoño
se terminó de imprimir en los talleres
de Romanyà/Valls
el día 30 de junio de 1985

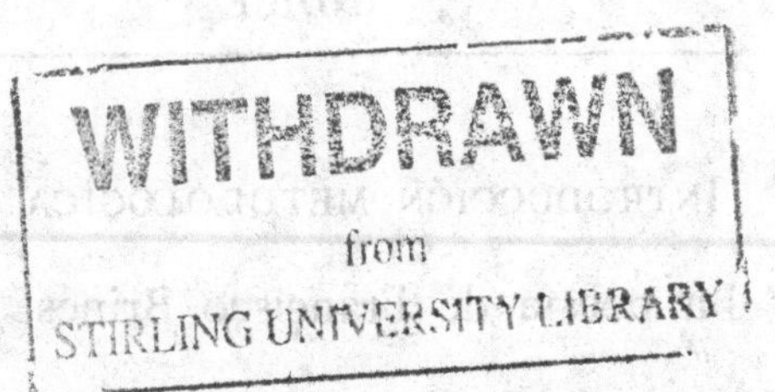